ピグマリオン・コンプレックス

［改訂新版］

プリティ・ウーマンの系譜

PYGMALION COMPLEX：
Genealogy of Pretty Woman

小野俊太郎

小鳥遊書房

目次

第2章　ドレスアップする欲望

第3章　身体を仮構する

第4章　移動する女たち

第5章　ピグマリオンの系譜とプリティ・ウーマンの条件

改訂新版のための序文

【聖家族という原型】

『ピグマリオン・コンプレックス』の改訂新版の機会が与えられたので、本書の成り立ちや背景を説明する序文を書くのは、著者の義務だろう。本書を構想したときに念頭にあったのは、「聖家族」という、キリストを中心とした「人為的」な家族関係だった。さまざまな画家により描かれてきた聖家族の主題は、ルネサンス以降人気が出たものである(アールズ、一四〇頁)。その後、文化的に大きな影響を与え、家族の「鑑」となる「聖家族」だが、家族として人工性あるいは人為性をもっている点が気になったのである。

ラファエロ《聖家族》1560年頃。エルミタージュ美術館蔵

現在ロシアのエルミタージュ美術館に所蔵されているラファエロ(ラファエッロ)・サンティによる一枚の絵が、執筆のインスピレーションを与えてくれた作品のひとつだったのは間違い

ラファエロ《聖家族が幼き洗礼者ヨハネと出会う》1516 年。スコットランド国立美術館蔵

ラファエロ《棕櫚の木の聖家族》1506 年。スコットランド国立美術館蔵

ない。それは一五〇六年頃の作で《聖家族》と題されているが、ラファエロの他の絵と識別するために「ひげのないヨセフがいる」とあだ名がついている。イエスの家族三人を描いた典型的なものだが、最初見たときに、幼子イエスを見下ろす男のどこか陰鬱で不安げな表情に圧倒された。おかげで「聖家族」そのものへの懐疑や負のイメージが脳裏に刻まれることになった。

なにしろ、《大公の聖母》《美しい女庭師》《小椅子の聖母》などの美術の教科書で知っていたラファエロが描いた聖母子像が与えてくれる幸福感が、この絵にはほとんど見当たらないのである。三人とも微笑むのではなくて、表情はどこかこわばっている。とりわけイエスの実父ではなく、「養父」とされてきたヨセフは困惑しているようだ。そして、幼子イエスも「父」から逃れて、聖母にすがっている。この絵から幸せな家族の姿を読み取るのは難しい。

しかも、ラファエロが描いた他の聖家族とも別の印象を与える。現在エディンバラのスコットランド国立美術館にある《棕櫚の木の聖家族》（一五〇六）では、マリアはヨセフと顔を合わせるようにイエスを差し出している。これはわが子を確認する父親の姿に思えるし、イエスの両手もヨセフに触れている。その意味では、聖家族をよりふつうの家族に近づけた描き方をしている。

ところが、おなじスコットランド国立美術館に所蔵されている《聖家族が幼き洗礼者ヨハネと出会う》（一五一六）という絵では、聖家族が描かれながら、中心はイエスと洗礼者ヨハネにある。そして、ヨセフはこちらに顔を向けながら、後ろに離れている。明らかにヨセフの位置が先の二枚とは異なるのだ。しかも杖の使い方が、まるで荷物をぶら下げている旅人のようだ。散歩の途中で、幼き洗礼者ヨハネと出会う設定と理解されている。そして、イエスもマリアもヨハネに目を向けてはいない。

このようにラファエロの絵の間でさえも、イエスとマリアとヨセフの三者の扱いは同じではなかった。他にも聖家族と聖人たちが登場する絵などがある。それぞれの絵の描き方には、依頼主やパトロンの意向が大きく働き、同時にラファエロ自身の芸術的な野心も含まれていたはずである。そして聖家族像そのものは、ムリーリョやレンブラントなど高名な画家の作品から、無名の画家たちの宗教的な願いをこめた素朴な絵まで、さまざまと創られてきた。内容がほぼ決まっている主題をこれほど多様に変奏できたのは、聖家族の三者の関係に解釈の余地があるせいなのだ。

興味深いことに、新約聖書の四つの福音書のうち具体的に聖家族に触れているのは、マタイとルカの福音書だけである（以下『口語新約聖書』一九五四年版を参照しているが、マリヤではなくマリアと記述）。マルコの福音書は洗礼者ヨハネから洗礼を受けて教えを引き継いだイエスが数々の奇跡を行なうところから始まっている。そしてヨハネの福音書は洗礼者ヨハネの弟子とイエスが出会い、カナの婚礼で水をぶどう酒に変えるという奇蹟から始まる。カナの婚礼にイエスの母すなわちマリアはいるが、ヨセフに関する記述は特にない。

聖家族についていちばん詳しいルカの福音書によると、マリアのいとこのエリザベトが、高齢だが子を授かるように願うとかなう（第一章）。妊娠しているエリザベトを訪れたマリアは、いいなずけのヨセフと交わることなく、イエスを「処女懐胎」した。マタイの福音書ではそれを知って離縁しようとヨセフは考えるが、夢のなかに主の御使い（天使）が来て、精霊により妊娠したと知る。マリアが訪れたエリザベトが生んだのが洗礼者ヨハネとされている。

そして、皇帝アウグストが人口調査の登録をするために、ヨセフとマリアが、ナザレから戻ったベツレヘムでイエスは生まれた（第二章）。またマタイの福音書によると、イエスが生まれた後、ヘロデ王がイエスを探させて、そこで聖家族はエジプトへと逃れ、そこからナザレへと帰る話も出てくる。このあたりが合成されて、聖家族の舞台設定となっているのだ。

大工のヨセフは、見かけ上は実父だが、実際には神の子の養父である。そして「三位一体説」を採用すると、イエスは確かにマリアの子どもだが、同時に造物主ともなる。この複雑な家族関係を考えると、血縁や性交渉のない者たちが、ひとつの理想の家族を作り上げている姿だとわかる。

こうした聖家族がもつ平和な家族像は、あくまでも「創られた伝統」（ホブズボーム）だった。そもそも聖書に、キリストの誕生日はおろか季節が特定できる記載はない。クリスマスは、布教のためにキリスト教から見た異教徒の冬至の祭りと重ねたのである。そして、生誕祭であるクリスマスは、家族が集まる休暇とされてきた。

日本でも学校などでの一週間から二週間の冬休みにあたるし、小正月まで入れると、新年の意味がはっきりする。正月を祝うために実家や故郷への帰省は、家族の絆を再確認することとなる。北半球であれば、収穫を終えた十二月から一月にかけての冬の農閑期に、年が改まる行事を置くのが慣習化されていても不思議ではない。

当然ながら、クリスマスは文学作品や映画などに物語の枠組みとして大きな影響を与えている。クリスマスの定番となったハリウッド映画をあげても、自殺しようとした男が天使によって過去や別の未来を見せられる『素晴らしき哉、人生!』(一九四六)や、デパートに本物の(?)サンタクロースがやってくる『三十四丁目の奇蹟』(一九四七)があった。宅地開発に没頭していて自分の人生を不運と思って死のうとしていたが家族を見つめ直し、デパートの営業の仕事に邁進して家族を顧みない女性が娘に心を開くようになるのだ。

さらに、クリスマス休暇で別れた家族に会おうと出かけてきた警察官がテロリストと遭遇してしまう『ダイ・ハード』(一九八八)だとか、クリスマス休暇にヨーロッパ旅行にでかけた家族から置き去りにされた子どもの冒険を描く『ホーム・アローン』(一九九〇)が新しい定番となった。そうした「家族」が回復する物語には、聖家族のイメージの影響が大きいのだ。

今後もクリスマスをめぐる物語は数多く製作されるだろうが、おそらく取り扱われるのは、聖家族の図式を踏まえた家族の和解や絆の回復という主題となるはずだ。そのときの理想像の下敷きとなるのが、イエスとマリアとヨセフからなる聖家族像である。しかも、現在では「両親と子どもひとり」という核家族の原型にさえ見えてくる。現行の日本の生活扶助の基準となるモデル家族のひとつは、すでに両親と子ども一人となっている。

聖書のなかの聖家族には、養父の存在や母子における人為的な関係が感じ取れる点で、「人工の家族」に関する新しい可能性が見えてくる。『ピグマリオン・コンプレックス』を構想したとき、古めかしい聖家族像から、むしろ二十世紀末の家族や社会を考えるのに必要な問題系がいくつか引き出せるのではないか、という思惑が働いたのである。

【三部作としての構想】

古典的ともいえる「聖家族」を手がかりにするという構想は、一人ひとりが否応なしにネットワークと結びつく時代の変化を受けて生じた。このアイデアを膨らましていったのが九〇年代初頭のことだったが、とりわけ一九九五年といえば、バブル経済の崩壊に追い打ちをかけるように、一月の阪神・淡路大震災と、三月の東京の地下鉄サリン事件が起きた。自然災害による家族の分断、さらには教団という家族の関係を越えた組織の形成が問題になると思えた。

さらに、同じ年の十一月には、ウィンドウズ95が日本でも発売され、これまで以上に個人のパソコンとインターネットとが簡単に接続できる時代が到来したのである。霊的なつながりやスピリチュアルな関係が、即時性をもつ新しいメディアが与える衝撃とともに見直されていた。それは、十九世紀における電信の普及が、霊界との通信やスピリチュアリズムを喚起したのとも似ている。

こうしたネットワークやデジタルの時代における家族や男女の関係の変化を考えるうえで、聖家族の「父」「母」「子」に関する部分を組み替えて発展させ、三部作とするアイデアが浮かんできた。美術史や宗教史のように聖家族を分析する意図はなかったし、キリスト教の信仰を否定するために聖書を参照したわけではない。あくまでも英米を中心とする文学や文化の現象を理解する参照枠になると考えたのである。諸般の事情で、当初の形でプランは実現しなかったが、本書の位置づけとも関わるので、三部作の概要をここで簡単に述べておきたい。

第一の問題系列はまさに本書が扱ったものである。男性が理想の女性を生み出そうとするが、それが逆に男性の思惑を食い破る様子を考える「ピグマリオン・コンプレックス」である。ギリシア神話のピュグマリオンという彫刻家がガラテイアという理想の女性を大理石から作り出す話だった（英語名はピグマリオン）。そこには両親から異なる遺伝子を貫い受けて増える「繁殖」ではなくて、一つのイメージを「増殖」するという大量生産時代の女性のあり方を描き出している神話と思えたのだ。

このピュグマリオン神話を利用して、バーナード・ショーが劇作として『ピグマリオン』を書いたのだが、文法や発音の矯正といった言語使用をめぐる問題だったのが興味深い。そして、アメリカで『マイ・フェア・レディ』というミュージカル作品としてハッピー・エンドが与えられ、映画化もされた。ショーのイプセン流の社会や階級への告発のはずが、みごとに階級上昇のシンデレラストーリーへと変換された。ただし、映画化の際にオードリー・ヘプバーンの歌声は奪われ、差し替えられた。理想の姿と理想の声とが合成されたのである。

ギリシア神話によると、アフロディテ（ヴィーナス）の力が、ピュグマリオンの背後にあったはずだが、男が直接理想の女性を作る話へと矮小化されていった。だが、それとともに、支配に抵抗し、くぐり抜けようとする女たちの物語の系譜が浮かび上がってくる。そして、次にピュグマリオンの理念や技術を内面化したガラテイアたちは、創造者としてのピュグマリオンを必要としなくなるのである。

第二の問題系列は、理想の男を作り出そうとするが、それに裏切られる男を扱った系列の話で、『フランケンシュタイン・コンプレックス』と題する予定だった。原型となる『フランケンシュタインあるいは現代のプロメテウス』という小説を描いたのは、二十歳そこそこのメアリー・シェリーであった。これはギリシア神話のプロメテウスの挿話、およびアイスキュロスによる悲劇（の断片）に基づいてロマン派の時代に作り出されたものである。

メアリー・シェリー（1797〜1851年）

『フランケンシュタイン』（一八一八）は、「SFの始祖」（ブライアン・オールディス）とみなされるが、長編詩『プロメテウス解縛』（一八二〇）を書いた夫である詩人P・B・シェリーを中心としたロマン派の詩、それも男性詩人を中心とした見方を訂正し、それ自体十九世紀以降の文学史の書き直しを含んでいた。オールディスは、ジャンルの聖母マリアとしてメアリー（マリア）・シェリーを置きたかったのかもしれない。

しかも、男性であるヴィクター・フランケンシュタインが生み出したわが子が「救世主」か「怪物」

かをめぐる恐怖は、聖母マリアだけでなく、養父ヨセフがキリストに感じた「畏怖」とも重なるはずである。さらに、聖母マリアをはじめとする女性の身体の存在を消去して、ガラス瓶や金属容器のなかで生み出されるのだ、という幻想は、中世の錬金術師や「マッド・サイエンティスト」の系譜を想像させることになる。

これは、男が理想の男を作る話となってくる。旧約聖書の神による人間創造の模倣であり、そもそもアダム自体がレプリカなのだ。神の似姿であるはずのアダムにはへそがあるのか、という議論が十九世紀に起きたのも当然なのだ。しかも、理想の「アダム」として生み出されたはずの存在が、創造主の期待を裏切る結果となる。それもエデンの園から追放された「原罪」として、創造のなかに含まれているのである。

たとえば、未来世界で人類と機械とが戦っているという『ターミネーター』シリーズの設定では、人類の救世主のジョン・コナーが、イエス・キリストつまりジーザス・クライストと同じ頭文字をもち、サラ・コナーがマリアとして苦悩するさまが描かれる。第一作（一九八四）は未来からやってきた男によりサラがジョンを妊娠するという受胎告知の話だが、第二作（一九九一）は誕生した救世主を迫害から守る話でもある。

この場合、シングルマザーとしてのサラに養父ヨセフはいなくて、代わりに未来から送られてきたT–８００という殺人機械が活躍する。第一作では救世主となるジョンを産むことになるサラを抹殺する役だったのだが、第二作では一転して守り手となる。同じアーノルド・シュワルツェネッガーが別の個体を演じているのだが、これはキリスト教の迫害者サウロから、護教の先鋒となった使徒の

『〈男らしさ〉の神話　変貌する「ハードボイルド」』（講談社選書メチエ）（右）と『フランケンシュタイン・コンプレックス　人間は、いつ怪物になるのか』（青草書房）（左）

パウロを彷彿とさせる。それくらい聖書の物語が下敷きになっているのだろう。しかも、ジョンがヨハネの英名であり、使徒のヨハネだけでなく、「ヨハネの黙示録」を連想させる。だからこそ副題の「審判の日」の話が重なるのである。

　では、『ターミネーター』に登場する架空のＡＩシステムであるスカイネットがどのように誕生したのかというと、第一作でターミネーターから切り落として残った機械の手の解析から生み出されたのである。まるで中世の教会に保存されていた聖遺物の骨から、信仰を蘇らせる趣きがある。未来からやってきたはずの機械の手が、その後の未来を左右するのは、ジョンの出生と同じで、原因と結果が捻じ曲がっている。だが、起源をこのように曖昧にすることと自体が、聖家族像におけるイエス誕生と重なっているのである。

　構想の第二部は当初のプランを大幅に変更して二冊の本となった。ひとつは『〈男らしさ〉の神話——変貌する「ハードボイルド」』（一九九九）として、副題どおりに、ミステリーのなかからハードボイルドが誕生し、それが女性たちに引き継がれていく過程を追った。旧版では削除したが、今回の改訂新版では、発想の種となった「フェミニスト探偵小説」のセクションを回復して加えた。

もうひとつは、「ブラックボックス」という鍵語を与えて話を展開させ、『フランケンシュタイン・コンプレックス――人間は、いつ怪物となるのか』という本を二〇〇九年に刊行した。『フランケンシュタイン』はもとより、『ジキル博士とハイド氏』『透明人間』『ドラキュラ』など、結果としてモンスターを生み出してしまう十九世紀末のホラー小説に焦点をしぼり、さらに百年後のスティーヴン・スピルバーグ監督作品などを扱って、現代的な恐怖へとつなげて論じた。

構想の第三部として考えていたのは、子どものあり方の変化に関する論述だった。この構想は『プー・コンプレックス』という題を考えていた。タイトルは、フレドリック・C・クルーズによる批評のパロディ本である『プー・パープレックス〈プーの紛糾〉』(一九六四)を模したものである。『プー・コンプレックス』では、子どものおもちゃ化と、おもちゃの子ども化を扱う予定だった。クローンや複製技術、人工子宮や代理母、さらには人間化するロボットやぬいぐるみの問題系を扱う内容となるはずだった。

アイデアを考えた段階では、おもちゃをめぐる寓話でもあるジョン・ラセター監督の『トイ・ストーリー』(一九九五)が視野に入っていた。3Dの本格的なCGアニメが扱うのが、ぎくしゃくとした動きをする人形やおもちゃである点に、ある種の批評性さえ感じたのである。技術的に未熟な部分を補うための設定だったのかもしれないが、ノスタルジーが最新の技術と結びつくことがよくわかった。

その後、スティーヴン・スピルバーグ監督の『A.I.』(二〇〇一)が公開され、新しい展開がありえるのだと考えさせられた。死にかけた子どもの代用品としてある家族に購入されたデイヴィッドというロボットの物語であるいくつもの問題提起がなされている。デイヴィッドは『ピノキオ』の絵本を知ったことから、人間になりたいと願うロボットとなった。

一九四〇年のディズニー版のアニメへのオマージュに満ちたこの作品で気になったのは、ロボットのデイヴィッドが、工場のように生産された現場を見て、自分がユニークではないとわかったときに、自殺とも事故ともつかない転落をする場面である。自殺だとすると、キリスト教的には禁じられている行為となるはずだが、禁じられている行為を選択したからこそデイヴィッドは人間らしいとする逆説がそこにある。ロボットが人間を模倣したときに、自殺を行なえるか、という古くて新しい問題を提起している。

さらに考えさせられたのは、最後のロボットのデイヴィッドと人間のママとの聖母子像のような光景を見たときだった。人間が滅んだあとで、二千年続いた氷河期のあとで、ロボットのデイヴィッドと仲間のテディ・ベアが蘇る。しかも、人間の記憶や痕跡を探すメカの宇宙人たちの手により、髪の毛からママが再生されたが、一日しかない命だった。この人工的な家族や見守る者のなかに、「本物」の生物はいないのだ。それでも維持される「家族」の姿にこそ呪縛を感じるのである。

スピルバーグ監督は、スタンリー・キューブリック監督が映画化を進めていたのを引き継いで、ブライアン・オールディスの小説「スーパートイ」に『ピノキオ』の要素を加えて書き換えた。それは、本書でも扱ったキューブリック監督の『2001年宇宙の旅』が、暗い宇宙を漂う宇宙船ディスカバリー号が精子のメタファーとされたり、最後に出てきたボーマン船長が変貌したスターチャイルドがもつ単性生殖的な発想への批判も含まれているのかもしれない。この『A.I.』の最後で再現されている人工性ばかりで人間不在の「家族」の表象がはたしてどんな意味をもつのか、と考えざるをえなかった。そして、ヨセフの不在も含めて、ラファエロたちが描いた「聖家族」さらには「聖母子像」の人為性と、はたしてどれほど異なるのかは疑問である。

このような『プー・コンプレックス』をめぐる当初のアイデアは、『フランケンシュタイン・コンプレックス』にも一部取りこんだ。さらに、ギリシア神話でこそないが、テオクリトス以来の牧歌の伝統が『クマのプーさん』と『プー横丁の家』の根幹にある点に関しては『「クマのプーさん」の世界』(二〇二〇)として執筆した。

この未完の三部作のプロジェクトによって、キリスト教的な聖家族から出発しながらも、主にギリシア神話という異教的な要素がつきまとうさまも明らかになるはずだった。それにより、家族という姿を通して浮かび上がるジェンダーやセクシュアリティの区分や定義が、時代によって変容しながらも、別の選択肢が異教的な姿をとり「共存」してきたとわかる。本来同性愛的な「プラトニック・ラブ」の異性愛的な解釈から始まり、そもそもフロイトが「エディプス(オイディプス)・コンプレックス」や「エレクトラ・コンプレックス」と名づけたように、ギリシア神話や悲劇がいつも参照枠となってきた。

どうやら、それが文化のダイナミズムを生んでいるようだ。だとするなら、現在の呪縛を逃れるヒントも、過去の神話的な要素に隠れているかもしれないし、それこそが文化の遺産を見直す必要がある理由となる。そうした可能性を現在に至る文化現象に探し出すのが当初の目標だった。結局この未完の三部作のプロジェクトでは、最初の問題系だけがプラン通りに本の形となったのである。

本書をあらためて「改訂新版」として出す意義は、いくつか考えられるだろう。一つ目は、ピュグマリオンによる支配を逃れ、スーパーモデルとして独自の地位をすでに獲得してしまった女性たちが、自らを理想の女性に変容し変身させるだけでなく、他の女性に変身をうながす場面がありふれたものとなったことだ。これは男性が女性を教育するという点だけでなく、上司と部下という女性間の教育問題も浮上する。ありふれたものとして定着していることがわかるはずだ。模倣し、それによって変身し、相手を食い破ったり乗り越えるかもしれないという問題系の起源が、ギリシア神話にある。

二つ目に消費社会の変化がこうした女性たちの活躍をますます支えている点である。憧れの対象だったデパートではなくて、コンビニやスーパー、さらにネット通販に購買手段は移っているが、そこでの消費生活が、都市を中心とした多くの人々、とりわけ独身者の生活を可能にしている。同時に欲望の模倣の背後には、物流システムに支えられたマーケットの問題が横たわっている。どのように電子化やデジタル化されようとも、商品を売るために人は出かけて行かなくてはならないのだ。

三つ目がオリエンタリズムによる植民地への偏見が、『秘密の花園』におけるコレラ禍のように土地と結びついて現れてくる点である。それは、スペイン風邪（インフルエンザ）が流行したあとの世界でもあった。二〇二〇年現在、世界を襲っているコロナウイルスによる揺さぶりも病とオリエンタリズムの関係を浮かび上がらせている。ひょっとしたら『あしながおじさん』の女子大学の寮のかつて病室だった部屋もスペイン風邪の猛威により、軽症者を入れる「病床」として利用されたかもしれない。そうした可能性を考えさせてくれる点で、過去の古典的な作品が、アクチュアルなテクストに変身するのである。

第1章　ピュグマリオン神話から　ピグマリオン・コンプレックスへ

1　神話のゆくえ

【再話されるピュグマリオン神話】

ピュグマリオンに関する神話を引用して、議論の出発点としたい。出発点とはつねに一時的な働きしかもたないし、示されるとすぐに次にくるものに否定され乗り越えられていくので、すべてを支配するわけではない。ここでは、ピュグマリオン神話の現代における再話を始まりとしよう。

ベラスの息子、ピュグマリオンは、アフロディテに恋するようになるが、彼女が一緒に寝てくれようとしないので、象牙の似姿をつくり、ベッドに横たえて、自分への慈悲を乞い願うのだった。この似姿を思いやって、アフロディテはそれに生命を与えてガラテイアとし、ガラテイアはピュグマリオンにパフォスとメタルメという子どもを生んだ。

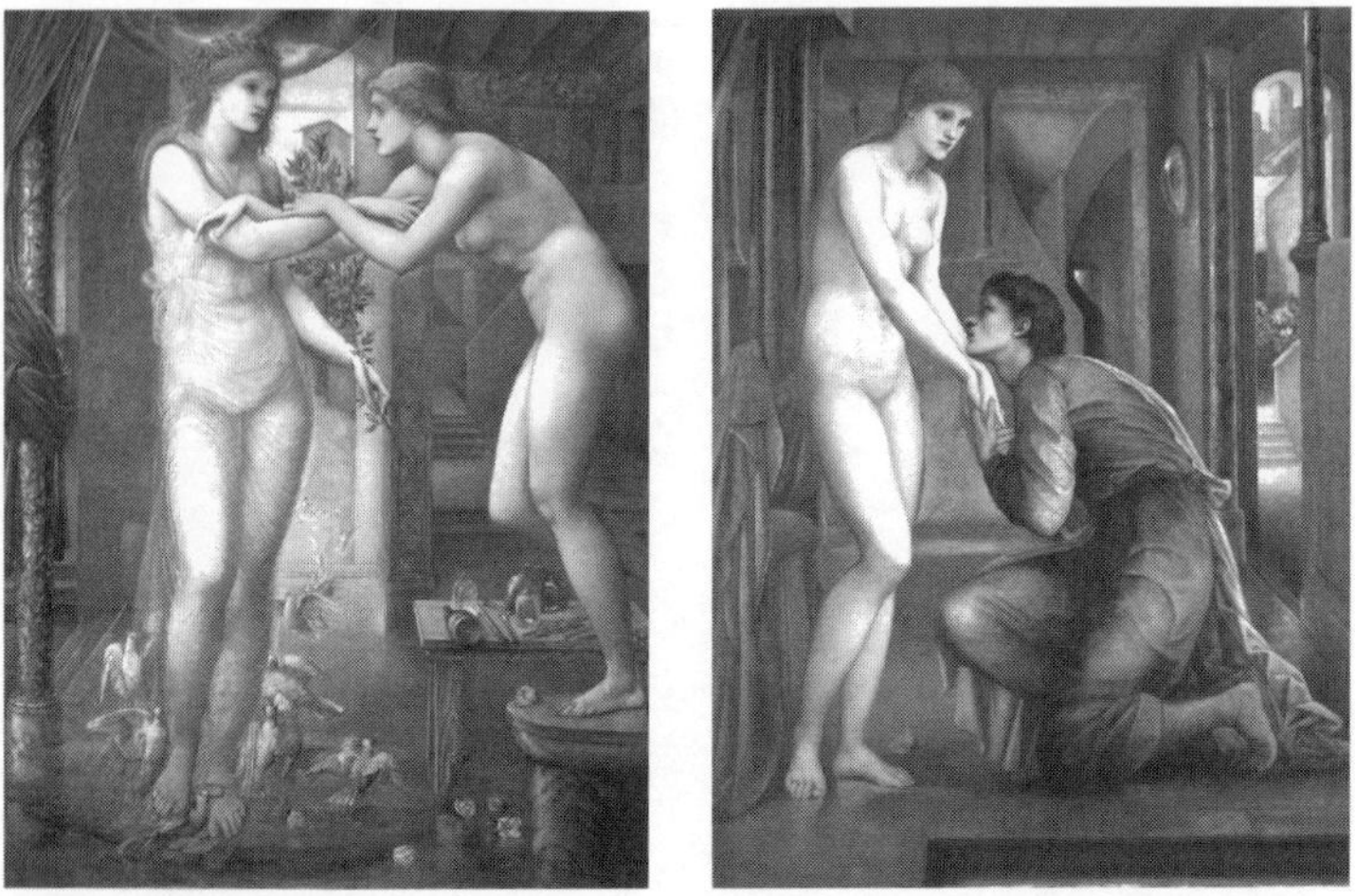

《ピグマリオンと彫像》の連作。左から《Ⅲ（女神のはからい）》、《Ⅳ（心満たされて）》。この連作により自分が作った像に恋い焦がれるピグマリオンの心の動きを捉えている。

この簡潔な一節は、ロバート・グレイヴズが一九五五年に発表した『ギリシア神話』に再話された「ピユグマリオンとガラテイア」から採った（グレイヴズ、二二一頁）。グレイヴズはイギリスの詩人で、オックスフォード大学の詩学教授の職を務め、歴史小説を書く小説家でもある。また、友人のT・E・ロレンスの前半生を伝記化した『ロレンスとアラブ人』（邦題『アラビアのロレンス』）を出版し、母権制のなごりを神話や伝承に求めた『白い女神』という研究書も執筆している。

グレイヴズによるピュグマリオン神話の再話をよりどころとする理由は、神話として「正しい」からではなく、詩人による再話として二十世紀に再生産された神話であるからだ。そもそも、作者の固有名を冠したり誕生の日付をもった神話や伝承というものは語義矛盾であり、私たちの目に触れるのは語り直された再話しかないといえる。神話をある個人や特定の日時といった起源に還元は

ラファエル前派の画家バーン・ジョーンズが 1875 年から 78 年にかけて描いた《ピグマリオンと彫像》の連作。左から《Ⅰ（恋心）》、《Ⅱ（心抑えて）》

できないし、一つひとつの神話は明確な起源もなしに反復されているにすぎない。

もちろん、文字テクストになっている神話は、誰かが書き留めないと現存しないが、その場合記述者が権威者とはなりえても、作者を名乗ることは許されない。そしてグリム兄弟が行なったような民話の採録が、当時の社会通念や偏見といった支配的な思考枠にあわせて加工する作業であることが明らかになってきた。グレイヴズの再話にも、父権制社会では失われた母権的なものを求めるロマンティックな加工が施されているのだ。

ピュグマリオン神話には、グレイヴズも参照しているオウィディウスの『変身物語』を典拠とする版がある。そこでは、売春をする女性たちを見て、女性不信に陥って結婚もしていなかったピュグマリオンは、想像力を駆使してこの世のものとも思えぬ美しい似姿の像をつくった。その像を寝床に横たえて、衣装や装飾品で似姿を飾っていたが、祭の日に同じ格好をした女性を探してくれとアフロディテ（ローマ神話のウェヌス、英語ではヴィーナス）に頼むと、女神は彼の意図を見抜いて象牙の似姿に生命を吹きこみ、両者は結婚するという話である。

オウィディウスのピュグマリオンは、女神を直接モデルにしてその姿を模倣したのではなく、自分に内在する理想の女性を、芸術＝技術の力で外在化したのである。ピュグマリオンがガラテイアを愛したのは当然であって、自分の内部にある理想の女性、つまりユングの「アニマ」のような存在だからなのだ。

両方の版の相違や、さらに断片的に示される他の版を考慮すると、ピュグマリオン神話と呼んでいるもの自体に複数の選択肢があることがわかる。ピュグマリオンという主人公がキュプロスの王なのか彫刻家なのかといった身分の曖昧さを伴い、彫刻をつくった原因も、女性不信なのかアフロディテへの恋なのかと複数ある。こうした選択肢が存在しているのは、ピュグマリオン神話が、詩歌や散文、さらには絵画や彫刻、ときには演劇やオペラなどさまざまな文化表象に分散し変形しながら生き延びてきたためである。

どの版を選択するかで、物語内の個別要素の重要度は変化するし、それぞれの作者の選択や解釈により、それまでにない新しい版が登場する可能性もある。しかしながら、ピュグマリオン神話であるかぎりは、ピュグマリオンという男性が、アフロディテという「女」神の力によって、理想のガラテイアという女性を得るという道筋は守られている。

ピュグマリオン神話で大切な側面は、ピュグマリオンの血統の正当性を証明している点である。

グレイヴズによるピュグマリオン神話の再話の続きをたどると、全体が王権と宗教的な権威の起源を語っている。ピュグマリオンとガラテイアの末裔がキュプロスの王となり、その地にアフロディテの神殿を建立したことになっている。ピュグマリオンの神話はキュプロスの王権の権威づけと正統性を意図してつくられ、アフロディテ崇拝の起源と由来を語るために利用されたと考えるのが妥当である。オウィディウス版でも、ピュグマリオンとガラテイアの間の娘に継がれる血統の純粋性が強調されていた。ガラテイアの素材がもともとは生命の抜け殻である象牙だったのだから、そこには他の人間による血統の汚染はない。ピュグマリオンの神話は、ピュグマリオン一人の生殖能力による自己増殖の可能性を浮かびあがらせているのだ。

ピュグマリオンは、まず自らが創造物をつくりだしたあとで、今度は創造物を媒介にして新しく子孫をつくったのである。父が夫となるという一種の近親相姦的な純粋培養の過程を、想像的なかたちで描くことで、子孫をもつキュプロス王の一族の正統性と純粋性を裏づけようとしていた。単一生殖による子孫繁栄を夢見ることは、女性の子宮を「借腹」とみなして男性の血統の純粋性を守ろうとし、家系図を男性のみで語ろうとしてきた父権制社会の願望と合致する。

ところが近代になって、芸術＝技術をめぐる物語が中心になることで、そうした単一生殖の願望は血統の問題とは切り離されていく。ピュグマリオンの力だけでは、似姿の像を変身させることができないので、人間を超えた神の力が必要なはずだったが、変化をもたらした原因が芸術の力だと解釈される。神と人間の関係が転倒し、あくまでも人間が芸術＝技術の担い手として重視される。近代になりピュグマリオン神話を強く読みこむことから浮かびあがってきたのは、単一生殖による血統の問題よりは、芸術家による作品創造と創造物との疎外関係や、ガラテイアを象牙の像のままで愛して生殖を拒否する「独身者の機械」という考え方である。

どれも神話の一部分に極端な圧力がかけられて拡張したものである。たとえば、ピュグマリオンの後継者とみなせるフランケンシュタイン博士とその怪物や、ジュゼッペ爺さんと人形のピノキオといった場合には、創造者と被創造者が同じジェンダーに属するせいで両者間で生殖の問題は起きない。むしろ、芸術作品と創造者の間の疎外の問題が前面に出てくるだろう。また、ピュグマリオンが、象牙の似姿を生身の少女のように着飾って愛した箇所を強調することは、後半の象牙の像が人間となったという部分を不要にする。いわゆる「人形愛」は神話の全体のつながりを積極的に無視することで成立することになるのだ。

【ピグマリオン・コンプレックス】

キュプロス王やアフロディテ神殿の起源といった神話が切断され読み直されることを通じて新しく登場した問題設定の総体を、とりあえず「ピグマリオン・コンプレックス」と呼ぶことにしよう。新しい問題設定自体がピュグマリオン神話と無縁になるわけではないが、力点の変更はもはやヴァージョンと呼ぶだけではすまされない差異をもっている。本書では、その差異を表記上の区別で示したい。ギリシア語音を転記した「ピュグマリオン」は神話のレヴェルを指し、それに対して、英語音を転記した「ピグマリオン」は神話が近代のなかで重点を変えて変身したレヴェルを指すことにする。オイディプス王とエディプス・コンプレックスと同じ関係を想定している。

このように定義されたピグマリオン・コンプレックスを考慮するならば、これまで単純にピュグマリオン神話だと一括して理解されてきた言説に、一定の留保を与えたりさらに細かい分類ができるだろう。たとえば、フェミニストの立場からイギリス文学の読み直しを迫っているスーザン・グバーは、「『空白のページ』と女性の創造性の問題」という論文で、ピュグマリオン神話が十九世紀になると、男性作家の「文学的創造／想像力」を示すものに転化したことを示した（グバー、七三―四頁）。ところがピュグマリオン神話には、グバーが男性の優位性を根拠づけた枠組として論じた部分以外の問題設定も含まれていたのだ。

アフロディテという女神の力によって似姿の象牙の像を生命へと転じるという設定そのものが、境界線を横断する可能性をもっていると理解できたはずである。神と人間、生命と非生命、再生産をめぐる男と女の役割分担、作者と作品、芸術＝技術の行使と芸術の産物、モデルとそれを模倣したもの、といった現代でも力を発揮しているイデオロギー上の境界線が、ピュグマリオン神話のなかで脅かされ揺らぐ瞬間がある。論文のなかでグバーが扱っているのは、むしろこうしたゆらぎを消去し排除するために一方向に固定しようとした段階のピュグマリオン神話、つまりピグマリオン・コンプレックスとなったものだったのである。

もっとも、グバーが言うように、近代の父権制社会でピグマリオン・コンプレックスが容易に作動できたとするなら、その理由は、同じギリシア神話でありながら、イカロスやプロメテウスの場合とは異なって、ピュグマリオンの行為に高慢さに対する処罰が見当たらないからである。イカロスが太陽に近づきすぎて　羽をとめた蝋が溶けて空から海へと失墜したり、人類に火を渡したプロメテウスがゼウスの怒りを買ってコーカサスの山に縛りつけられて苦痛を与えられるという処罰があるせいで、イカロスやプロメテウスを権威に抵抗する英雄とみなすこともできる。

ところが似姿に命を吹きこんだのが、女神アフロディテという権威をもつ存在だからなのか、生殖によって子孫が繁栄するという父権制社会に都合がよい物語だからなのか、ピュグマリオンという男性によるガラテイア創造という行為は傲慢とはとられずに、許容されているのだ。

ピュグマリオンの行為が正当化されて疑いがもたれない反面、神話が変形しながら伝わる間にピグマリオン・コンプレックスとなるなかで、次々と女性たちが表層から消されていく。当初この神話には三人の人物、より正確には三つの固有名が関わっていた。ピュグマリオン神話には、アフロディテ、ピュグマリオン、ガラテイアの三者が共同で関与しながらひとつの組を形成していた。

まず、アフロディテによる神の力や権威が、「芸術」という技術として、ピュグマリオンに固有の力とみなされることでそのなかに回収されていった。芸術家ピュグマリオンは、彫像をつくっただけでなく、まるで自力でガラテイアに生命を吹きこんだかのように解釈が変更する。

そうした変化の過程をはっきり表わす十八、九世紀の絵画表現が、谷川渥の「ピュグマリオン・コンプレックス」というエッセーでとりあげられている。参考図版のなかに並んだラグルネやルモワーヌによる絵画、ファルコネの大理石像を見ると、いずれにも美の女神であるアフロディテは登場しない。どうやら彼女が前面に出てきてガラテイア誕生の様子を見守るとは表象されないようだ。かわりに不在になったアフロディテの代理表象ともいえるクピド（キューピッド）が登場している（谷川、一二〇—一頁）。

しかも、クピドの役目は芸術家に啓示を与えたり創造を援助するというよりは、ガラテイアの半裸体に巻きついた衣を引っ張りあげつつ、かえってそのエロティックな線を強調することにある。アフロディテがこの場に不在であることが、関与しなくなった証拠だと断言はできないかもしれない。だが、少なくとも物理的な身体として登場する必要がなく、抽象的な「芸術」という機能として理解されたため不要になったと考えられる。

さらに女性の排除は創造されたガラテイアにも及ぶ。かつては「ピュグマリオンとガラテイア」と一組になっていた位置からも、ガラテイアの名前は消えてしまう。たとえば、ルモワーヌの絵の「彫像のまえのピュグマリオン」とか、ファルコネの彫刻の「動き出す自作像にひざまづくピュグマリオン」という題名では、もはやガラテイアという名前は表示されなくなり、作り手のピュグマリオンの名前が残っているだけである。

こうしたガラテイア排除のいちばん極端な例がバーナード・ショーの劇である『ピグマリオン』（一九一二）であろう。もはや、ピュグマリオンが像とどういう状態になっているかと説明する語句さえない。この劇では、下層の花売り娘が発音の矯正によって階級を上昇する可能性が空想的に描かれるが、音声学者のヒギンズ＝ピュグマリオン、花売り娘のイライザ＝ガラテイアという図式を認めることができる。そしてヒギンズがほどこす芸術ならぬ音声学という技術によって、イライザは変貌していく。そのさいに題名に引きずられてヒギンズによる教育にだけ関心を限定してしまうと、イライザの自立が目立たず、ピュグマリオンによるガラテイア教育の失敗を描いた劇とみなしただけで終わってしまう。

ショーの劇をミュージカル版に改作して有名になった『マイ・フェア・レディ』は、題名からするとピュグマリオンという男性中心の発想から脱却したように見える。けれども、「マイ」という単語は、ヒギンズが不在でありながら強力な所有関係を示唆する言葉として機能していて、イライザがより強くヒギンズの支配下にあることを示す。ショーの脚本では、イライザがヒギンズのもとを去っていく場面で終わるのに対して、あらかじめ所有関係が明示されたミュージカル版では、イライザはヒギンズの外へ出られるはずもなく、結局彼の家に戻ることでハッピー・エンドを迎える。

ただし、この結末自体は、ショー自身がシナリオを担当した映画『ピグマリオン』（一九三八）ですでに採用されていた。「私のスリッパ」という幕切れの台詞がすでに存在する。しかもショーはそれによって、アカデミー賞の脚本脚色賞を受賞したのである。一九二五年にノーベル文学賞をすでに受賞していたので、両方を受賞した稀有な文学者としてショーは重要なのである。

この映画を舞台化したともいえるミュージカルが、「マイ・フェア・レディ」という女王などへの敬称を題名に使用したことは、ピュグマリオンが自分が創造したガラテイアにひざまづくという絵画での表象と関連するはずだ。一見すると美の化身を崇拝している格好だが、その対象自体がピュグマリオン自身が造形したものである以上、自分がつくりあげたものを崇拝するという一種のナルシシズムの表象にほかならない。ミュージカル版では、イライザが提出したヒギンズの生き方への疑問はすべて答えを与えられずに終わってしまい、彼のナルシシズムに対する批判はいつのまにか消失してしまう。

こうしたテクストの変更を、巽孝之は「ガイノイド宣言」のなかで、映画の『マイ・フェア・レディ』

（一九六四）をとりあげて「イギリス帝国主義の寓話がオードリー・ヘップバーンの微笑を介してアメリカ民主主義の寓話へとシフトした」と説明する（一九七頁）。しかも、三八年の映画を下敷きにしたミュージカルの舞台に基づいて、予定調和的な結末に至る映画『マイ・フェア・レディ』は、そのあとハリウッドでくりかえしつくられる映画の原形となっている。

のちに、娼婦のヴィヴィアンがウォール街の金持ちと結ばれる『プリティ・ウーマン』（一九九〇）が有名になった。そこでは、愛を仲立ちにすれば階級や出身を超えて男女が平等であるという夢が語られる。また『アンカーウーマン』（一九九六）は、実在したNBCテレビの最初のアンカーウーマンであるジェシカ・サヴィッチと先輩の同業者であるロン・カーショーの関係を描く。ロンの精神的な援助のおかげで成功に昇りつめてアメリカン・ドリームを体現しながら、ジェシカは別の男性と二度も結婚し、最後は別の恋人と事故死してしまう。教えあいながら結婚に至らない二人の関係は映画評論家によってイライザとヒギンズに喩えられた。

こうしてみると、『ピグマリオン』がアメリカ民主主義の寓話となったという巽の説明は十分納得いくのだが、同時にその説明にはもっと分節化できる点もあるように思える。劇の『ピグマリオン』は直接『マイ・フェア・レディ』の映画となったわけではないし、ショーのテクスト自体にも、イギリス帝国主義やアメリカ民主主義の寓話を食い破る要素があるのを忘れるわけにはいかない。

【ガイノイドとピグマリオン】

巽が「ガイノイド宣言」で焦点をあてたのは、ポスト・サイバーパンク世代にあって、さまざまな差異がつくりだされる様子を覗き見る道具としてのピュグマリオン神話である。巽によれば十九世紀以降の神話的言説では、火を人類にもたらしたプロメテウス神話が支配していたという。しかもそこで使用される普遍的な人類というカテゴリーは、「人種・ジェンダー・階級」といった差異を排除することで成立していた。

ところが二十世紀になって異義申し立てが進むことで、啓蒙主義の遺産である大きな物語として君臨していたプロメテウス神話は破産し、巽によれば「火としての芸術＝技術がいかに人類を逆生産しかねないかを問い直す潮流が生まれたとき、ピグマリオン神話が再要請される」（一九八頁）わけである。ピュグマリオンの設定のほうがかえって現代性を帯びていることになる。

しかも谷川の指摘によれば、十九世紀以降にはピュグマリオンそのものが、美術上の主題としては消えていった。この場合、ピュグマリオン神話の表象自体が主題として消えたことは、すなわちピグマリオン・コンプレックスとなって見えにくくなり、それゆえ普遍化された現代の姿を探す必要性を告げているだろう。

といって、ピグマリオン・コンプレックスのひとつの側面を強調して、「人形愛」といった男性がもつセクシュアリティの問題に限定して論じるのは不十分である。ピグマリオン・コンプレックスで問題となるのは、性愛の消費だけではなく、グバーが指摘したように生産が含まれる場だからである。生殖による再生産を引き受ける能力が欠如している男というジェンダーにとって、芸術による創造や技術の適応による生産が、子宮外で生命をはぐくむ行為とみなされた。

苦役としての労働と分娩に英語では同じ単語（labour または labor）を使うことで、男性と女性が担う領域が分離されている。ルネサンスから、男性の創作行為を女性の出産になぞらえるメタファーが使われてきたが、単なる借用関係を超えて、子宮のない男性だからこそ頭脳によって理性的な生産ができると定式化される。そして、「わが子」のように手塩にかけて作り出したという誇らしげな言葉を、職人から芸術家までの男性たちが述べている。しかも、それだけに純粋で崇高だと意味づけされてもきたのだ。

また、生産そのものではなくても、男が理想の女を創造しようとしたり、支配者が被支配者に行なう教育の形式をとることもある。こうした権力関係が発生する場が、ピグマリオン・コンプレックスを通して認識できるのだ。もっとも、同時に派生するのが、創造や教育の対象が自分から離れていくのではないか、という疎外感や不安なのである。

ピグマリオン・コンプレックスを利用しながら、そこから抜けでる存在を、巽はリチャード・コールダーのＳＦ小説から探りあてた。男性中心のアンドロイドを脱構築する可能性をもった女性中心のガイノイドという概念である。アンドロが男性を、ガイノが女性を指すのだが、ガイノイドはアンドロイドの下位区分となる女性アンドロイドというわけではない。ここでの設定と平行関係をもつのは、大文字の人間（Man）の下位区分として、男性（man）と女性（woman）が分類されている状態に対する大文字の女性（Woman）というフェミニズムによる主張である。

機械であるガイノイドは、実際の人間とはかなり異なって、衣装のようにジェンダー差やときには人種差を自由に着脱が可能なものと設定される。こうしてガイノイドが、ジェンダー差や人種差がつくりだす閉域に異議を申し立て、しかも超えていく実践主体となることを、巽はエレイン・ショウォーターの「ガイノクリティックス」の実践例とみなす。

エレイン・ショウォーターの「荒野の中のフェミニスト批評」は、女性批評（ガイノクリティックス）を提唱した八〇年代初頭を代表するフェミニスト論文といえる。そのなかに意外にもグレイヴズの名が登場する。グレイヴズが神話内の女性的要素を理想化するのは、母権制を失われた過去とみなしてであり、母権制を将来の選択肢のひとつと考えたわけではない。過去に失われた制度として母権制を提示することは、いわばエデンの園として、二度とその状態には戻らないという主張であり、アダムとイヴの追放後の父権制を強化する考えともなる。

けれども、父権制擁護の危険を秘めたグレイヴズによるテクストをショウォーターは対話の相手から外したりはしない。そして、「女性の言語が先史時代の母権制には存在したが、両性間の激しい戦闘のあとで、母権制が打ち倒され、女性の言語は地下に潜り、エレウシスやコリントの神秘的なカルト集団や西ヨーロッパの魔女信仰者のなかに生き残った」とする彼の見解を引用さえする（二二頁）。グレイヴズの考えに「ロマンティック」と皮肉な形容をつけて距離をとりながらも、ショウォーターは「女性のエクリチュール」の可能性を探る立場から、彼の仕事に一定の評価を与えるのだ。

こうした積極的な対話の姿勢を保つことができたのも、もはや古典と呼ぶのにふさわしいショウォーターの論文が、七〇年代までのフェミニズムにおける解放者としてのプロメテウス神話に支配された態度と決別しているからだろう。その決意を示す力強い結論が書きつけられている。

私たちは約束の地にたどり着くことは決してないだろう。というのも、フェミニスト批評家が私たちの仕事は女性のエクリチュールの研究なのだとみなしたときに了解できるのは、私たちにとって約束の地とは、複数のテクストがもつ静寂に満ちた差異のない普遍性ではなく、差異それ自体がもつ騒々しくて興味をそそる荒野なのだから。（三五頁）

ここでショウォーターが「私たち」と言っているのは女性に限定されていて、この本での「私たち」とは異なるかもしれない。だが、彼女は来たるべきフェミニズムのあり方を示すために、父権的な力の支配が強い旧約聖書とジェフリー・ハートマンの『荒野の中の批評』の双方がもつ枠組を再利用して自分の論点を生み出している。慣れ親しんで固定化された安住の地を拒絶し、ときには敵対的に見える対象のなかを探る、と荒野を歩いていこうとする彼女の結論は、フェミニスト批評に限らず、文化批評を考えているジェンダーの異なる担い手にとっても、はげみとなる言葉となる。

巽とコールダーが指摘するように、ガイノイドを設定することで浮かびあがってくるのは、一般的な通念とは逆に、さまざまな場で行為が存在を演出したり生み出しているという認識である。存在とはすでに構築されて不動のものという考えに立脚すると、ピグマリオン・コンプレックスの担い手を単純にジェンダーで区別して、そこでの流動性や多義性を把握できないことになる。ピュグマリオンを男性、ガラテイアを女性と単純にはあてはめられない。ましてや、それぞれを支配者と被支配者、あるいは加害者と被害者と固定できるわけではないのである。

ピュグマリオン神話を読み替えたピグマリオン・コンプレックスでは、この両者の位置にさまざまな主体が入り込み占められるのである。ひょっとすると瞬間ごとに関係が逆転もすれば、対立していた者が同じ位置で重なる場合さえもありえるのだ。だから、そうした実相を知るためにも、ショウォーターの忠告に従って、私たちも荒野の中を歩いていくことにしよう。

2 『あしながおじさん』と女子大生

【女子大生たちの台頭】

ショーの『ピグマリオン』が発表されたのと同じ一九一二年に、アメリカ合衆国でジーン・ウェブスターの『あしながおじさん』が出版された。明らかに両者には、同年に発表されたというだけではないパラダイムの共有がある。ウェブスターの小説も男性による理想的な女性の教育というピグマリオン・コンプレックスを抱えているのである。

主人公のジュディ（ジルーシャ）・アボットは学生寮で生活を送る女子大生であり、卒業後に小説家として自立しようとするが、あしながおじさんことジャーヴィスと結婚して主婦となるという筋が展開されていく。ジュディの十八歳から二十二歳にかけての大学生活を綴ったキャンパス小説であり、天涯孤独である孤児が自分の才能を開花させながら結局は富裕な中産階級の男と結婚するまでの過程を描いた結婚ロマンスともみなせる。

読んでいるうちに、大学生活の詳細だけではなく、女性どうしの友情や争いについて、男性との社交がどういうものか、恋愛感情やラブレターの書き方まで読者それも少女たちに教えてくれる。もっとも、テクストが目指したのは、女子大生がありふれた存在となった今では副次的に見えるキャンパス案内の方だったのかもしれない。女子大生や女子大が身近にない地方の読者には、格好の手引きとなったはずである。

　もちろんウェブスターのテクストは当時の文脈において決して孤立した存在ではなかった。彼女のテクストを支え、求める背景が存在する。今世紀の初頭には高等教育を受ける女性が大西洋の両側で急速に増えていき、女性のなかに新しい文化の動きが出てきた。その担い手は、さまざまな越境＝境界侵犯をする女性たちで、いわゆる「新しい女」と呼ばれた。

　新しい女は散発的で例外的な動きではなく、当時の雑誌記事によると、「生活の新しい経験、新しい扇情的感覚、新しい物に対する欲望に駆られている」集団なのだ。一八九〇年代末期の「『コーンヒル・マガジン』の読者にとって、新しい女は身体とファッションとして表象された。どちらも適切な女性性のコードを乱すものだった」（ピケット、一三八頁）のである。個々の家庭から個人まで消費文化が浸透したこととそれに付随した境界侵犯が同時に起きていることがわかる。

　サリー・ミッチェルは『新しい少女、イギリスの少女文化、一八八〇年から一九一五年まで』という研究書のなかで、イギリスにおける少女の文化の成立の事情を幅広い範囲で分析している。「少女」という概念が誕生し拡大していった理由の解明として、十九世紀後半の初等教育の普及と、一八八五年に性行為の承諾年齢が十六歳になったことをひとつの手掛かりとしている（七頁）。もともと結婚には二十一歳まで父親による承諾が必要だったのではあるが、子どもからすぐに大人となるのではなく、十四歳前後の初等教育終了から二十歳前後までの期間が「少女時代」として分節化された。二十世紀になるとそうした少女たちは階級の差をもちながらも、スポーツ、学問、ファッション、旅行といった今まで家庭内にいる女性には、未知だった領域に入ることが許されるようになり、さらに消費社会が提供する商品へのあこがれを募らせていったのである。

初期の女子大生は少数だったせいか、固有名とともに記憶されている。一八九〇年にケンブリッジで学位を取って有名になった、フィリッパ・ガレット・フォーセットは、両親や伯母も女子教育や参政権問題に携わった先鋭的な家庭に生れ育ったので、特殊な例といえるかもしれない。だが、フィリッパのような学生は急速に増えていき、しだいに標準化していった。

といっても、上流階級や中産階級の上層は、とくに女子の場合に家庭教師による教育にこだわっていた。いささか時代と状況は違うが、作家のペネロピ・ライヴリーが一九四〇年代のエジプトで過ごした少女時代を回想した『オリアンダー、ジャカランダ』（一九九四）のなかで、ルーシーという女性に監督され教わりながら、通信教育で初等課程を習っていたことが記されている（六九頁）。

あくまでもイギリス本国からはなれた場所で教育すべき事情があり、ライヴリーが男性だったのなら、別の事態が訪れたのかもしれないが、こうした教育形態があったことは考慮してもよいはずだ。しかも、ライヴリーも高等教育はオックスフォード大学のセント・アン学寮で仕上げたのである。もちろん、彼女のときには半世紀前のフォーセットの時代とは異なって、女性が大学へ行くことを珍しがる風潮はなくなっていた。

女子大生をめぐる事情が、アメリカ合衆国でも共通していたことは、シャーリー・マーチャロニスの『女子大生たち、フィクションのなかの一世紀』が明らかにしてくれる。マーチャロニスの本はフィクションに表象された女子大生の姿を追いかけることで、女子大での生活や寮における集団生活による新しい体験の誕生が、そこで暮した人間たちの意識をどのように変え、また卒業後大学の外での厳しい試練とぶつかる様子を描き出している。

アメリカ合衆国の女子大として有名なヴァッサー大学ができたのは一八六一年だが、社会が女子大生というものを消費生活の対象とみなしたのは、もっと後の時代の世紀の転換点を待ってからである。そのときにはキャンパス小説や雑誌が花盛りとなった。大学が消費社会の重要な一員となったといってもよく、ファッションや社交生活から旅行にいたるまで、現在にも通じる女子大生の消費生活の原形がほぼ出揃ったのである。

【女子大生ジュディ】

階級による資産の違いや親の教育方針という障害はあるが、もはや女子大生が社会的には珍しい存在ではなくなったなかで『あしながおじさん』は登場し、いまや少女小説の正典（キャノン）のひとつとなった。正典となるには、たんに作品が読まれるだけではなく、文化的な記憶になんらかの形で棲みつき、後世に文化表象として流通する必要がある。物理的に一冊の本として存在するだけではなく、他のさまざまなテクストと絡み合い、別のジャンルに引用されて姿を変えることで、正典としての力を発揮し、その地位を保つことになるのだ。

『あしながおじさん』も、一九一九年には、痛快な活躍を描くメアリー・ピックフォード主演の映画となった。そして、ブロードウェイの舞台にもなり、一九五五年にはＭＧＭの手でレスリー・キャロンとフレッド・アステアが踊るミュージカル映画（邦題『足ながおじさん』）が製作された。

一九九〇年には日本でもテレビの連続アニメーションの『私のあしながおじさん』と脚色され放映された。また、一九九三年にはこの小説に由来する災害や病気による遺児の高校進学の支援を目的とした「あしなが育英会」が発足している。こうした文化表象の総体が、『あしながおじさん』を正典として延命させながら、本を読んだことのない人間にも親しみ易さを感じさせ、登場人物や筋立てをすでに知っているような感覚を抱かせるのである。

マーチャロニスはこの作品が成功した秘密を「一種のシンデレラ物語だから」としている（六二頁）。貧しい女性が支配階級の男性に配偶者として見出されるというのは、確かにシンデレラ物語と呼ぶのにふさわしい。もっとも、シンデレラ物語ではヒロインの成長や変化は前提とされないだろうが、ジュディはジャーヴィスの花嫁にふさわしいように教養や文学的才能やファッションの感覚を身に着けていく。だから、男性による女性の教育を前提としたピグマリオン・コンプレックスの観点から考えていくのが適切だろう。その観点に立つと「あしながおじさん」と訳されて流通している印象的な原題（"Daddy-long-legs"）の意味がはっきりしてくる。

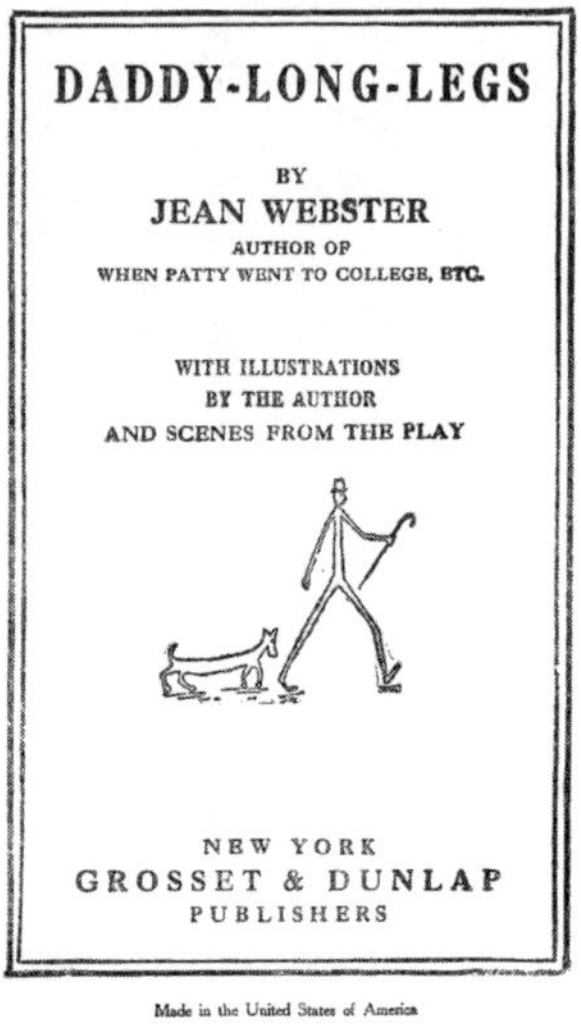
DADDY-LONG-LEGS

BY
JEAN WEBSTER
AUTHOR OF
WHEN PATTY WENT TO COLLEGE, ETC.

WITH ILLUSTRATIONS
BY THE AUTHOR
AND SCENES FROM THE PLAY

NEW YORK
GROSSET & DUNLAP
PUBLISHERS

Made in the United States of America

ウェブスターによるイラストが添えられた『あしながおじさん』の初版本。

「あしながおじさん」という題名は、当時のキャンパス小説のなかでも異質なのである。マーチャロニスが巻末にあげているキャンパス小説を見ると、五十人ほどの作者が書いた小説の題名は三つの項目に分類できる。第一に『スミス大学物語』『チロルの三人のヴァッサー大学生』と大学名をあげるもの。第二に『大学のヘレン・グラント』、『マージョリー・ディーン、大学一年生』といった女性主人公の名前が入るものがある。第三が象徴的な題名であり、『探究』とか『反逆』あるいは『大学の四隅』といった主題を提示するものが採用されている。

他方、ミッチェルが巻末にあげたイギリスで出版された少女小説を見ても、『ピックルス、赤十字のヒロイン』とか『モリー・エンジェルの冒険、ドイツ占領下のベルギーの物語』とヒロイン名があるのが普通である。『あしながおじさん』は、ジュディが主人公の物語のはずだから、『ジュディのキャンパス生活』とかもっとふさわしい題名があるようにも思える。

当時の文脈でも違和感を与える『あしながおじさん（*Daddy-Long-Legs*）』という題名は、『ピグマリオン』と同系列なのだ。題名が、真の主人公がイライザではなくヒギンズだと示していたように、「あしながおじさん」とは、もちろんジュディのことではなく彼女の手紙の宛先であるパトロンを指している。しかも、「あしながおじさん」という語の原題には、「ダディ」という普通は父親を指す言葉が入っている。

便宜的に「おじさん」と訳され、読者は違和感を覚えない。この語は手紙のあちこちで使われるのだが、父的なものをはっきりと指す言葉である。擬似的な父を設定することによって、ジュディとおじさんの関係が成立していることを浮び上がらせている。以下、引用では漠然とした「おじさん」ではなく、「ダディ」と訳すことで、この関係を意識化することにしたい。

さらに、「あしながおじさん」というハイフンで結ばれた語句全体が、蜘蛛の名称であることを思い出すと、蜘蛛が自分の吐き出す糸で網を作ることや、どこかに隠れて獲物を待つイメージが連想されるのを避けることはできない。この題名自体が、内容をたんにロマンチックに解釈することを拒絶し、少なくともそうした解釈に疑いを与えている。

テクストが抱え込んだ不安を効果的に示すために、おびただしい手紙の配列による書簡体小説という形式が選ばれている。正確に言えば、読者は最初に「憂鬱な水曜日」という三人称で書かれた短い章を読まされる。孤児院で育ったジルーシャが、匿名の紳士からの援助を受けることで女子大に行くと決まったいきさつが語られる。しかもジルーシャつまりジュディは、彼の姿を見る機会があったのだが、実際には自動車に乗り込む後ろ姿と長く伸びた影を見ただけだった。それが「あしながおじさん」つまりメクラグモの姿を連想させたのである（ちなみにイギリスではこの語はガガンボという別の昆虫を指す）。

この擦れ違いのせいで、ジュディはジョン・スミスという平凡な匿名の「おじさん」が裕福な老人だと勘違いしてしまった。そして小説の続きでは、ジュディが大学一年生から四年生までの間に書かれた手紙が羅列されるのだ。どれもジュディから「おじさん」へと一方的に送られた手紙である。だからこの場合、書簡体小説といっても、「おじさん」にとって、女子大の生活の詳細を語るその手紙は、海外から送られてきた「未知の土地（テラ・インコグニタ）」に関する報告書に近いのである。

【手紙と日記】

書簡体小説の先駆的な作品として、フランスで出版された尼僧による五通のラブレターからなる「ポルトガル文」（一六六九）が知られるが、十八世紀を中心に隆盛を極めた文学形式である。書簡体小説の場合には、読者は手紙に分散した複数の意見から「本当」の様子を推理できるし、むしろ手紙と手紙のはざまに隠れた文脈を見つけ出すことが求められてもいる。書簡体小説は心理小説とつながるが、個人の意識を繊細に描くために、手紙という社会生活上の形式を利用しなくてもよくなった。

現在では、書簡体小説は、ジョン・バースの『レターズ』（一九七九）のようにパスティーシュとして利用される以外は、小説の支配的なモードではない。しかも『あしながおじさん』には、手紙がもつ往復という運動が欠如している。一人称の語り手であるジュディが、月に一回事務的な報告を行なうという取り決めを破って、過剰に一方的に書き続ける手紙が続いているのだ。しかも、秘書による事務的な手紙の返信が来るだけで、ジュディの手紙の内容に対する「おじさん」からの直接の返事はない。

しかしながら、ジーン・ウェブスターは時代遅れの形式を採用しただけとはいえない。少なくとも、手紙形式を取り入れたおかげで、読者に与える一つの効果をもつ。ジュディがおじさんに向けて返事を期待せずに自分の体験や意見を一方的に述べているので、次々と送られてくる事件や意見を報告する彼女の手紙を彼女の日記のように覗き込むことになる。おじさんからの返事の手紙が存在すれば、ジュディの考えを相対化したり疑問を挟むことはできるのだが、逆にそうした雑音なしに読まされるせいで、読者は彼女の内面と向きあっている錯覚を覚えることになる。

日記に関しても、英米では日記帳に「こんにちは、日記さん（Dear Diary）」と書き始める習慣があるのも重要な点である。備忘録やメモとは異なった自分の内面の声を告白する相手として日記が擬人化されている。言いかえるなら、日記というきわめて個人的な装置であっても、記録ではなくて、自分の言葉を届け告白する相手が想定されて、はじめて日記を書き続けられるのである。日記においても手紙と同じく対話が前提となっているのだ。

ジュディの手紙には日付けや時間が記入され、すべては時間軸にそって配列されているので、起こった事件とそれに関する彼女のコメントを順序よく読める。手紙は、男子禁制の女子大での大学生活を、外で生活している異性に向けた報告の形式としてふさわしいが、読者は受取人である「おじさん」の視点から物語を眺めることになる。ジュディの行動や考えに感情移入したとしても、彼女の手紙に具体的な反応や返事が禁じられている「おじさん」の立場から覗き込むのだ。自分が「おじさん」の視線で読んでいることを意識した読者は、違和感を覚えて、かなり居心地が悪いだろう。

しかも、手紙を利用した仕掛けのおかげで、読者は、探偵小説が好きなジュディより先に、あしながおじさんの正体を見つけてしまう。主人公より先に、読者が「ジャーヴィス＝あしながおじさん」と気づくことで、ジュディがマックブライド家で夏を過ごすのではなく、ロックウィロー農場へと行かせる判断をした真の理由がわかるのだ。匿名の保護者である「あしながおじさん」としての立場からの考慮ではなく、正面切って名乗れないジャーヴィスの愛情や嫉妬が原因だと解釈できてしまう。

読者がこうした隠れた事情を一度了解すると、今度はジャーヴィスの示すこまやかな態度のもつ意味を読み取れないジュディにいらだって叱るとか、応援したくなる。つまり、情報の伝達者である語り手よりも先に、機敏な読者が物語の展開を勝手に推理して満足できるのだ。この仕掛けこそが、発表以来読者を魅了してやまない『あしながおじさん』の秘密なのである。

ジュディはおじさんに手紙を書き続けながら、しだいに主体を確立していくように見えるが、もともと本名すらわからない孤児である。ジュディという呼び方自体、孤児院の経営者リペット夫人が墓標から拾ってつけた(!)ジルーシャという名前を嫌って本人が選んだ愛称であった。つまり「ジュディ」という名前には、リペット夫人という孤児院の権力者の押しつけに対する彼女なりの抵抗が表されている。さらなる抵抗としては、夏の休暇に孤児院に戻ってこいというリペット夫人の申し出を逃れ、あしながおじさんに懇願して農場を紹介してもらうのである。

【教養としての文学】

孤児院での生活やリペット夫人への抵抗として「ジュディ」という仮面を整えるだけでは中産階級のジャーヴィスの妻に成り上がることはできない。結婚という契機によって階級上昇するために必要な条件となるのは、教養とくに文学的な教養である。こうした教養への渇望は女子大に入ってから生じ、周囲との日常会話のために必要となったのである。一年目の十二月十九日付けの手紙では、こう嘆いている。

ダディ、わたしがどんなに無学のどん底にあるのか信じられないでしょう。自分がどこまで物知らずなのか今やっとわかりかけてきました。家族がちゃんと揃っていて、住む家があり、友人や蔵書にめぐまれた女の子たちなら、たいてい吸い取り紙のように覚えることを、わたしはこれまで一度も聞いたことがないのよ。たとえば『マザー・グース』とか『デイヴィッド・カッパーフィールド』とか『アイヴァンホー』とか『シンデレラ』とか『青髭公』とか『ロビンソン・クルーソー』とか『ジェイン・エア』とか『不思議の国のアリス』、キップリングの一節など、一度も読んだことがないんです。（ウェブスター、三六頁）

ここに列挙されている書名は、そのまま二十世紀の初頭のアメリカで、女子大に来るような中産階級に属する若い女性が読んでおくべき「正典」のリストと考えてよいだろう。

ジュディは、家族が揃った完全無欠な家庭が与える自然な環境が教養を育てるといった考え方に束縛されている。その考えに従うならば、個人がもっている教養自体が、その人間が育ってきた環境を反映することになる。ジュディには適切な家庭が最初から欠けていたので、努力で補える学校での授業科目とは異なる日常の教養の習得の点で、周囲とすでに勝負がついている。「吸い取り紙のように覚える」環境の有無が違いを生んでいた。まさにそれぞれがもつ文化資本の違いなのである。

そこで、ジュディは、自分の教養の不足を補うために書物を買い求め、促成栽培のように「教養＝知識」を身に着け、自分の出身階層を乗り越え、周囲との差を克服しようとする。これは、技術の獲得によって、現在とは違う主体へと変身する欲望にほかならない。そして、自分で課題を設定し、理想的な自己像を作り出していくのだ。

このような考えは、努力によって獲得した教養を世渡りの武器とするものだが、ジュディが理念として掲げる「独立独歩の人間」の雛形は、一八五九年に出版されたサミュエル・スマイルズの『自助論（西国立志編）』に集約されるかもしれない。勤勉であることが成功につながると説くスマイルズの本には、三百以上の成功者の実例が列挙されていた。ヴィクトリア朝の上昇指向をもつ階層にむけた「勤勉は報われる」というイデオロギーの啓蒙書というだけでなく、それ自体が忙しい読者のために作られた「ダイジェスト」として、大事な情報を簡単に入手できる媒体ともなっている。

読者はスマイルズの本を読んで、彼の考えに説得されるだけではなく、自分の生き方に対するヒントを、具体的ではあるが、分量が少ないせいで矛盾点が見えないエピソードを通じて与えられることになる。そして一八六三年には『自助のためのヒント集　若い女性のために』という本まで出版された。こうした実例をとりだして並べること自体が新しい教養となっていたのだ。

しかも、ジュディが教養指向から並べた本のタイトルは、彼女にとって必要なものが列挙されているだけではない。『あしながおじさん』の読者たち、つまり大学に入学する前の少女たちや大学への入学を希望しながらさまざまな理由で実現が適わない少女たちにとって、どのような教養を事前に積めばよいかの推薦リストとなっている。「入学前にこれくらい読んでいなくては大学生活で困りますよ」という忠告に他ならない。

先の引用に続く著作名を列挙すると、シェリーやテニスンの詩、サッカレーの『虚栄の市』、スティーヴンスン（『宝島』）、ジョージ・エリオット（『ミドルマーチ』）、キップリングの『平易な物語』、「シャーロック・ホームズ物」、オルコット『若草物語』となる。英米を中心にした文学の傑作選といった趣がある。

ところが、ジュディが教養を渇望して飢えを満たすことだけで満足していたのは最初の一年だけであり、その後は別の領域に関心が移ったせいで、手紙から文学作品の名前は消えてしまう。こうした教養が女子大の寮への通過儀礼としての役割をはたしたのだ。

【社交界と文学生産】

教養を一定身に着けたおかげで、日常生活であまり失敗をしなくなったジュディが新しく関心を向けるようになった対象は二つある。一つ目は、衣装を含めた消費文化と他人にみせびらかす消費行為をする場としての社交界である。二つ目が、大学へ行く奨学金を貰う条件であった文学の生産に専心することで、ジュディ自身が自立するための天職とするまで技術を磨くことである。この二つは、消費と生産というまったく別の次元に属するようでいながら、大学生活がしだいに進むなかでジュディが「自己」を確立する際に生じる新しい問題を導き出してくれる契機となっている。

ジュディの衣装に対する関心や欲望は、しだいに体系的なものとなるのだが、最初は一年目十月水曜日付けの手紙に付け足しのように書かれていた。

何かもっと知りたいことがあるかしら？　わたしはキッド革の手袋を三組持っています。前にクリスマスツリーにぶら下がってたキッド革のミトンを貰ったことがありますけど、五本指のついた本当のキッド革の手袋は持っていませんでした。わたし、これを取り出して時々はめてみます。やっと我慢して教室へははめて行かないんですよ。（ウェブスター、二七頁）

子どもっぽいミトンから、きちんとした手袋へと所有物が変わったことを喜ぶジュディは、当然ながら自分と大学の女性たちとの服装の差異に敏感である。手紙のなかで、自分や他人の衣装について不平や批評を述べることで、結果としておじさんから贈物を貰うことになってしまう。手紙が自分の願望を相手に示す場となっている。

ジュディは孤児院時代に、慈善箱の中身の服を着なくてはならなかった過去を嘆いたりするが、おじさん＝ジャーヴィスの財力のおかげで舞踏会用の衣装も整えられるのだ。社交のための他人に誇示する消費にもジュディの関心は向くが、彼女はそれを「女性」に固有のものだと弁明する。三年目の十二月七日付けの手紙では、おじさんに対する説明も詳細であり、また修辞的な表現をとるようになっている。

ねえダディ、シフォンだとかヴェネチア風の手編みレースとか手の刺繍とかアイルランド風クロッチェといった言葉が、男の人にとってまったく空疎な言葉でしかないって考えると、男の人がどんなに彩りのない生活を強いられているんだろうって思わざるをえません。それにたいして、女の人の場合には、興味を引くことが、赤ん坊、微生物、ご主人、詩歌、召使、平行四辺形、庭、プラトン哲学、ブリッジ、なんであろうとも、根本的に絶えず興味をもっているのは、衣装のことなのよ。（ウェブスター、一三二頁）

ここでは、女の本性として衣装への嗜好があるとされ、ジュディが一方で感じている階級差のようなものがきれいに消去されてしまっている。彼女は「美」を鍵としながら、中産階級的な趣味を身に着けていくことになる。

訪れる場所が変わるたびに、ジュディのファッションへの欲望はかきたてられていく。まず孤児院から女子大に来たときに六着の衣装を買ってもらい有頂天になる。しかしウスターにあるサリーの実家で二年目のクリスマスを過ごしたときには、おじさんから贈ってもらった白のイヴニングガウンを着て舞踏会に参加する喜びを知る。さらにジュディを驚かせるのは、ニューヨークという都会であり、劇場で『ハムレット』を観て、商品が飾られたショーウィンドーを覗いたりショッピングをする楽しみも知る。だが、ニューヨーク以上のファッションの中心地はパリであり、ジュリアがそこで買ってきた服を見せびらかすと、ジュディは羨望を隠すことができない。

つまり、所有物への欲望はまさに場所などの差異によって生み出され、またそうした欲望のせいで他人と差異を作る気持ちが掻き立てられるのである。一度その差異を利用して他人に自分を誇示することを覚えたジュディは、ジュリアの態度を根本的には非難できないのだ。そうした消費のために費やされる金銭が、父やパトロンといった男性によって保証されている点に疑いをもつことは、いちばん楽天的なジュリアばかりでなく、社会意識をもっているはずのサリーやジュディにもありえない。

学生寮のなかへと消費意識が浸透することにより、世間から切り離されたユートピアの空間が、その閉鎖性のせいで、かえって社会の欲望を誇張した形で映し出している場所だとわかるのである。登場人物として、大学内の教師や大人たちが注意深く排除されているおかげで、彼女たちの欲望に倫理的な圧力を与える者がほとんど見当たらないのだ。その意味で、読者として想定された若い女性、それも大学に入る前の年齢だったり、色々な条件で大学への入学がかなわない者に、ジュディたち三人組の生活が自由を謳歌していると見え、憧憬が湧いてくるしかけになっている。しかも、最後には、卒業後に就職する必要もなく、結婚相手までついてくるのである。

3　大学から消費社会へ

【女子大の寮】

消費生活や社交生活にジュディを誘い込むと同時に、その欲望を完全には満たしてくれずにどこか物足りなさを与えるのが、大学生活の四年間を過ごした学生寮である。ジュディが所属した場所をたどると、彼女は孤児院、学生寮、そして小説内では描かれていないがジャーヴィスとの新婚家庭へと移っていくのである。これは手本となった『ジェイン・エア』をなぞっていると考えられ、ジェインが孤児院からロチェスターの妻となるまでの遍歴と重なる。

1910年の女子大生の寮の内部。肥大から二人目はギターを演奏し、ベッドには読みかけの本、中央では軽い夜食を作っている。寮の中の生活と社交が表現されている。

ジュディが所属する空間の変遷は

そのまま身分の上昇でもあるが、同時に彼女の考え方がそれと共に成長したかのように示される。学生たちのさまざまな階層や出身地域の違いを飲み込んで一種のユートピア的な空間となっている学生寮は、「想像力が欠けた画一的な人間をつくる場所だ」とジュディが考えるジョン・グーリア孤児院とは対照的な教育機関である。

ところが、ジュディが共同生活をするために入った学生寮の描写に、彼女が以前暮らしていた孤児院と同質性をもつことを示唆する表現がある。一年目の十月一日付けの手紙によると、彼女の「部屋は、塔の上のほうにあり、新しい隔離病棟ができるまで、伝染病患者の病棟（ward）だったところ」とある（二三頁）。

学生寮に以前収容されていたのは、結核などの伝染病患者だったのだろうが、ひょっとすると女子大という場所を考えると、十九世紀末には「伝染病」という語が身体の接触を伴う性病を意味する場合もあったので、梅毒にかかった売春婦が収容されていた可能性もある。いずれにせよ、伝染病患者と同じように、女子大生が部屋ごとに隔離され管理されているのだ。ジュディは個室を貰えたせいで有頂天になって、「自分だけの部屋」という、自己確認のための空間を手に入れた喜びを語っている。

私の部屋は、北西の角にあり、窓が二つあって眺めも最高。十八年間も、ルームメイト二十人と収容室（ward）で暮したあとなら、一人きりって気が休まるものよ。今度が、私がジルーシャ・アボットと近づきになれる生涯最初のチャンスじゃないかしら。彼女のこと、気に入るんじゃないかと思ってます。（二三頁）

そうした意味づけとは対照的に、部屋を示すのに隔離病棟にも孤児院にも共通した単語を使っているのは注意をひく。ここからは、孤児院と伝染病病棟が同じように忌み嫌われる存在であるという以上の結論はでないが、女性と病人を同じように囲い込む枠組が存在することがわかる。

もちろん学生寮には牢獄のような看守はいないし、修道院のように男子学生や一般社会から隔絶しているわけではない。その代わりに、学生寮内ではお互いに相手の行動を管理しているといってもよい。同じ階にある別のふたり部屋を共有しているサリー・マックブライドとジュリア・ペンドルトンは、ジュディと同じ新入生だが、彼女たちは三人組となって友人とライバルになっていく。

サリーは工場経営者の父をもった「健全な」中産階級のよい手本であり級長にも選ばれ、卒業後はボストンで社会的弱者を救済するセツルメント活動に従事する。その一方で、ジュリアはニューヨークでいちばん古い家系の出身で、ファッションを追いかける軽薄で虚栄心をもった娘とされる。さらに、それぞれの母型として、サリーのすてきな母親と浅薄なジュリアの母親が置かれている。ジュディが自己発見をしながら苦悩するかたわらに、このような紋切り型の性格をもつ人物が配置されているので、ジュディの変化が自然であるように見えるのだ。

固定して変化のないサリーやジュリアと自分自身を比較して鏡のように映し出すことで、ジュディの悩みを解く鍵はしだいに見つかってくる。だから三人は大学にいるかぎり一緒に行動するように描かれる必要があったのだ。マーチャロニスは、女性たちと大学の関係を表象する女子大キャンパス小説が、しだいに一緒に生活を送る意味が変質してきて、均質性が保たれなくなったと分析するが、その最大の要因はロマンスと金銭にあった。つまり異性関係と経済的差異が、表面の平等をご破産にしてしまうわけである。

世間との関係が切断しているように見える学生寮では、学年の相違が一種の階級秩序となっている。バスケットボールのチームに参加しているジュディは、上下のほかの学年に敵意をむきだしにする。同じ学年の結束は強くなり、しだいに上級生になっていくことは、抑圧がとれて新しい可能性が開けていくように見える。だから、学年の初めの手紙には、部屋が替わったりすることへの喜びが率直に描かれる。色々習得することで利口に振る舞えるようになったジュディは、途中で退学することもなく、三年次からは奨学金を貰い優等生となっていくのだ。

ホームシックになった場合に必要な帰る家を欠いているジュディは、こうした教育機構にいちばん順応できるタイプでもあるのだ。そして学生寮が提供できる擬似的な社会生活を楽しむのである。しかも、女子大での生活自体が、社会の消費生活を構成する大事な要素となっている以上、消費文化のただなかにいるわけである。

【夏休みの農場】

ジュディにとって、消費生活が浸透した学生寮での女どうしの生活だけでは、文学を創造するという生産の欲望を実現できるようにはならない。大学生活を補完して対局の生活を通じてジュディを文学創造へ結びつけてくれるのが、ロックウィロー農場で過ごす夏休みである。あしながおじさんであるジャーヴィスが、孤児院に帰りたくないというジュディの願いを聞き入れ、夏休みの三ヵ月を過ごす場所として、自分が少年時代に夏を過ごしたロックウィロー農場を指定した。

その結果、農場の管理人で、今は所有者の妻であるセンプル夫人の口から、ジュディはジャーヴィスの少年時代の様子を聞かされる。つまりジャーヴィスに関する情報をセンプル夫人の口を経由して色々と知ってしまうのである。これはジャーヴィスが「おじさん」として手紙を読解してジュディに行なっている情報収集と対応しているのだ。

ジャーヴィスは「保護者」の仮面を隠してジュディと頻繁に接触することで、影響力を浸透させていく。一年目の五月三十日付けの手紙によると、ジュリア・ペンドルトンの叔父であるジャーヴィスは、姪に会うという口実で女子大にやって来て、結局ジュディに構内を案内してもらう。

もちろんジュディは、ジャーヴィスがあしながおじさん本人だと気づかないが、これ以降しだいに手紙上の主要な人物としてジャーヴィスが登場してくる。彼は当初あくまでも、ジュディの「敵」であるジュリアの一族のなかでは人間らしい魅力的な男性だと評されているだけである。だが、ロックウィロー農場を訪れたり、ジュリアの家で会うことで彼の印象は変化していくことになる。

ジャーヴィスの過去や現在の影がちらつく農場は、ジュディが小説家になるという自分の野望にむけて努力をするための場所となる。二年目の夏は、スティーヴンソンを読みながら、短編小説を書いて過ごし、そのひとつが雑誌に採用されたときから小説家になるという野心が現実化していく。三年目の夏は、「おじさん＝ジャーヴィス」によるパリ旅行の誘いを断わって、マグノリアで家庭教師をして小説を書きながら過ごし、その後はマックブライド家のキャンプを訪れる。だが、ロックウィロー農場に行かずに完成した小説は、底が浅いとして没になったという手紙が出版社から来て、ジュディ自身によっても失敗作とみなされる。そして四年目の夏、ジュディは卒業後、農場で小説を完成させて、千ドルで売ることに成功する。

　農場という空間は、学生寮の個室とは別に、ジュディが自分を見つめ、創作に向かうために必要な場所であった。しかもおおっぴらにジャーヴィスと交流できる場所であり、彼から文学的な指導を受けられる場所なのだ。ロックウィロー農場は、ジュディたちが二年生の最後に上演したシェイクスピアの『お気に召すまま』のアーデンの森と同じように、何かの変化を起こす場所となっている。

出版社に小説を売りにきた若い女性。生活費を稼いで自立するには、小説を書くことが魅力的な手段であった。同時に、男性の前で才能を露呈させられて吟味され、さらにファッションのセンスも問われている女性の姿でもある。

　これはノースロップ・フライが『批評の解剖』（一九五七）で述べた日常から離れて変身を促す「緑の世界」と考えてもよく、マーチャロニスは女性にとって大学自体が「緑の世界」だったとみなす。シェイクスピアの喜劇の女性主人公が、緑の世界から現実の世界に戻るように描かれているように、ジュディは農場から小説を携えて社会に職業をもった女性として出ていくはずだった。

　当初の考えでは、ジュディは大学という緑の世界から出たあとの卒業後の進路として、小説の創作によって経済的な自立をしようと計算していた。オルコットの『若草物語』のジョーを手本にしているともいえるが、小説を書くことで自分を縛りつけている運命から脱出する願望を満たすのだ。つまり、ジュディのもうひとつのモデルであるジェイン・エアのように家庭教師となって他の家庭に入り込むという職業を選ぶのではなく、ジュディは小説を売ることで自分の運命を決め自らつくっていこうとする。

自由意志を擁護して、四年目の十二月十四日付けの手紙ではこう力説する。「運命論を信じたりしたら、きっとただ座りこんで『神の意志がなされるだろう』というだけで、死ぬまで座り続けなくちゃならないわ」（一六〇頁）。これは反宗教的な意志の表明である。小説を書いて自立するという願望のために努力する過程で、ジュディの考えは「独立独歩」のものとなっていくし、社会に能動的に働きかけて自分の地位を獲得しなくてはならないせいで、出版社と交渉したりしてさまざまな社会領域を横断することにも平気となる。ところが、彼女の自由意志の表明とは異なり、運命に決定されたようにジュディはジャーヴィスと結ばれることになる。

ジュディの社会的な関心は、孤児院育ちという後盾を欠いた自分の立場の理解と、孤児院での形式的な宗教の押しつけに対する反発から生じている。だが、最初の長編小説はそうした経験とは無縁な中産階級の社交生活を書いたものだったようだ。失敗した小説の材料は、ペンドルトン家での二週間の滞在で得たものであり、十分に消化できていなかったことを認めて、今度はよく知っていること、つまりジョン・グリーア孤児院での生活をリアリズムで書くことで小説を完成させる。結局この小説が出版社に受け入れられることになる。こうしたジュディの文学的な立場の転換と自己発見には、ジャーヴィスの助言が強い影響力をもっていた。

【フェビアン社会主義者？】

ジャーヴィスはジュディの行動原理にまで影響を与えていく。ジュディは自分が「フェビアン主義者」で、ジャーヴィスと同じように「社会主義者」だと告白する。『あしながおじさん』の読者として若い女性が想定されていたことを考えると、ジュディによるラディカルな立場の表明は今から見るとかなり意外である。

三年目の一月十一日付けの手紙には、ジャーヴィスが社会主義者だというジュリアの母親の愚痴を受けて、「あの人は社会主義者なのよ、幸いにも、髪の毛を長くしたり、赤いネクタイをしていないことをのぞけば」と自分の観察を述べる（一三五頁）。まず、社会主義者が風変わりな風体をしている者だとみなされていたことがわかる。しかも、ジャーヴィスは、代々「英国国教会」という家系に生まれた異端児でありながら、本家筋に当たるので禁治産者ともならずに、疎まれながらも排除されてはいない。ジュディはさらに続けて自分の信念を述べる。

ねえ、わたしも社会主義者になろうと思うんです。なっても気にしないわよね、ダディ。社会主義者はアナーキストとはまったく違います。人々を爆弾で吹き飛ばすことをよしとはしません。おそらく、権利からいっても、わたしは社会主義者なんです。だってわたしはプロレタリアート階級に属するんですから。（一三六頁）

かなりあからさまな階級意識の表明であるが、この作品が発表された一九一二年にはまだ第一次世界大戦やロシア革命は起こっていなかった。だが、社会へ反抗するひとつの態度として「社会主義者」が把握されていた。このテクストも、第一次世界大戦にはじまる二十世紀の欧米社会の激変を目前にひかえた文脈の外にいるわけではない。

アメリカ合衆国でも、この小説の十年前の一九〇一年にはマッキンリー大統領の暗殺が起き、その実行犯は政敵のスパイだったにもかかわらず、アナーキストと自称したせいで、国内でのアナーキストに対する弾圧やヨーロッパからの政治的亡命の制限が高まっていた。シカゴの東欧系移民社会を中心に流入していたアナーキズムやイタリア系のアナルコ・サンディカリズムの指導者は弾圧されていく。爆弾を投げるというヨーロッパのアナーキストのイメージは、アメリカでは大統領暗殺と重ねられているのだ。この背景があるせいで、ジュディも自分がアナーキストではないとあわてて打ち消さなくてはならなかった。

だが、「社会主義者」と表明しながらも、ジュディの意識と行動との間にはずれがある。彼女とジャーヴィスが考えているのは、「慈善と社会改良」であり、政府を転覆するというような性急な革命を起こそうとしているわけではない。自分がフェビアン主義者であると告げる手紙には「わたしたちは明日の朝に社会主義革命が来ることを望んではいません。それじゃあまりにもまごつきます。準備がすべて整って、ショックに耐えることができるようになった、遠い将来に、きわめてゆっくりと来てほしいのです」と書いてある（一三八頁）。革命の到来を望みながらも限りなく遅らせてほしいのだから、ジュディの立場はヴィクトリア朝における「社会改良主義者」とか「博愛主義者」と呼ぶほうが正確かもしれない。

ジュディの「社会主義」がもつ立脚点の弱さは、四年目の一月九日付けの手紙で示されてしまう。ジュディは、貧困にあえいで仕立て屋をして一家を支える娘を救うための百ドルを無心する。結局小切手で支払われるのだが、ジュディが経済的に自立していないせいで、彼女自身には経済的に解決する手段がない。ジュディの社会改良とは誰かの財布をあてにして依存する行為であることが明瞭になってしまう。

現在の時点からジュディの態度をあざ笑うことはたやすいが、大学という「緑の世界」のなかでは、級長を選ぶ激しい選挙戦を行なえるが、実社会では州によっては選挙権をもたない女性であることを嘆く状況があったのだ。連邦全体で選挙権が男女平等になったのは一九二〇年である。ジュディに、金持ちの妻となってその影響力で社会改良をしていくという道を歩ませることは、読者の納得をえる現実的な選択であり、同時にこのテクストがもつ限界なのである。

【あしながおじさんの死】

テクストは自分の限界を隠すために、さまざまな出来事と直面して亀裂が入った主体を縫い直すことを通じて、ジュディという主体が確固として存在しているように見せなくてはならない。その具体的な縫い直しが、修辞的な産物であったあしながおじさんの死である。

ジュディの気持は、ジャーヴィスとの結婚に踏み切るまでふたりの人物への思いの間で裂けていた。彼女が書く小説への最良の助言者で、行動原理を示してくれるジャーヴィスと、経済的なパトロンで恩人であるあしながおじさんとの間で三角関係ができてしまう。そして、いったんはジャーヴィスからの求婚を退けるのだが、小説が売れたという自信に裏づけられ、病気になったあしながおじさんを見舞うことでジュディはすべての答えを知ってしまう。

もちろん、読者はすでに知っているのだが、ふたりの人物は最初から一人だったので、ジュディがどちらを愛しても矛盾は生じない。ジュディはあらためてジャーヴィスからの求婚を受け入れて、物語は幸福な結末を迎える。このとき、ジュディが作りだした虚構の人格で、ジャーヴィスが訂正しなかった「あしながおじさん」という擬似的な父親は不要となる。つまり、このテクストは「あしながおじさんの誕生から死」までの物語だったのである。

木曜の朝として日付けのない手紙が、あしながおじさんに宛てた最後の手紙となる。もちろん、同じ家に住むことになるのだから、手紙を送りつけるという行為そのものが必要性を失うのである。宛先は「ジャーヴィ・あしながおじさん・ペンドルトン・スミス様」と書かれている。この手紙の役目は、すでに事情を飲み込んでいる読者に、架空の宛先であるあしながおじさんが不要になったと彼の死を告げ、さらに結婚の了解を手紙という形で確認しながら読者に報告しているのだ。

というわけで、最後はこうなる。「永遠に、これからもずっとあなたのものである、ジュディより。／追伸。これは私が書いた最初のラブレターです。書き方を知ってるなんて、不思議じゃない？」（一八七頁）書き方を教わらなくてもラブレターが書けたように、すべての答えはすでにあってジュディはそれを発見したにすぎない。一連の手紙を書き、小説を創造するなかで、故郷喪失者であったジュディは、自分がいるべき場所として、孤児院でも学生寮でもない新しい家を見出すことになる。

ジュディとの関係において、ジャーヴィスは、最初から神のような高みに立って、ジュディを自分の妻とするために誘導しているように見える。だが、ふたりの関係はそれほど単純で一方的なものではない。ジュディは最初の九月二十四日付けの手紙であしながおじさんをこう定義していた。

第一、あなたは背が高い。第二、あなたはお金持ち。第三、あなたは女性が嫌い。「拝啓ミスター女嫌い」と呼んだらとも思います。でもこれじゃ何だか私が侮辱されているだけみたい。また「拝啓ミスター・リッチマン」。でもこれじゃあ、あなたを侮辱しているでしょう、まるで、お金だけがあなたに関して重要なことみたいですものね。（二二頁）

ジュディはおじさんが匿名を守るのは女性嫌いだからではないかと疑念を示すが、ジャーヴィスの行動を見ていくかぎりでは、根拠がないようにも思える。ところが「女性嫌悪」というジュディによるあしながおじさんへのレッテル貼りは、ジャーヴィスの感情教育には効果的だったのだ。架空の存在であるおじさんが絶対に競争相手とはならないことを知っているジャーヴィスにとって、真のライバルは、サリーの兄でプリンストン大学に通うジミー・マックブライドなのである。

手紙を通してジュディがジミーに関心を示すのがわかるたびに、ジャーヴィス本人、あるいは彼の別人格のあしながおじさんは、積極的に贈り物をし、彼女をどこかへと連れていき、わざわざ訪問し、好きな場所へと行かせる。そして、手紙を通じて知るジミーの行動を模倣した結果、ジャーヴィス自身も、女性にチョコレートやキャンディを贈るだけでない行動ができるようになり、ジュディへの愛情が形成されていくのである。

ジュディの錯誤をあえて訂正しなかったせいで、ジャーヴィスは匿名の手紙の宛先として、自分の機能の一部を分離できたのだ。「あしながおじさん」という仮面の部分は、気難しいが必要な金銭をジュディの言うがまま出してやる老人という空想の役割を引き受けている。しかも、詳細な手紙を受け取るおかげで「あしながおじさん」は、ジャーヴィスのスパイであり、彼女の欲望、願望、予定、ときにはジャーヴィス本人への感想まで、何でも知ってしまう。

ジュディの手紙によって知らされた情報をもとに、巧妙に振る舞うことでジャーヴィスはロマンスを演出できるし、たとえ『ピグマリオン』のヒギンズのような女性嫌悪者だったとしても、ジュディとのロマンスを通じてその性癖が消えたように描かれている。見方を変えるなら、ジャーヴィスを異性愛の体制に引き戻すために、女性嫌悪を理由として結婚を避けない男になるように治癒するのがジュディの役目でもある。ジュディが一方的に教育されて形成される面と、相互作用でジャーヴィスも形成されていく面とが、ふたりの間にはある。決して対等ではないが、こうした相互関係を形成する場は、ピグマリオン・コンプレックスと呼ぶのにふさわしいだろう。

一九一二年の時点で、シンデレラ物語を成立させるためには、男女にいくつかの難点をもたせる工夫が必要だった。ジャーヴィスが保守的なペンドルトン一族の反逆児であることで、孤児で家事も学ばずに小説作りに熱中するジュディとようやく釣り合うことになる。ジュディがジャーヴィスの家庭に入るということは、パトロンと小説家志望の女性という経済的な支配関係が、夫と妻という関係に平行移動して、家庭内に温存されることでもある。

ただし、このような図式にうまくはまったのは、パトロンであるジャーヴィスが男性であるせいだ。

もしも、これが別の形、たとえばパトロンが年上の金持ちの女性で、庇護を受けるのが芸術家志望の若い男性という設定なら、社会的な障害が多くて、これほどうまくはいかないだろう。有名な作曲家のチャイコフスキーのパトロンとなった十歳年上のフォン・メック夫人は、夫の死後から顔を合わせることなく文通を通して援助を続けていた。だが、十四年後に突然援助が打ち切られた背景には、夫人の娘婿の存在があるとされる。つまり財産の相続などの問題や世間体が絡んでいて、すんなりとはいかないのである。

『あしながおじさん』では、年齢の違いと男性優位という社会の非対称的な関係を利用して、二人の関係をロマンスの安定した構図におさめてしまう。現在まで幅広くこの小説が受け入れられてきたのは、ジュディが女子大の寮という緑の世界で動き回ることで、現実のジェンダーの関係に裂け目を入れながらも、最後に読者の期待を裏切らないように「幸せな結婚」という形で縫い合わせられてしまうからなのである。

とはいえ、一度姿を表わしたジェンダーの関係の裂け目は消えたわけではない。ジュディは、大学にいる間に単なるファッションといった消費生活への欲望を身に着けただけではなく、同時にスティーヴンソンの小説を読みながら「南洋に行きたい」という欲望にも気がついている。小説を書くことで解消されるかもしれないそうした欲望は普段の生活では意識や行動を支配しないだろうが、まったく消えて無くなってしまうわけではない。そして異なる文脈が与えられたならば、今度は隠れていた欲望が顔を覗かせて、ジュディの仲間たちが自分をドレスアップしながら登場することになる。

第2章　ドレスアップする欲望

1　差異と同一の関係

【欲望の鏡＝ショーウィンドー】

服装などの商品を購入する欲望をかきたてる装置として、通りすがりの「遊歩者（フラヌール）」の注目を集めてきたのが、ショーウィンドーであることは間違いない。『あしながおじさん』のジュディがニューヨークで見た品物は、メーシー百貨店などのショーウィンドーに並ぶものだったと考えられる。階級などの差異に関係なく皆の目に露出された商品への欲望を増幅することで、ジュディは消費生活者として訓練されていく。

ひょっとすると最初はそれほど自発的な行為ではなかったかもしれないが、ファッションという対象を細分化し関連づけていくうちに、自分の欲望を「女の本能」と錯覚するまで商品への欲望を学習してしまうのだ。フランスのブシコーが創設した「ボン・マルシエ」というデパートが「商品による消費者の教育」の場として出現したと鹿島茂が指摘しているとおりである（鹿島、二三〇頁）。

ショーウィンドーではガラス越しに実物が並び陳列されるが、これは通信販売のカタログが図版

ボームが出版した『ショーウィンドー』に掲載されたディスプレイの様子。

という二次平面に依存しているのとは印象がまったく異なる。図版を満載したカタログ自体を所有することは可能だが、ショーウィンドーのなかの品物を所有することは原則としてできない。目の前にある立体の現物との距離をつくりだすのは、透明で厚みをもたないように見えるガラスである。

ガラスによって通りすがりの人間が接近することを阻止しながら、ショーウィンドーの空間に並んだ特定の品物が商品カタログのアイテムへと転化する。ショーウインドーに配置された具体的な「物」は距離によってたえずモデルへと抽象化されてしまう。見ている人間たちには、それがいまだ誰の所有物ではない購入可能な商品として、自分のものだと錯覚してしまうのだ。

通りすがりの不特定の人間の視線をとらえ、商品の購入者として主体化するには、対象に慣れて鈍感となった感覚を刺激し、新しく欲望を起こさせる必要がある。たえず差異を創出して提示することが目的となって、手を変え品を変えてきたウィンドー・ディスプレイに、消費社会のテクノロジーが集約されることになる。その結果、ショーウィンドーは消費社会の文化表象をつくりだすモデルともなるのだ。

たとえば、『オズの魔法使い』で有名なL・フランク・ボームは、ディスプレイの専門家で、『ショーウィンドー』と題するディスプレイの専門雑誌や専門書まで出版していた。他にも、ミュージカル映画の監督のヴィンセント・ミネリや画家のアンディ・ウォーホールといった人たちが、ショーウィンドーのディスプレイ技術者として仕事を始めたことは示唆的である（フリードバーグ、二三九頁）。

彼らはどれも商業主義と一括されてしまう消費社会の大量生産のシステムに乗りながら、商品としての作品をつくりだした。ボームは子ども向けにオズのシリーズを連作し、ミネリはMGMを中心とした映画というメディアのなかで仕事をしつづけ、ウォーホールは缶詰やポートレートなど大量生産がつくりだすイメージを絵画へと定着させた。

消費社会がショーウィンドーに求めるのは、たえず差異がありながらも「驚き」や「新鮮」といった効果をつねにもつことである。急速な陳腐化に抵抗するように、ショーウィンドーはテレビや映画のスクリーンやジャンル小説のように、自らのシステムを生き延びさせるためにも次々と差異を提示しつづけることになる。

【ファッションとしての小説】

そうした消費社会のなかで、小説は差異を生み出して読者を誘惑する商品となったのである。文化のジャンルとしての小説の発生と市民社会の誕生を重ねあわせる議論は文学史の常識になっているが、消費社会における商品がもつ特徴を小説が示してもいる。小説という形式そのものが、商品が消費者に向けて行なう詐術である「フィクション」を発達させる場でもあったわけである。

小説は大量に生産され消費されていく文化表象のモデルとして、ファッションの位置を占めることにもなる。つまり、十九世紀のデパートに読書室や貸本屋が存在したのは当然ともいえるのだ。消費者の「趣味」を教育するために、これほど都合がよい媒体もなかったからである。物語によってさまざまな欲望のあり方を示しながら、その欲望に対する抵抗や反発すらも小説は商品化することができる。

フローベールの『ボヴァリー夫人』やドライサーの『シスター・キャリー』といった消費社会で破滅する主人公を描いた小説が、そのまま商品となって流通してしまい、書店や貸本屋の棚に並ぶことは別に不自然なことではないのだ。個別の小説ばかりでなく小説というジャンル自体が生成され、現在まで存続してきた。小説とはどういうものを指すのかという包括的な定義をあらかじめ示すのが不可能であるのも、それ自体が消費社会のなかで商品として生成されてきた形式にほかならない。

すべての小説を包括する最終的な定義を下すためには、消費社会が終了した時点で、それまで生まれたすべての小説を過去の現象として見下ろせる神のような超越的な位置が必要となるはずである。だが、生身の人間にはたどりつくのは不可能である。

大量生産の商品が存続するためには、商品の間の同一性を前提にしながら、差異をどのようにとりこむかが重要になってくる。なぜなら完全に差異をもった個物があったとしても、認識されなければ商品としての欲望の対象とはならないから、どこかで商品として認識させるレヴェルに登場する必要が出てくる。どのように独創的な靴をつくったとしても、店先などで他人の目にさらされて靴として認識されなくては、交換価値をもつことはないだろう。

同一性が力をもつのは、原型に基づいて反復しているからである。だからこそ、ショーウィンドーにサンプルとして飾られた品物までもが、最終的に商品として購入可能となる。通行人を誘惑し商品への欲望を向けさせるモデルも、じつは同じ原型からとりだした仲間であり、たとえ棚ざらしになっても、基本的には商品としての使用価値を失わないという前提がある。ところが、交換価値のうえでは、季節はずれの商品とともに、バーゲンセールの対象となってしまう。

そのときになって消費者が得をしたと感じるのは、使用価値としては他の商品と変わらないように思えるからである。だが、モデルとして消費者の目にさらされて販売の時節から遅れたという点で、はっきりとした差異はあるのだ。消費社会では時間こそが差異をつくるために決定的な役割を果たしている。書店において本は棚に並べられても、回転率の関係から、新著によって旧著は追いやられていく運命にあるのだ。

欲望をかりたてる商品が次々と登場する大量生産と流通と消費のなかでは、小説であっても、ひとつの物語としての独自性や個別性と同時に、過去から反復されてきた普遍性を主張することではじめて商品となることができる。同じ作者によって差異をもって反復される物語さえも、同じ作者という同一性を保証するブランドをもち「新作」とされる商品化の枠組から抜けでるわけにはいかない。

たえず差異をもった商品が新しく生成されるが、その商品が今度は認識や模倣のモデルとして働くことで、その原型に基づいた反復がなされるのだ。ジョイスの『ユリシーズ』がホメロスの『オデュッセイア』を下敷きにしているのは明確だが、今度は『ユリシーズ』を原型にしたり部分的に模倣する作品が世界のあちこちで創られるのだ。

【小説の言語】

ルイス・キャロルの『不思議の国のアリス』に出てきたチェシャ猫の場合のように、持ち主が姿を消したあとに残った「にやにや笑い」を実体として把握することは不可能である。だが、文字でならば記述できるのである。ディズニーによる『不思議の国のアリス』のアニメーション映画では、苦肉の策として、にやにや笑っている口だけを残して表現した。そこにあるのは、にやにや笑いではなく、あくまでも笑っている口なのだ。イェイツの詩で有名な「踊り手と踊りを区別できるのか」という問いかけがそこに生じる。

ショーウィンドーも映画のスクリーンも視覚的に示さなくてはならない。映像であっても、たんに外部の素材をカメラで撮影する場合だけでなく、アニメーションやCGの場合のように撮影すべき対象としての外部を直接もたない場合でも、機械の中に想定されたカメラ・アイを通して表象されることになる。対象の選択からトリミングや合成や加工といった技術的処理に至るまで、多くの制約に支配されていて、自由な表現とは呼べない。絵画はさらに明確に描き手や技法それから物質的素材に制約されているし、演劇であっても俳優の身体や舞台空間という限界の外には出ることはできない。

一見すると小説言語はそうした制約から自由で、たった一行で「だから清の墓は小日向の養源寺にある」（夏目漱石『坊っちゃん』）といった断定を下すことができる。また、「こうして世界が滅んだ」といった対象から一歩離れて語り手が自分を含めない表現を書きつけることもできる。説明的な表象は他のメディアでは困難だろう。「国境の長いトンネルを抜けると、そこは雪国だった」（川端康成『雪国』）には、視線の動きとともに認識の流れが文のなかにある。小説は、登場人物の容姿や服装を描写したとしても、全体像を一度に見せることができないメディアである。そのため、描写する視線の動きは、映像や絵画とは根本的に異なる。

小説の言語では文字による制限が大きく働いてしまう。映像のように全体を見せることは、抽象語を使って概括的に描写する以外にほとんど不可能といえる。言語というメディアには物質的な限界が存在し、対象を細かく描写するためには、色や形など修辞的に切断して分割するしかない。読者が積極的に関与する度合いが、他のジャンルとは異なるのである。ルネサンス期の詩や演劇では、身体を描写する修辞的切断と呼ばれた技法が力をもってくる。

また「リアリズム」小説の描写では、衣装から服飾品、あるいは表情や動作までどれもが一般的な表現でありながら、登場人物の所有物であるかのように提示されなくてはならない。そして、登場するたびに差異が存在しているにもかかわらず、ハムレットやギャツビーといった登場人物を、原型が反復された同一人物としてとらえることで、読書行為は成立している。いびつな点をもちながらも、ひとつの原型が全編に通底しているのが前提となっている。登場人物がもつ属性を、記号表現によって登場人物に縫いつけていくのである。そして、記号表現を縫いあわせながら、そのまま登場人物の存在の確かさへと転化する修辞の力が執筆する作者にも、それを読む読者にも必要とされているのだ。

小説言語が登場人物の属性を示す標準的な例として、ジョン・ゴールズワージーによるフォーサイト家年代記のひとつである『窮地の中で』（一九二〇）の一節をとりあげてみる。ゴールズワージーは、一九三二年にノーベル文学賞を受賞しているにもかかわらず、現在では忘れかけられた作家である。

モダニズム作家ヴァージニア・ウルフによって激しく攻撃された旧世代の作家の代表であり、言語的な実験を行なう野心はほとんどもっていないし、フォーサイト家年代記のようにひとつのブルジョワの家系の盛衰を描くという主題も中産階級の風俗小説そのものである。日本でも広く読まれた「りんごの木」は、川端康成の「伊豆の踊り子」の下敷きになったことでも知られる。それだけ十九世紀の小説言語の遺産を巧みに扱っている作家といえるし、風俗を描く手腕は同時代の作家と比較しても優れている。

ボーア戦争時代を描くなかで、この『窮地の中で』は一人のフランス人女性の姿を浮びあがらせる。

暗くなっていく街路でアンネットの顔が、ソームズの前に浮びあがった。彼女の茶色い髪や暗い光彩のある青い瞳、彼女の生気にあふれた唇や頬、ロンドンにいるにもかかわらず、瑞々しく満開となっている、彼女の完璧なフランス女性の姿が。（三五頁）

わかりにくい表現はどこにもないが、くりかえされる「彼女の」という語が一般的属性をアンネットに固有のものとしてつなぎとめる役目を果たしている。そうした属性を所有する「彼女」として、アンネットという主体が浮びあがってくるように見える。それとともに、描写するさいの言語化された視線の動きを、読者がたどりながら追体験することで、それがじつはソームズの欲望の軌跡だと了解することにもなる。

アンネットが、どういう女性なのかに関しては、ソームズ・フォーサイトが読みとり、語り手が示す順序に従うしかないし、小説の文脈としてはソームズが妻のアイワーンと疎遠になっていくなかで、他の女性へ欲望をもっていると読める。実際ここで引用した箇所は、アンネットを想起している主体が語り手なのか、それともソームズなのかの線引きを曖昧にすることで、読者の共感を誘っている瞬間でもある。

では、女性に対して商品のように欲望をもつという視線は、単純にゴールズワージーという男性作家がソームズという男性登場人物を通して描いているからだと考えて納得してしまえるだろうか。つまり、こうした表現を登場させた原因をジェンダーに帰着できるのかということである。言語表現がひとつの技術であるかぎり、それを模倣したり自分の都合にあわせて改変することは可能であるはずだ。

イギリスのヴィクトリア朝の「女性」小説家は、ジョージ・エリオットのように男性名で小説を発表していたが、現代でもそうしたジェンダーを偽る行為は可能である。また『スペイン』や『オックスフォード・ブック・オブ・オックスフォード』などで有名な旅行作家のジャン・モリスのように、ジェイムズという男性からジャンという女性へと性転換した場合まである。そのときには、性転換の前後での書き手の主体は変化したといえるのだろうか。素朴なジェンダー観ではすべてを説明はできないのである。

女性を描く視線をジェンダーだけでは処理できず、さらに複雑になってしまう場合がある。たとえば、ヴィタ・サックビル＝ウェストが書いた最初の小説である『遺産』（一九一九）の中心にあるのは、「ジプシー」の血が流れるとされるルースという女性の破滅的な恋愛の物語である。しかも、外枠の語り手である私が、ルースと因縁をもつことになるマロリーという男の口を通してその話を聞くという形式をとっている。

二人の男性はイタリアで知りあって一緒に生活をしながら、マロリーはイギリスのケントから始まるルースとの物語を語ることになる。

ぼくは歩き回り、敷き詰めた石をおそるおそる踏みしめながら、農場の建物の角を曲がったんだ。そこで、戸口のところで、今まで見たことない若い女と思いもかけず出会ってしまった。両肩に木のてんびん棒を通して、ミルクの入ったぶらさがっている二つの桶に両手を置いて彼女は立っていた。（この点は誤解してほしくないんだけど）ぼくは突然強烈に彼女が女性であることを意識したと感じたのさ。彼女が着ていた青いリンネルの服は、彼女の若くて少年のような容姿がもつあらゆる丸みに、恥ずかしげもなく張りついていて、袖口の回りには汗がリンネルにしみをつくって、もっと黒い青の輪が広がっていた。ジプシーのように浅黒くて、彼女が母親だと直観的にぼくは見てとった。腕の間に子どもが一人いて、他の子どもたちが彼女のスカートの周りにまとわりついていたんだ。（一六頁）

ここに描かれているのは、男性であるマロリーがルースという農民の女性と出会ったときの強烈な第一印象で、運命的な出会いとなっている。この描き方だけを見ると語り手としてのマロリーの欲望が露骨に表現されていてたどりやすいが、ゴールズワージーの場合と極端な違いはない。現実還元が可能なように描きだされている。しかも、この箇所には明らかにジプシーという民族的な差異への先入観や偏見があり、ルースを現前させるには、そうした既存の枠組に則って読まなくてはむずかしいだろう。

マロリーが語り手である私に向けて自分の独自の恋愛観を具体的に語ったことを、今度は読者に語り手の私が語り直すという二重構造のせいで、マロリーの見解を相対化する視点は存在する。圧倒的な説得力をもつのは、引用されているマロリーの語りの方である。マロリーが女性を見つめる視点を描いたサックヴィル＝ウェストが、執筆時点で同性愛の女性だったことはまぎれもない。だからといって、マロリーがルースを見る視点を簡単に女性同性愛者の視点と同じものだと同定はできないだろう。たしかに「少年のような容姿」、「張りついている」、「しみを作って」といった細かな描写は、女性の身体に対するフェティッシュな見方を感じさせる。

そもそも、異性愛の女性作家が女性を描いてもこうした表現はあるだろうし、異性愛の女性読者が『遺産』の描写を読む場合であってもマロリーに感情移入をするのは可能であろう。もちろん、男性作家が女性を描く場合も同じことが起きるし、こうしたジェンダーによる区別では説明し尽くせない箇所がテクストに立ち現われるのだ。

なぜなら発話内の主体と発話行為の主体が一致しないように、視線の持ち主のジェンダーと視線の行為のジェンダーは一致しないのだ。とすると、ショーウィンドーをたとえば男性装飾屋が飾りつけて女性消費者が誘惑されたとしても、それを単純に男性が女性の視線を制御していると了解することはできない。

2　大量生産からの脱出

【手作りと稀少性】

消費社会のシステムでは、デパートやスーパーやコンビニに並ぶ大量生産の商品という形で、店頭にあふれている品物をどんなに賢く選択したとしても、同じカテゴリーに属している物がこの世のどこかにある。同じ型番やロットの商品が存在するのは避けられない。そうした一般化や凡庸化への反発や嫌悪から、自分の所有する物が、稀少性あるいは唯一性をもつと誇る方法が登場する。

そうした方法に基づく行動は、商品化への抵抗とみなされ、その担い手は「こだわり」や「自分らしさ」をもつと評され、自分の生活や自分自身を守って消費社会のシステムに抵抗する主体に見える。あらゆる機会に生み出された、発見された差異も、すぐにモデル化されて消費社会のシステムに組み込まれていく危険はあるのだが、まさにそのせいでつねに稀少性を見出すことが必要になってくる。

稀少性を作り出す方法をここでは三つ取り上げて見ていこう。第一は、手作りというそれ自体稀少化した技術を利用することで大量生産に抵抗するやり方である。第二は、大量生産による既製品を汚したり変形することで、歴史をそこにこびりつけるやり方である。個人的な歴史を織り込むことができるのだ。第三は、異なる文化システムに属するものを境界侵犯して借用したり横領することである。社会コードに反する行為が結果として個人の態度や魅力に読み替えられることになる。

稀少性を作り出す抵抗として、手作りという技術が再利用される。現代の消費社会では、需要と供給のバランスが大きく崩れていて、店頭で購入できる商品の量が必要以上に増え、家庭内でほとんど生産されなくなってしまった。生活道具や家具、ときには家屋さえも分業化せずに、自分の家庭や近隣の共同体で必要な分だけを作っていた時代や社会もあったのだが、ひとつの家庭で自給自足を貫くのは無理であり、家庭外の生産に依存する度合はますます増えている。

局所的な例外はあるが、社会分業化の進展がはっきりと家庭を消費単位として位置づけ、生活に必要なものを自給する道を閉ざしている。文字どおりの「ホームメイド」という語にふさわしい生産がほとんどなくなっているのが現状だろう。同じ変化はファッションについてもいえ、一般家庭で着るものも既製服やファスト・ファッションが主流を占め、よほどのことがないかぎり手縫いやミシン縫いの手製の服を着る人は見かけなくなってきた。消費社会のなかで衣服は仕立てるものから買うものへとはっきりと変化したのである（能澤、一一頁）。

そうした動きのなかで、まるで先祖がえりと思えるような奇妙な現象が生じることがある。一九九四年に起きた「つくば母子殺人事件」にその一端が垣間見える。事件に関して犯人探し以上にマスコミがとりざたをしたのは、医師の妻である被害者の過去の職業や風俗産業でのアルバイトといった彼女の生活様式のことだった。メディアによって、犯行とゆるやかな連鎖でつながったさまざまな生活の細部が暴露されたなかで、殺害された女性が信販会社からローンを組むことを拒否された商品がミシンだという指摘があった。

ミシンを購入することは事件と直接の関係はないし、犯人であった夫が妻を殺害するに至った一家の経済状態を示す指標以外ではなく、生活のほかの細部と少々違和感を生じさせる出来事だった。たとえ借金をしながらでもブランド物の衣服を買う経済力をもち、当然自分で衣服を縫う必要もない女性が、現代日本の家庭ではもはや時代遅れとなった観のあるミシンを買おうとしたのは不思議に思える。

彼女がミシンを購入した目的は、就学期を控えた子どもの受験用に手作りの服を作ることだった。その背後にはひとつの神話が作動していて、入試の面接時に子どもの服がデパートなどで買う既製品ではなく親の手作りだとわかると、それだけ愛情を注いでいると試験官に好印象を与え、合格しやすいというものだった。ミシンを使った「手作り」の服が既製品にはない独自な感じが出るのは確かである。その結果、手製の服を身にまとった子どもは、通俗的な消費社会の論理とは異なる独自の価値観で育ったように見えるかもしれない。もちろん、さらにそうした時間を捻出できる専業主婦の姿が透けて見える。

【スタイルとしてのミシン利用】

ニコラス・クセノスは「スタイルであれば、社会的差異化の全プロセスを一目でわかるように濃縮しているので、『走りながらでも』読み取ることができる」（クセノス、一三一頁）と指摘している。この場合、ミシンで作った子どもの服というスタイルが、子どもに対する親の態度を示すことになり、他の受験生の親たちとの社会的差異化をあらわにする。その背後に存在しているのは、自分たちが意図的にドレスアップするという個人的な振る舞いを、自分たちの社会的存在へと読み替えてほしいという期待である。

しかしながら、差異の提示もスタイルである以上、すぐにマニュアル化されて模倣されるばかりか交換価値をもち、商品化されてしまう。今までと異なったミシンの購買層が生じるとはいえ、需要は子どもの受験終了までの一過性のものであり、生活全般へ恒常的に浸透するわけではない。家庭用ミシンという商品の側からすれば、そうした新しい欲望とむすびつくことによって生き延びたのだが、商品化された当初のように少数が所有する特権的な商品の地位につくことになる。一度大衆化されたものがもう一度「高級品」化するわけである。

ミシンは減価償却したり故障するまで繰り返し使用される家具のような家庭内の必要品という位置からすべりおちて、食料品と同じ一過性の消費材となったのである。しかもデパートに代表される商品の販売機構自体が自分たちのシステムを生き延びるさせるために、消費者の欲望を察知し分節化することで多くの商品を開発していく必要があり、ついには手編みのセーターを代理で編むといった今までよりも踏み込んだサーヴィスまで用意するのだ。

その場合には、女性たちに代々伝達するという個人的な領域に属していたはずの「手編み」という技術すら、はっきりと売買の対象に変わってしまい、立派にひとつの商品として扱われることになる。だから、ミシンを買い込んで手作りの子ども服を作るというコンセプトの実現は、経済的な要因による欲求に基づく行動ではなく、明らかに他人に誇示するものを獲得するための消費行動である。そこでは「素朴」とか「飾らない」という特徴そのものが商品となっている。

現在の消費社会を招いたとされる産業革命が、繊維産業を中心にしていたことでわかるように、市場形成を含めた経済システムの構築に、ファッションという体系自体に威力があったのだ。もちろん過去においてもすべての衣服が家庭内で作られていたわけではなく、注文を受けて仕立てる男性の職人がいた。階級が上の女性が着るリンネルやシルクの服は、彼女自身ではなく出入りの職人が作ったわけである。

十六世紀末にシェイクスピアが書いた『じゃじゃ馬ならし』では、商人だった父親の遺産を受け継いだペトルーチオが妻のケイトを自分好みの妻にしようとして行なう「調教」の一つは、流行の帽子やドレスを職人に作らせておいて、彼女の前で見せびらかしながらけなすことで、なかなか欲望を満たさないことだった。このときケイトの服装を仕立てたのは男の職人たちであり、彼女が針仕事をするようには描かれない。こうした高価な一点物のオートクチュールを注文できるのは、現在でも上流階級だけであろう。

【ソーイング・マシンの登場】

ミシン（ソーイング・マシンの略）の実用化においては、アメリカ合衆国で特許をとったエリアス・ハウが、イギリスでミシンを売り込んだのが一八四六年、さらに有名なシンガーが特許を取得したのは一八五一年だった。作業を標準化する可能性をもった加工装置の発明は、紡績機械によって大量生産された布地を簡単に大量の衣服へと仕立てることを可能にした。現在でも生産されているジャカード織りが、コンピューターのパンチカードの原型ともいえる織り方の指示をするカードで模様を繰り返し作り出せるように、ミシンもひとつの型紙を利用すれば同じ商品の大量生産を可能にし、縫製工場で使われている。ミシンが市場として向かったのは縫製職人たちの仕事を効率化することだった。

しかしながら、ミシンの発明当時は職人仕事といった一部の例外を除けば、衣服の手作りと結びつくとされたジェンダーは女性だった。普通の階級の女性に求められていたのは、手縫いで裁縫するという技術だった。たとえば、一八五九年にウィリアム・モリスと結婚したジェイン・バーデンに関する伝記のなかで、著者のジャン・マーシュは当時の状況をこう述べている。「ずばぬけた金持ちの家に生まれた女性を除けば、たとえ紳士階級の夫人であろうとも、自らの手で執り行なう家事労働のひとつは自分や家族のための裁縫であった。家族の下着類全部と大方の服飾品だけではなく、衣類のほとんどすべてが家庭で手縫いされていた。」(ジャン・マーシュ、五九頁)

またブシコーがボン・マルシュ百貨店で、二月になると生じる売れ行きの低下を防ぐために「白物セール」を行なったのも、結婚や日常生活に多くの白い布が必要なためである。ミシンが発明されても一般家庭には浸透していなかった十九世紀半ばには、他人に製作を頼んだりすることをのぞけば、女性が自分の力で仕立てる必要があったわけである。

十七世紀のシャルル・ペローによる童話「眠りの森の美女」は、そうした女性のあり方を象徴的な形で伝えるテクストである。お姫さまの誕生の祝いに呼んでもらえなかった年とった仙女が不吉な言葉を贈る。「さて、年とった仙女の番になりますと、彼女は老婆だからというよりも、むしろ怨みのためにいっそう頭をふりふり、お姫さまは糸繰り車の紡錘に手を突き刺されて死ぬことになるでしょう、と言うのでありました。」(澁澤龍彦訳)。

予言通りに、お姫さまは糸を紡いでいる老婆の紡錘に手を刺して百年の眠りにつき、自分よりもずっと年下の王子のキスによって目覚めて結ばれる（後世のグリムによる「いばら姫」という再話のせいで、普通はここで終わりと思われている。だが、ペロー版には、結婚した王子の母親が鬼の一族の者で、子どもを生んだ王女に自分の孫を食べさせろと迫るかなり不気味な続きがある）。

ペロー童話に登場するのは、若い娘が糸紡ぎ用の竿の紡錘についた針に指を刺して血を流して死ぬという印象深い表現である。これは初潮や処女喪失といった性的イメージを連想させるが、そうした強い表現を利用することを通じて、糸を紡ぐという行為を女性固有の仕事と同定する力が働いている。

もっとも、ペロー童話でもグリム童話でも、主人公のお姫さまは職業として糸を紡ごうとしたのではなく、あくまでもいたずらをしたにすぎない。彼女たちは自分の服を作るために自分で糸を紡ぐことはないし、手縫いもしなくて済むだろう。ところが、所属する階級によって服を作らない女性もいるにもかかわらず、ジェンダーのうえで女性は身分に関係なく糸車を回すのがよいと考えられていた。

【サイラス・マーナー】

機械による生産が社会に浸透していくという産業革命の変化をふまえたうえで成立するファンタジーとして、一八六一年に出版されたのは、ジョージ・エリオットの小説『サイラス・マーナー』である。その冒頭には、ペロー童話が示すような中世的な状況としての女性と糸車の結びつきは、ノスタルジーという形で示される。

農家で糸車が忙しくブンブンうなり声を上げ――シルクやリンネル製のレースの服を着た高貴な女性たちでさえ、磨きあげた樫でつくられたおもちゃの糸車を持っていた時代、路地のなかのずっと離れた場所や、丘の懐の奥地で、青ざめて体の小さな男たちが目についたかもしれない。彼らは、褐色に灼けた土地の民の側に並ぶと、途絶えてしまった種族の生き残りのように見えた。

（エリオット、五一頁）

この一節にペローの童話とは異なるさまざまな枠組が交錯している。語り手が回想している時代には、教科書的な表現を使うならば「家内制手工業」の段階にある繊維産業が生き延びているように描かれている。そしてその生産システムで一翼を担うのは、ペローの童話のようにあくまでも「女性」というジェンダーに置かれている。紡績業が発達して、糸を紡ぐのはもはや女性ではなくなっていたのだ。

『サイラス・マーナー』で高貴な女性たちが持っている糸車は「おもちゃ」でしかないが、男の子がするような「棒馬（ホビーホース）」をまたぐといった遊び方が女の子に割り当てられることはない。おもちゃの糸車を持つことを通じて、子どもたちは女性として作られていくことになるし、そうした道具や行為に関心をもつことが、ペローの童話とおなじで社会のなかで女性として構築されていく証となる。

ところが、ジョージ・エリオットのテクストでは、家庭内で糸を紡ぐのが女たちの役割であるという前提は、男性の職人の登場ではぐらかされる。女性に押しつけられたジェンダーによる仕事の区別を侵犯する存在として、家庭外で生産する男の職人たちが描かれる。たとえば彼らを形容する「青ざめて」という言葉が示すのは、たえず屋内で労働をするせいで陽が当たらず不健康な肌の色をしているからと現実還元できる。また「体の小さな」という形容も、土地の農民の体格のよさと対比されるときには、職業や階級による比較以上に、体格の悪さを民族的に差異を固定する表現となる。それを補完するのが、滅びたとされるケルトの民の連想を呼ぶように描出する引用の最後の部分である。ここでは職人たちはあきらかにジプシーなどと同じく共同体に入らずに浮遊している「奇妙な種族」として把握されている。

『サイラス・マーナー』はクリスマスを軸にしながら、偶然見出されたエピーという赤ん坊をサイラス自身が育てて、最後に彼女の真の父親が判明したあとも養女となり、サイラスは共同体に帰属できるというファンタジーである。こうしたファンタジーが成立する背景には、ミシンの発明に代表される機械による大量生産が職人の労働を変質させながら、周辺に追い詰めていく事情がある。物語の舞台として設定されたのが、ラヴィロウという一見すると機械による大量生産とは無縁に見える田舎町であるのも、ファンタジーを突き崩す要素を排除する必要からだった。

最後になってようやく自分の過去と直面する勇気をもったサイラスはエピーを伴って、かつて自分が職人として暮しながら、友人に裏切られて去った場所であるランタン・ヤードを訪れる。けれどもそこはまったく跡形もなくなってしまい、工場地帯へと変貌して、かつての職人たちはいなくなっていた。サイラスはランタン・ヤードからラヴィロウに逃げ出したせいで、そうした時代の変化から免れたように見えるが、同時に職人として最後の世代となってしまうのだ。

機械の進歩や効率化に追われる熟練労働者＝職人という図式はいたるところに登場する現象だろう。冒頭にノスタルジーを感じさせる設定が必要だったのは、昔話として語られる年代という時間と、周辺にある村という空間との二つの軸において、二重に距離を置くことで、職人サイラスの物語がかろうじて成立するからである。

【ロンドンの貧民街】

もちろん、都市の中心ではランタン・ヤード以上にこうした変遷はたえず進んでいく。

二十世紀初頭にロンドンの貧民街として有名だったイースト・エンドを変装して観察したジャック・ロンドンは、一九〇二年というエドワード七世が戴冠式を行なった年に、クック旅行社の助けを借り、「最下層」の一員に変装して探訪した体験記である『どん底の人々』を翌年に発表する。

ここで言う最下層とはいわゆる浮浪者（ホームレス）で、救貧院の世話になる層を指している。ジャック・ロンドンは南アフリカでのボーア戦争を取材する予定だったのだが、戦争終結で実現できなくなったので、かわりに、イギリスのロンドンという「世界でもっとも強大で豊かな帝国の中心地」が抱えもつイースト・エンドという恥部を見聞しようと考える。

アラスカを舞台にした代表作の『野生の呼び声』を発表したのと同じ年に、新進気鋭の作家が挑んだルポルタージュだが、数字や統計による裏づけを挟みながら、自分が出会った人たちの生の声や体験を記録している。とくにジャック・ロンドン自身が「ホーボー」という路上生活の経験があるせいか、中産階級による博愛主義の観察とは視線が異なるのである。

もっとも、ジャック・ロンドンの場合には、彼がアメリカ合衆国の市民であるということが、冷静に状況を見る外部の視点を提供しているが、同時にアメリカの読者に対して「英語を母国語とする民族の力は今日ではイギリス諸島ではなく海の向こうのアメリカ合衆国に存在している」と誇らしげに告げ、優越感を共有しようと試みている。あげくには自分の体験からアメリカ合衆国で浮浪者になったほうがしあわせだとまで言い放つ。そういう意味では、大英帝国の中心がもつ腐敗を告発するというのも、じつは上昇する国としての、アメリカ合衆国の賛歌の裏返しとなる。

機械生産と職人による手作業のぶつかりあいは、容赦なくイースト・エンドにまで浸透している。ジャック・ロンドンが出会った靴職人はイースト・エンドに仕事場と住居を借りているという比較的条件のよい労働者だが、労働のせいで身体が変形している。鋲を口のなかにためて、まるで機械のように吐き出しながら、革靴の底を打ちつけていくという労働は歯を台なしにする。「見ると歯は金属の鋲にひっきりなしにこすられているので、すっかりすり減っていて、色は黒くなり、腐っていた。」ホームズのような私立探偵ならすぐにもその特徴から職業を探し当てられそうな人物像である。

彼は自分の体を一つの用途のために変形させるという犠牲を払って労働しているにもかかわらず、「靴作りも今年で最後になる。おれたちはお払い箱になるんだ。機械を入れるんだっていうからな」とぼやかざるをえない。つまり自分の体を生産体制に順応させていわば機械として能率化した努力が裏切られてしまい、もっと能率のよい機械に取って代わられるわけである。

生存競争に打ち勝つために機械のように自己を変貌させることが、まさに「能率」という点で機械に負けてしまうことになる。その結果として、今は自分の仕事場を借りていられる靴職人も、機械の導入によって最下層に転落する可能性が大なのだ。技術としての修練を必要とした領域に、機械が補佐する新しい技術が登場することで前の技術とその担い手を駆逐していくわけであるが、そうした変遷はどこにでも存在する。紙面への写真の転用が十九世紀の新聞のイラストレーション技術を駆逐し、自動車は職人が作る芸術品から、規格化されたフォード方式になることによって皆がもてる商品になった。現在でもワードプロセッサーが和文タイプの技術の息の根を止めたり、バーコードの導入がレジスターキーの早打ち技術を追いやったりする。

大量生産の商品として家庭に流入するのが、さまざまな完成品ばかりとは限らない。家事労働を補助したり代行する機械や道具類といったいわば技術自体を製品化したものも、一般に売買される商品に含まれることになる。長年針と糸を使った技術であった手縫いの領域に、家庭用ミシンが布地を加工する機械として浸透していく。職人の労働が変質したなかでも、家庭内で確保されてきた手縫いに替わって、今度は家庭内に持ち込まれたミシンを利用することになり、女性が自分や家族のために型紙から手製の服を作りあげる。そうした型紙がコピーをする母型として使用されるわけである。ロシア革命後の社会主義体制で、「実際に労働者が自分で布を断って作れるようにと、新聞紙でできた型紙を考案した」デザイナーさえいた（沼野、五二頁）。

こうしたドレスメーキングは、ファッション誌に載っている衣装を自分で買えない層が、「手作り」でコピーする方法として拡張していく。写真に載ったモデルの着ている衣装を、シャネル風やジバンシー風に見よう見まねで作ることや、あるいは雑誌に付属した型紙から作り出す技術といってもいい。

そのときに工業用ミシンと同じ動きが可能な家庭用ミシンは、いわば家庭に持ち込まれたコピー機械として作動する。そして、出来上がりの様子やその結果醸し出されるはずの雰囲気のお手本として、ファッション雑誌に載っている写真が消費されるのだ。

けれども、一般家庭にも足踏みミシンが置かれるようになると、機械の所有自体にかつてのような誇示的意味はなくなってしまう。そうなると今度は中産階級以上の女性たちはますますブランド志向を強めることになり、職人の手縫いであるオートクチュールやその大量生産向けコピー商品であるプレタポルテに依存するようになる。その行動も下の階層に模倣され、まさにその層に向けてパテントだけを借りた大量生産のもっと安いコピー商品やファスト・ファッションが出回ることになる。

となると家庭内労働において手縫いに取って代わった技術のはずだったミシン縫いという手作り技術すら不要になっていくのである。まさに哲学者のジンメルが流行について一九〇四年に述べたように、「流行はつねに階級的な流行で、上流の流行は下層の流行と決して一致せず、後者が前者と同化し始める瞬間に捨てられる」(ジンメル、「流行」。ニコラス・クセノス、一二八頁から一部変更して引用)のである。

流行するのは単なるファッションだけではなく、それを支える技術や道具にまでも及ぶのである。さらにらせん状に一回転したように、わざわざミシンを利用する階層が登場することになる。ただし、その場合のミシンの意味も役割も異なっていて、家庭内の労働を軽減するためではなく、むしろわざわざ行なうことそれ自体が余暇があり専業主婦であることを誇示する労働となるのである。

【ファッション産業とクイア】

技術を使用することは一見するとジェンダーに関する分離を越えるように見える。ミシンを男性が利用しようが女性が利用しようが、縫い目の間隔に違いはないだろう。女性らしいていねいな仕上りといった一般に流布している幻想も、多くの仕立て職人が男性であることからジェンダーに還元できないことがわかる。その一方で、女性の服装やファッションにかかわる男性をうさんくさい人間、あるいはどこか変わった者、ときには「女々しい」者とみなすのも珍しいことではない。

『サイラス・マーナー』では、織物が悪魔の助けなしにはできないと村人に見られている。一八世紀の商業革命の結果として生産地を田舎にもとめて、他の場所から移り住んできたリンネル職工は、まさにサイラス自身が体現するようにラヴィロウではよそ者として排除されている。それはただ単に彼らが別の文化体系に属していたからだけではなく、生産から販売まで彼らが関わる相手となるのが、男性ではなくもっぱら女性であったからでもある。

女性を相手にして直接接触するファッションに関わる男性に対する嫌悪や偏見は現代でも形を変えて存在する。たとえばロビン・ウィリアムスが主演した『ミセス・ダウト』（一九九三）という映画で、ウィリアムスが演じる声優は、離婚訴訟を起こされてしまい、どうしても面接日以外にも子どもたちに会いたくて家政婦に化けて妻の家庭に潜り込む。この設定自体、ダスティン・ホフマンが主演した二本の映画、自立する女性と離婚後の子育て問題を扱った『クレイマー、クレイマー』（一九七九）と就職のために女装する俳優を主人公にした『トッツィー』（一九八三）を九〇年代風に巧みに組み合わせた作品といってもいい。

ロビン・ウィリアムスの女装を手伝う映画のメイクアップ・アーティストは、ゲイのカップルとして表象されている。彼らの一人は、女装をしたいというウィリアムスの申し出を自分たちの仲間に入る決心だと誤って了解する。もちろん男性同性愛に関する冗談で観客を笑わせようと意図されているのだが、ここからむしろ現われるのはメイクアップ・アーティストが「女性化」した存在だという偏見である。

こうした文脈を踏まえると、職人でもないのに、わざわざミシンを使って自分で服を作ったりすることは、女性というジェンダーを確認する行為ともなるわけである。このことは、古い技術が再利用されるときには、当然ながらジェンダーといった枠組が、より強固に構築されていくことを示している。

3　汚すことの価値

【汚れと歴史】

大量生産よりも古い「手作り」という生産方法が、消費社会に組み込まれると、「温もり」や「人間らしさ」を感じさせる稀少性という特権的な地位をもつことができる。そして、稀少性を生み出す第二の方法は、大量生産のものを汚すことによって、物事がもつ一回性や唯一性を確保することである。

あらゆるものは普通使用しているうちに汚れたり変形したりするが、ときにはわざと汚して形の一部を崩すことで、対象と持ち主とが独自の関係を生み出すのだ。「着崩す」とか「着慣れる」とは、使用者とうまく適応するように服の形を変えることだが、そうした癖が本人らしさに見えてくる。

大量生産の商品が自分のために誂えたものではないからこそ可能な自分流の変形である。ロックに由来し、ケイト・モスが流行させたという「グランジ（汚れた）」などのファッションは、これを意識的にモードとして行なっている。また、服にグリースを塗ったり、折ったり、汚したり、裂いたり、繊維を抜いたりするのも、新品であることが個別性をもたないので、忌避される場合に幅広く行なわれる。

ある「物」が変形したり汚れるというのは、そこに歴史がこびりつき付着することである。そもそも私たちは、歴史や時間の経過を汚れたりなにかがこびりつくという形でしか了解することができない。

ゴッホが描いた農民の靴の絵であっても、まずそこに二重の汚れとしての歴史が感得できる。絵画の対象となった汚れて泥にまみれた靴は、おそらく靴職人が作った実用本位の武骨なものであり、所有者である農民の男性の労働によって汚れている。その結果、画面には所有者の当人が描かれていないにもかかわらず、姿かたちが見えるかのように錯覚させる。同時に画面には盛り上がった絵の具の汚れ、つまりゴッホ自身が白いキャンバスを汚した跡が残っていて、私たちはそれを通して絵を描くという彼の行為も追体験できるように思える。さらに絵の表面に塵や埃が付着し、熱や光で変形していくと、三番目の汚れとしての歴史が生じることになる。

たとえば、システィーナ礼拝堂にミケランジェロが描いた「天地創造」の壁画のように、塵や埃あるいはろうそくの煤を洗い落すことで、それまでの解釈の歴史を支えてきた汚れが洗い流され、じつはラファエロにも匹敵する色彩の使い手としてのミケランジェロが立ち現われてくる場合もある。では今までの見物人や美術史家が「天地創造」を間違って見ていたのかというとそうではなく、むしろ汚れという歴史を眺めていたともいえる。洗浄し修復することで、絵が通過してきた歴史がもつ痕跡はより見えにくいものへと変貌してしまうことになる。私たちはこういった幾重もの汚れを歴史だと了解しながら、つねに物事を眺めているのである。

逆にこれを利用すれば、ある個物が通過してきた歴史の存在を錯覚させるには、贋作絵画の製作のように表面に汚れを付着させればいいことになる。こうした手法もすぐに商品化され、わざとセピアをかけて撮影した写真、フィルムの表面に走る傷である「雨」を故意につける映画、文章に虫食いを設定する小説と、表象においていくらでも応用されている。表象のメタレヴェルを示すことが、そのまま歴史の経過と了解されることになる。

【白さの神話】

汚れが歴史とみなされる事情を理解するには、たとえばカラー映画における「白」の表現に目を向けてみればよい。それ以前の白黒映画では、あらゆる色彩の表象は、黒と白が相互に介入するものとして表現されていたので、白は光と同等の特権的な位置にあった。ところが、カラー映画において白はあくまでも多くの色彩の一つとなってしまった。ホワイトバランスの技術的な問題もあって、白は安定しないひとつの属性に留まっているので、きれいに白を表現することは映画を撮影する者にとって重大な関心事となってくる。白が色彩に奉仕するという役割から解放されたことによって、みずから何かを語る位置を占めるようになったのだ。

こうした事情が露骨に表われるものとして最近のSF映画というサブジャンルを参照しよう。どうしてSF映画かというと、映像を構築するために現存する場所を撮影するだけではすまず、基本的にセットや特殊効果を利用して構築しなくてはならないからだ。つまり、宇宙船やほかの惑星といった地球以外の環境を設えて撮影しなくてはならないジャンルなので、特徴が出やすいと思われる。過去を再現する歴史物でも事情は同じだろうが、より意識的になるジャンルといえる。

たとえば、一貫して人間の狂気を主題としているスタンリー・キューブリックが監督した『2001年宇宙の旅』(一九六八)が汚れをめぐる変化の出発点となる。コンピューターの発狂という主題からも、さまざまな撮影技術の開発という観点からも記念碑的なこの作品は、フランスのメリエスから始まるSF映画の歴史にひとつの切断を生み出した作品である。NASAの協力を得て(ということは、この映画それ自体が、映画のなかでも提示されている「米ソ対立」という冷戦構造の産物なのだが)宇宙飛行を本物らしく再現することがこの映画の目的の一つにあったことは間違いない。この映画の撮影時点では有人の月面着陸さえも行なわれていないので、月面の様子なども映像による再現ですらなくあくまでも表象である。

この映画は画面の至るところで「白」を印象的に使う。たとえば、黒いモノリスからの刺激で知性を獲得した類人猿が空中に投げる道具としての白い骨が、白い宇宙船にすりかわるという印象深い場面がある。道具の発明と進化を一瞬の画面の切り替えで説明したように見せるのだが、それ自体がサイレント映画の映画史的な引用としても有名である。その場面以降、画面に登場する機械類や宇宙船や基地の装備はみな作り立てのように純白で汚れをもっていない。もちろん、宇宙においては酸素による腐食はないから、機械に使用される金属が太陽からの熱や宇宙線の影響さえ免れればそのままの状態が保たれる、というのが一つの科学的な根拠かもしれない。

だが、もう一つの問題設定を重ねて考えると、この映画に登場する機械の表面がもついわば無菌的な白さを説明できるだろう。宇宙空間に設定された地球環境に似せた密閉空間において、唯一生存している有機体は人間であり、人間が行なう「食事—排泄」行為をすべて管理することである。アポロ13号が故障によって地球に帰還が不能になったときに、室内に溜っていくのが排泄物をつめたポリ袋だったのは有名な話である。つまり、「食事—排泄」という物質の循環のサイクルが存在する地上と切断されることは、ただちにすべてを停滞させてしまう。映画のなかでは、日常的に登場人物が食事をするだけではなく、月面への連絡船のなかで博士が無重力トイレの使い方の説明書きを読むショットも登場する。

こうした排泄行為への暗示とともに映画に描かれる食事の場面は多い。まるでそれ自体が映画をつないでいく連鎖となっているかのようだ。アフリカの大地での類人猿たちの生肉の食事。武器の発明は水飲み場をめぐる争いの道具であるだけでなく、動物をしとめる道具ともなった。博士が地球—月連絡船でとる密閉したトレイに入った食事。また月面でクレーターに向かう乗り物で食べるどうやら人工の味付けのサンドウィッチ。ディスカバリー号でボーマン船長が食べるペースト状の宇宙食。異星人が残したスペースドライブウェイの果てで、年老いた姿になったボーマン船長が立派な器と銀のナイフとフォークで食べる正統な食事がある。もっとも、最後の場面は、ボーマンの記憶のなかにあるものが投影されて作り出された「過去」であると原作者のひとりであるクラークは説明している。最初の人類の先祖による食事を除くと、宇宙空間での食事は完璧に管理されていて、いわば無菌状態の世界にある。

無菌状態の清潔な白で覆われた空間は、木星探査船ディスカバリー号において実現している。先端の居住区が球体で長い尾のような燃料部分をもち、明らかに全体が精子をモデルにして作成されている。そしてあたかも中世の生殖観をそのまま具体化したように、精子のなかに横たわっている小さな男たちのように乗組員が暮らしている。機械に囲まれて閉鎖されて自己完結した男たちだけの世界は、一種の「独身者の機械」として作用している。関与する女性を不在としながらの単性生殖を夢見るように、最後にボーマン船長が「スターチャイルド」となって地球を見下ろすところで映画は終わることになる。ここでは、技術は男だけの世界であり、コンピューターのＨＡＬの声も男性である。

【スター・ウォーズとの対比】

『２００１年宇宙の旅』に主題のうえでも表象技術のうえでも対抗しているのは、ジョージ・ルーカスが監督した『スター・ウォーズ』（一九七七）であろう。アメリカの神話学者ジョゼフ・キャンベルの神話体系を背景にもつこの映画は、物語のレヴェルから数々の修辞的なレヴェルまで、キューブリック＝クラークが作った映画とは対照的である。宇宙船から武器や装備品まで、そこに登場する物体の色は「白」が基調でありながら、至るところで磨り減り使用された汚れの痕跡がある。しかも

『スター・ウォーズ』は「ずっとずっとむかし、はるかかなたの銀河系で」という枕言葉（もっとも、これ自体が、「現実の世界から連れ出す語句だ」とオングが説明する「ずっとむかし、はるかかなたで」という英語の決り文句の変形である）が示すように、サイエンス・ファンタジーである（オング、九―一二頁）。

構成する要素は説得力をもつためにより本物らしく感じさせることが必要になる。つまり、すべてが歴史を帯びていて、人も街も生活様式全般が昔から存在していたように見せかけなくてはならない。だから機械やときには人体までも一点一点汚すことで、汚れていることがそのまま歴史を実感させることになる。しかも、映画の冒頭がエピソードのⅣと名づけられまさに物語の途中から語ることで始まる叙事詩の伝統にのっとっているからでもある。それに対して『2001年宇宙の旅』は、起源をていねいに語ることで始まっていく。

『2001年宇宙の旅』のディスカバリー号は内面の機能を密閉して隠すような白くて滑らかな表面をもち、部品も中身が見えないブラックボックスで、交換するのもユニット単位で行なわれていた。だから、レーダーの一部が故障しそうだとコンピューターHALが自己申告したとき、部品を修理するにはブラックボックスの内部をコンピューターで透視して解析するしかなかった。内部は隠されたもので直接触れることができないと同時に、部品交換によってのみ修復が可能な大量生産と規格品の産物である。しかもそれを解析するにはコンピューターを使用しなくてはならない。しかもそのコンピューター自体が、自己防衛のために暴走し発狂したとみなされることになる。人間たちは内部に関与することができないし、宇宙船というシステムの外に出ることも不可能である。

それに対して『スター・ウォーズ』の冒頭では、帝国軍の攻撃船であるスターデストロイヤーがレイア姫の乗った宇宙船を攻撃しながら姿を見せる。その姿はただ白いだけではなく、あちこち凹凸があり、至るところで機械の内部がむき出しに作られている。ハン・ソロのミレニアム・ファルコン号を含めて内装の機械がむき出しで汚れており、あくまでも手作りの機械の感覚を与える。しかも自分で改造を加えたとハン・ソロ自身も言っているように、修理をするにも人の力を使うことができ、ユニット単位で修理するディスカバリー号とはまったく異なる。配線が火を噴くと自分たちで消化し、ワープで脱出するにも自分でスイッチを入れてコンピューター任せではない。また帝国軍の要塞であるデススターすら、少なくとも外側は完成途上にあるように描かれていて、あちこちで溶接の火花まで散っている。

では汚れた白が「生活」を感じさせるなら、それと対になる「食事─排泄」行為はどう表象されているだろう。『スター・ウォーズ』での食事の場面は少ない。ルークが大学に行きたいと述べる叔父の家での食事場面がいちばん印象的かもしれない。だが、宇宙に行ってからはあまり主人公たちは食事に注意を払わないようだ。そのかわり排泄と関係するスクラップとかゴミといったものがこの映画の随所に見られる。そもそもC3POやR2D2といったロボットたちとルークが出会うのも、中古のロボットを売り込みにきた連中によってである。そのトレーラーの内部には、さまざまなロボットや機械が積まれている。明らかにジャンク屋という設定であり、ゴミ問題とリサイクルがこの映画では形を変えて登場する。

デススターに監禁されていたレイア姫を救出するために、ハン・ソロとルークが飛び込み、絶体絶命のときにレイア姫が活路を開く先は、デススターのごみ処理システムである。生息する生物までいるごみ捨て場という空間は、一度汚辱をくぐり抜けることによって、英雄性が増すための場所になってもいる。彼らが試練をくぐり抜け、難攻不落に見える要塞を倒すために利用するのが、原子炉の排熱用の穴である。この排泄物を外にだすための穴に、ルークが機械に頼らず「フォース」を使うことで見事ミサイルを的中させて破壊する。これとまったく同じ趣向が第三作の『ジュダイの復讐』でも使われる。明らかに『スター・ウォーズ』そしてその三部作を貫くのが「排泄」である。生活の結果としてごみと排泄があり、あらゆることが汚れていることになる。そうした情景が地上の自然風景の描写と整合性をもつようにみえる。

しかも『2001年宇宙の旅』は登場人物が減りながら、しまいにはボーマン船長が赤ん坊になるという単性生殖の夢を語っているのにたいして、『スター・ウォーズ』は家系の連続性の物語である。ルークとダースベイダーの親子関係、さらにルークとレイア姫の兄妹関係が明らかになる。そして死んだジュダイの騎士たちが、彼らを見守る先祖の霊のように立っている場面が、三部作の最後である『ジュダイの復讐』に登場することになる。

【エイリアンからブレードランナーへ】

「白」と汚れの関係、さらに「食事―排泄」の連鎖を別な形で鮮やかに切り取ったのはリドリー・スコットが監督した『エイリアン』(一九七九)であろう。ヒロインのリプリーが活躍する舞台は、これも『2001年宇宙の旅』とは対照的な世界である。だが、映画自体は、『スター・ウォーズ』とも異なり、生活感にあふれて最初から汚れているのではなく、むしろ二本の映画の折衷のようにも思える。最初の人工睡眠の状態からの目覚めの場面では白いポッドに彼らは寝ている。明らかに子宮を模したものであり、これはディスカバリー号の男性的な空間を女性的な空間に置き換えた物となっている。花びらのように蓋が開いて出てくるのは、一応人種と性差に配慮した組み合わせの男女である。

しかもブルーカラーであるエンジニアとホワイトカラーの高級船員といった職分による階層もきちんと描かれている。ただし白人と黒人以外の人種は最初から除外されて登場しない。彼らの乗る宇宙船の名前は、「ディスカバリー」とか「エンタープライズ」といった拡張主義を連想するものではなく、むしろそうした植民地主義への反発を示すコンラッドの作品名に由来する「ノストロモ」である。もっとも、乗組員はカンパニーに雇われていてその待遇への非難する言葉を口にはするが、体制に反発することはないし反乱も起きない。カンパニーは宇宙船のコンピューターである「マザー」に対して、ある惑星から発している電波の発信源を探索するように命じてあり、乗組員たちは偶然の事故のように思い込んでいる。

ＨＡＬの場合のように「マザー」の背後に秘密の指令が隠されていて、それが乗組員たちの正常な判断やサバイバルに対する足かせになっている。その指令を貫徹するように内部に潜んだ他者として描かれているアンドロイドのなかに、巧妙に人種間の葛藤の問題が、人間／機械の葛藤にずらされている。そして彼らが出会うのは絶対の他者としての「エイリアン」ということになる。そして多くの事件のあと最後に生き延びるのは猫とホワイトカラーの白人女性である。

この映画の転換点は、エイリアンに組みつかれながらも回復して見えた男性の乗組員が回復祝いの食事をしている場面である。彼は実際には卵を植えつけられていて、食事の最中に宿主の胃袋を突き破ってエイリアンが飛び出してくる。ここでは「食事―排泄」の連鎖が強烈に作用しているのだが、とくにジェンダーを転倒させて、男性の乗組員がまるで帝王切開をしたように幼体のエイリアンを「出産」することになる。その結果、宿主である彼は死んでしまう。

男性が妊娠をする可能性はここでは恐怖として描かれているが、シュワルツェネッガーが妊娠姿を演じた『ジュニア』(一九九四)では、妊娠促進剤という技術を導入することで新しい体験としてジェンダーの差異を解消した喜劇となっている。殺戮機械としてのエイリアンとの戦いで人間や船体が汚れていくなかで、エイリアン自身は吸血鬼のように殺害を繰り返すことで成長し、作りたての黒い金属のように光ってなめらかな体をもつまでになる。最後に救命艇のなかに入り込んでいたエイリアンを船内の空気もろとも排出することで、決着がつくのだが、そのときに守られたのは、エイリアンの繁殖の餌にも宿主にもなりえるリプリーという女性の身体と、彼女が所属する共同体である「カンパニー」である。

SF映画というサブジャンルのなかでさえ、汚れを示すことでそこに「歴史」が表出しているように錯覚させる操作が、このように変わってきた理由は、個々の作品の主題や設定の差異だけではないし、単なる技術的な問題でもない。確かにSFXはテクノロジーを利用することで表現の幅を広げたが、変化の理由はそのことによってではなく、むしろ汚れによって表わそうとする歴史についての考え自体がポストモダンのなかで変化してきているのに対応しているのだろう。もはや「人間の世界」対「機械の世界」を「自然」と「人工」などと素朴に対立させるのは不可能である。私たちはハイブリッドな存在であり、すでに両者の境界線はゆらいでいるのだ。たとえ無菌状態や純白を夢見ながらも、次を作り出すためには、人工とか人為を経由しないでは何事も行なえないのだから。

そうした事実を意識化した後に登場するのは、リドリー・スコットが『エイリアン』に続いて監督した『ブレードランナー』（一九八二）と『ブラック・レイン』（一九八九）である。民族が混じる核戦争後の雨が降る北米都市に火星からのアンドロイドが侵入する物語は、さらに現代の大阪を訪れるアメリカの刑事たちの物語と重なりあうことになる。どちらの場合も、人間と紙幣のレプリカをめぐる物語だが、もはやエイリアンとして外に排泄することで人類の清潔さを保つというプロットとはならない。アンドロイドも偽札もシステムのなかに含まれながら循環するという現実の世界に近づいた設定となっている。

タルコフスキーの『ストーカー』（一九七九）を経由した後では、廃墟やゴミを霧や雨と結びつけることを通じて、いわば「イコン」として聖化することも可能となっている。コマーシャル・フィルムを撮り続けてから映画界に進出したスコット監督にとって、タルコフスキーばりの美的処理はむしろ得意なものだったろう。そこで示される一回性があくまでも演出されたものであって、すべてがシミュラクラであることが前提となっている。もはや「現実」を映し出す「虚構」という単純なミメシスの考えが成立せず、たとえば映画のなかの大阪と現実の大阪との境界線が不明瞭になることで、スクリーンのなかの大阪を通して、リアルな大阪を見ている気がしてくる。歴史がもはや「物語」でしかなく、「体験」ではありえない状態を示している。そのときには稀少性を示すための汚れは、映画のなかばかりでなくあらゆる表象において演出される一つの手法にすぎなくなるのだ。

空間からファッションまで演出された汚れは、偶然出来上がる汚れから抜け出して、汚れ自体を反復することで商品化されていく。映画のなかで物語の展開につれてしだいに汚れていく服装は、じつは撮影の順序が物語の順序と一致しないにもかかわらず、汚れ自体が演出されることで、そこで経過した歴史や時間を示すものと錯覚されることになる。

『七人の侍』のなかで野武士との闘争で泥だらけになり汚れていく浪人たち、『ダイ・ハード』でテロリストたちとの闘争でしだいに汚れていく警察官、私たちはそうした姿を画面で見ながら、物語がしだいに他の似たものとは異なった個別の意味合いをもつように感じてしまう。もちろん同じレトリックを単なる汚れではなく、もっと美的に処理することも映画はやってきた。たとえば『ローマの休日』でヘプバーンが演じるアン王女は、上着を脱ぎ、ブラウスの袖を折ってしだいに開放的な服装になり、途中で髪の毛まで切ってしまう。こうした変化がそのまま観客たちをつうじてファッションとなって模倣されていくことになる。

開放的な女性に変身していく『ローマの休日』でのヘプバーン。身分を越境していく女性の表象でもある。

4　境界侵犯する女性たち

【アメリア・イヤハート】

稀少性を作り出す第三の方法は、境界侵犯することによって何か別のものを引用して利用することである。アイシャドウの習慣がエジプトの壁画から取られたように、他の文化体系から輸入するのも重要なやり方の一つである。けれども、いちばん効果的な境界侵犯は、習慣として手近にあるにもかかわらず、使用するにはさまざまな障壁をもつものを利用して、束縛している社会コードを侵犯することである。ジェンダーや人種、あるいは社会慣習や宗教によって、遮られたり制限されているものを使用することで、境界侵犯はより強力に行なわれることになる。

男女の境界を侵犯する表象をしたマレーネ・ディートリッヒのシルクハット＆スーツ姿。

たとえば、かつて女性がズボンを身に着けることは、男装とみなされジェンダーを越境するとみなされた行為であった。映画女優たちの形象としては、マレーネ・ディートリッヒのシルクハットにスーツ姿、あるいはグレタ・ガルボの『女王クリスティーナ』における男装が有名である。それは奇妙な性的魅力を感じさせる服装と了解されていた。

ところが現在では、ジーンズやパンツ・

スーツを見てみればわかるように、ズボンをはくことなど特殊なファションではなく、一般の女性にとって選択肢のひとつとして浸透している。いつ、どこで、どのジェンダーがある服を着るかを社会が決定しているドレスコードと異性装の関係は固定的ではなく、時代とともに変化してきたし、男性による女装とは異なり特に男装と意識されずに、かつて男性の服装だったものが女性のファッションに借用されて定着している。

とはいえ、二十世紀の前半においては状況が異なっていて、女性が男の服装を借用するにはいくつもの障害と過度の賞賛がつきまとった。服装を選び取ることが社会関係を選び取ることにもなったからである。ジェンダーの境界を侵犯していく先駆者のひとりに、アメリカの切手にもなった女性飛行士のアメリア・イヤハートがいる。アメリアをあえて「女性」飛行士と呼ぶ理由は、彼女が飛行士という男の領域と考えられたものに挑戦し、男性の後を追って次々と記録を塗り替えたからである。

一九二二年に一万四千フィートの女性の高度記録をつくり、アメリカ大陸横断記録などが並ぶ。さらに一九三二年には女性による大西洋の単独横断記録を作っている(ブリンク、二八―九頁)。けれども、アメリアが通ったアメリカからヨーロッパへというのは偏西風という追風の助けがあり飛行が楽なコースである。それに対してヨーロッパからの逆風をついた女性の大西洋単独横断飛行は一九三六年に、ケニア育ちのイギリス人ベリル・マーカムによって行なわれた。マメリア同様にベリルも男物の服を好み、しかもアメリアとは異なって、多くの男性と関係をもったことで有名である。いちばん有名なのはアイザック・ディネーセンという男性の筆名をもつ女性作家のカレン・ブリクセンの恋人を奪ったことだろう。

とにかく当時「飛行は女性解放の象徴だった。ファッションの分野でも、ジッパーという便利なものが開発された結果として、女性のための〝クィック・チェンジ〟飛行服なるものが考案されたりした」にもかかわらず、あくまでも飛行士は全体として男の世界だったのである（トレビンスキ、三五九頁）。ベリルもそれからアメリアも、彼女たちが男性の服を借用することと、飛行士として挑戦することの間に強い関連があった。

飛行士全般の存在を世間的に認知させたのは第一次世界大戦であった。それまで以上に飛行機が輸送や戦闘の前面に出ることになった。このことは飛行機を飛ばすことが個人技や手仕事の時代ではなくなり、大量生産と標準化の時代に入っていくということである。第二次世界大戦の末期に、アメリカは年間に飛行機を一万機ほど生産する体制になっていた。

1936年にヨーロッパからアメリカ大陸への大西洋無着陸単独横断飛行を成功させたベルリ・マーカム。

つまりアメリアたちの飛行は、個人の名前が覚えられるような冒険から、しだいに無名の飛行士が輸送や戦闘の歯車となっていく状況へ推移していくなかで行なわれていたのだ。一九三七年にアメリアが試みた赤道にそって世界一周する途中で、彼女の乗ったロッキード・エレクトラという星からとられた象徴的な名前をもつ飛行機が、太平洋上で行方不明となってしまった。その後日本軍に捕らえられて生きていたという伝説が生じ、よけいにアメリア自身の神話性が補強されることになった。

男性の領域へと境界侵犯する女性の畏怖する力に基づいたアメリア生存の神話とは別に、当時の社会においてアメリアのイメージは自分のブランドをもつほどファッションの世界にも影響力をもっていた(ジェイ、七六―九四頁)。ふだんのアメリアは短い髪と飛行服というボーイッシュな格好を好んでいた。役柄のうえでそうしたアメリアの服装を引用したのが、ディートリッヒやキャサリーン・ヘプバーンであった。また同性愛であることを隠さなかった大統領夫人であるエレノア・ルーズヴェルトと並んで男性社会に抵抗する女性の代表と受け止められた。

アメリアによる服装は、飛行機を操縦するうえでの実際的な理由をもつ機能的な服装からの引用であり、モダンガールとも共通する新しい感覚のものとして受け止められた。十九世紀にしだいに女性用の乗馬服や自転車に乗る服装が男性の服装から転用しながら開発されていく。第一次世界大戦では女性の兵士が組織されることによって女性用の軍服も登場する。同じように女性飛行士用の活動的な服装は男性のものを流用する以外になかった。もちろんそうした女性用の活動的な一連の服装は、スポーツ・ウェアのように、コルセットに代表される女性の身体を締めつける服装と対照的に二十世紀に定着した体を動かすのに便利な服装である。アメリアの叔母はフェミニストであったブルーマー夫人の熱心な信奉者であり、アメリアをそうした教育をする進歩的な小学校に通わせたもした。

アメリアの人生の転機となったのは、第一次世界大戦における経験だった。戦争と女性の境界侵犯的な服装の登場はきわめて関連することになる(ブロウ、一五七―六四頁)。アメリアは特別志願看護婦としてトロントで一年間働くことで、戦争のもたらす被害を知り、同時に航空ショーを見ることで飛行機へのあこがれをかきたてた。第一次世界大戦からいわゆる総力戦が登場したことにより、女性を多くの生産現場に動員する必要があった結果、かつて男性が行なっていた仕事に合法的に従事できるのだ。

男性と同じ仕事をすることが国家的要請となり、今まであったような個別的で例外的な体験ではなくなり、多くの層が参加する体験となった。そうした変化のなかで、アメリアのデザインした緩やかな服装を模倣するという保守性を保ったままの女性と、彼女の飛行服姿のような男性的な服装を模倣する侵犯性を強める女性の二種類が登場し、それぞれの服装がファッションとなったのである。

【日本のイヤハートたち】

アメリアに代表される境界侵犯的な服装が、模倣すべきものとして流入したのは、太平洋を挟んで利害が対立し始めていた日本でも同じだった。平木國夫の『黎明期のイカロス群像』によると、一九三三（昭和八）年に女性初の大阪—東京間単独無着陸飛行をした上仲鈴子や、翌年に女性初の日本—満州の「親善」飛行をした松本キクといった女性飛行士を写した当時の写真を見るとよくわかる。サルムソン式2A2型複葉機と一緒に記念撮影をしている彼女たちは、いずれも、飛行帽のうえにゴーグルをはねあげ、だぶついたズボンという格好をしている。それだけを見るならば明らかに「男性的な」服装といってもいいが、飛行という技術が要求する機能第一の姿でもある。

ところが、彼女たちがこうした男性的な姿をするのは、機能重視の飛行服ばかりだけでなかった。

上仲鈴子が一九三四（昭和九）年に二等飛行機操縦士の仲間と撮った写真では、彼女は三つ揃いの黒っぽいスーツにネクタイ姿でしかも左手をポケットに突っ込んでいる。ほかに並んだ三人の女性たちの服装にもそれぞれ特徴がある。ひとりは蝶ネクタイに男物のスーツ姿であり、ほかの二人は一応女性ものの上着とスカートだが、よく見るとそれはキュロット・スカートで活動的な格好である。しかも全員短髪をポマードで固めている。写真を撮影するというのは日常と少し異なる文脈ではあろうが、明らかに行動的な格好、それもジェンダー役割を越えた服装が、飛行機の外でも彼女たちに好まれていたことがわかる。

しかしながら、そうした服装のうえでの境界侵犯も、あくまでも社会が許容する範囲内でのかりそめのものでしかなかった。国際的にも知られた松本キクによる満州への飛行は、皇軍慰問という大義名分をもっていたために、軍の支援を受けて外国旅行と認定された。翌年の一九三五年には、彼女の飛行に対してパリの国際航空連盟（国際飛行協会）から、ハーモン・トロフィーが贈られ、リンドバーグのすぐあとの終身会員番号までもらう。

だが、日本の航空法の制限によって、女性は一等飛行機操縦士になれない。その結果、多くの女性飛行士は引退して結婚という道を目指すほかはない。上仲鈴子は、昭和九年に郷土の高山市を記念飛行して引退する。また松本キクは、昭和十二年に戦争に協力しようとして陸軍省に従軍志願するが断わられて航空界を去り、かわりに、夫とともに満州国埼玉村に開拓者として入植することになる。

つまり、彼女たちが目指した技術の平等性によってでも、ジェンダーの境界線を越えることはできなかった。ところが皮肉な結果として、彼女たちは飛行機による戦争遂行に積極的に関与することを免れた。真珠湾、南京、東京、ベルリンといった空襲や、広島、長崎の原爆投下が、飛行機というテクノロジーなしには不可能だったことを考えると、彼女たちが物資の補給ばかりでなく戦争末期には特攻隊となった可能性すらあったはずである。

戦争の前線に公式に職業としての女性兵士が出てくるのはずっとあとの湾岸戦争であり、第二次世界大戦でも女性一般は非戦闘員の位置に置かれることになる。ジェンダーによる差別によって、結婚という形で「家庭」に組み込まれることになってしまう。「戦争は男の仕事で、女性の仕事でなかった」というのは、マーガレット・ミッチェルの『風と共に去りぬ』の冒頭に出てくる有名な言葉だが、彼女たち日本の女性飛行士は結局その通りになる。

そうした変化を端的に示すのが、一九四二（昭和一七）年九月に開かれた「紅翼会」に参加した上仲鈴子たちかつての女性飛行士たちが撮った記念写真である。引退した女性飛行士たちの集まりである会の名称が「紅翼会」である。この「紅」という語が示すのは、「紅一点」という漢詩の語句から連想された女性のことだろう。そして境界侵犯的な男性性が発露することはもはや「紅翼会」という会合には直接あらわれない。写っている彼女たちは、大半が結婚しているせいもあってジェンダー役割を越える様子を欠いている。服装もワンピースやツーピースに、バッグに腕時計、ストッキングやソックスにヒールの付いたサンダル、しかも髪の毛にパーマとおしゃれな格好をしている。これが「太平洋戦争」勃発の翌年なのかと幻惑を感じさせるほどである。

同じ年の四月には「婦人標準服」が制定されて、洋服が甲型、和服が乙型として決められ、もんぺも防空着として認知されていたはずだが、有楽町に集まった彼女たちはそうした服装への傾斜は素振りも見せていない。時代の文脈を考えるとそれ自体が、ひとつの抵抗にもみえないこともないが、むしろ閣議などによる数々の服装統制にもかかわらず、女性たちが服装を工夫してモンペでさえも華美にした動きを受けているのだろう（荒俣宏、三七頁）。

【結婚と飛行術】

こうして飛行機を降りてしまい家庭に入っていく日本の女性の姿は、結婚しても飛び続けたアメリアとは対照的である。むしろ結婚がアメリアの飛行を可能にし、さらにより政治行為や戦争へと関与させることになる。彼女と結婚したジョージ・パルマー・パットナムは大手出版社の社長であり、リンドバークの手記で儲けたので、アメリアを第二の商売の題材として選んだ。結婚したアメリアはパットナムの後盾もあって民間人としても積極的に対外政策に協力していく。

世間の人々がリンドバークになぞらえて、レディ・リンディと呼ぶことを嫌悪したアメリアは、ついに飛行機による赤道上の世界一周という形で、マゼラン以来男性の冒険家が試みてきた冒険を反復しながら、リンドバークたち男性の飛行士も行なわなかった課題へ挑戦する。しかも飛行中でも送受信可能な無線機を搭載することによって、これ自体が第二次世界大戦の飛行機による攻撃のための予行演習ともなっていたのだ。アメリアがこうした冒険へと挑戦するのは、自分の行動が女性という形容をつけてしか評価されないことへの反発があった。確かにアメリアが男性だったら、樹立した多くの記録は目新しいものでなく、世間の注目を引くことはなかっただろう。

冒険だろうがスポーツだろうが、いわゆる女性が何かにチャレンジする際には、一方で「男性」

と「女性」という境界線を越えて、たとえばより普遍的な「人間」という一般項に組み込まれることを求めることになるが、逆に世間の評価を得るには「女性」というカテゴリーを利用せざるをえない。しかも自分の目標とする「男性」と、崩す主体としての「女性」というカテゴリーを生産し続けてしまうことにもなりかねない。これは女性が何かを行なうときに抱えるジレンマとなるだろう。

別な見方をすると、アメリアの場合のように、「女性」飛行士という称号が価値をもつように見えるのは、冒険や飛行が男性の領域と考えられ、女性と結びつかないという通念が存在するかぎりにおいてである。ところが、男性の領分に帰属させられている「冒険」やさらには「戦闘」のような能動的な仕事に、女性が従事したこと自体は過去において珍しいことではなかった。

第二次世界大戦を考えてもレジスタンスやゲリラ戦での女性兵士たちがいる。また、フランス革命を主題としたドラクロワの有名な絵のなかで自由の女神は三色旗をもって裾を振り乱して疾走している。それに、英仏間の百年戦争におけるジャンヌ・ダルクは、絵画や劇や映画で男装して戦う女性と形象されている。そうした境界侵犯的な形象は、アメリアと同じ様にジャンヌの力の源と錯覚させるだろう。

だが、問題となっているのは、男性の領分をおかすような境界侵犯的な行為が過去に存在したかどうかではない。むしろ商品化されアメリアのように多くの雑誌に写真となって引用され、一回かぎりの特異な現象として見られてきたものが、模倣と大量生産が可能なファッションとして定着していくのだ。その結果として、男性の領分すなわち男性性と考えられてきた冒険や戦争や服装までもが、これまで考えられてきたのとは異なりいわゆる男性という性別上の雄の身体とかならずしも合致しないことがわかってきた。

【スープの中のストリキニーネ】

二〇世紀前半のこうした変化の状況を異なった角度から理解する手掛かりを与えてくれるものとして、イギリスの大衆小説家の代表といってもいいP・G・ウッドハウスの「スープの中のストリキニーネ」（一九三二）という短編を取り上げてみよう（ウッドハウス、一七—四六頁）。この短編は登場人物たちが未読のミステリーの新作を奪い合う間に、ロマンスの障害が解決するというからくりによって、いかにもウッドハウス流の手慣れたいささかご都合主義的な展開をたどる。

ミステリー芝居の上演途中で知り会ったエミーリヤと主人公のシリル・マリナーの間に生じたロマンスを阻害するのは、彼女の母親であるレディ・バシットである。バシットという名に覚えがあると告げるシリルへ、エミーリヤはこう答える。「たぶん母の名前を聞いているんですわ。レディ・バシットよ。獅子狩りや探検旅行で有名ですわ。ジャングルなんかを探検して廻っているんです。いま、ロビーに煙草を吸いに出ていますわ。」レディ・バシットは特定のモデルを念頭に置いたものではないだろうが、これだけでも女性の探検家がひとつの型をもって了解されていることがわかる。ライオンを狩り、人前で煙草を吸う女。そして彼女が初対面のシリルに嫌味を言う場合も、密輪のジンに酔っ払った下イシシ族の「酋長」に似ていると、あくまでも偏見を含んだ探検家の言葉で決めつけるのだ。

ウッドハウスはあくまでも古典的な筋立ての短編小説に新しい装いを提供している。その仕掛けのひとつは、作品と同じ題をもつ「スープの中のストリキニーネ」というホレーショ・スリングスリーの新作ミステリーであり、小説のもつれた事態の打開に利用される。四人の主要な登場人物はひとしくミステリー好きであり、そのせいで、現実の出来事よりも新作の続きを読むほうを優先させる。しかも他人の所有している本までも取り上げて、続きを読んでしまいたくなるのだ。ミステリーへの狂熱については、アメリカの作家であるジェイムズ・サーバーが「マクベス殺人事件」（一九三七）のなかでうまく描いている。そこに登場するのは、『マクベス』を殺人事件として読むことで、シェイクスピアにも見抜けなかった真犯人を当てようとする女性たちである。

ウッドハウスの短編に登場するミステリー作品は、筋の展開のための小道具に見えるが、新作の書評をむさぼり、列車のなかや就寝時に広げるという習慣が定着していなくては不可能だったわけだ。階級や生活習慣、ときにはジェンダーが異なる者をもつなぎとめ、ひとしく市場への参加者として結びつけてしまう「ミステリー」という商品が登場することになった。これは、ウッドハウスの新作小説を待ち焦がれ、次々、消費していた彼の読者たちと商品としてのこの短編との関係を想像的に映し出している。ミステリーという商品が差異を越えて流布するからこそ、四人が結びつけられるのだ。

もうひとつの新しい装いは、厳格で保守的な父親のかわりに、ミステリー好きで冒険家という貴族の女性が、主人公のロマンスを阻止する者として登場することである。男性性を引き受けた女性（レディ）が、女性性を感じさせる男性（シリル）を排除しようとするとき、家父長制で考えられる父親の位置は消去されるわけではないが、とりあえず揺らぐことになる。つまり、最終的に男性が男性性の担い手であるという公式は否定されないが、ジェンダーによる役割分担を当然視するのはもはや不可能となる。

シリルがレディ・バシットに拒絶される理由は、容貌だけではなく、室内装飾屋という彼の職業のせいである。中産階級的なシリルの背景に対する夫人の嫌悪が存在することは考えられるが、もっと強くアクセントを置かれているのは室内と室外の対立である。「娘を嫁にやるなら、近ごろの温室育ちのような骨抜きのぐず男にはやらないで、たくましい気骨のある、鋭い目と強い拳をもった、広々とした世界に生きる男らしい男にやるわ。」レディ・バシットは自分と同じ属性、すなわち外の世界とつながっている男性を認めることになる。ライオンを撃つことが男性性の証明であるならば、レディ・バシットは男性性を獲得できている以上、論理的には、娘の婿として自分と同じように男性性をもった女性を指名することさえできるはずだが、もちろんジェンダーの区別を強力に行なう彼女の選択肢のなかに「女性」はいない。

だが、結局のところロマンスという形式によって無理矢理ウッドハウスは決着をつけることになる。シリルは、狩りやスポーツといった形で男性性を証明するわけではなく、ライバルを罠にはめ、さらには、レディ・バシットにミステリーの続きを一緒に読むことを提案することでエミーリヤとの結婚を認めさせる。こうして、最終的に狡猾に男性性を体現しているのが、女性であるレディを制御したシリルということになる。作者のウッドハウスは、「男性」作家で中産階級的倫理のもち主で、さらに彼の書く小説は「大衆小説」だから、こうした結末をもつのは当然という考えも成り立つだろう。

けれども、もう少し異なった角度から見るならば、断片的にプロットが提示されるだけで結末を与えられなかったミステリー「スープの中のストリキニーネ」自体が、じつはウッドハウスが物語化で解消できないでたじろいでいる領域を示すことになる。つまり、レディという境界侵犯をしている女性に対して男性であるシリルに勝利させておきながらも、解消されない男性側の不安が漂っているのだ。男性性を冒険主義的に体現しながらジェンダーを超えていく女性が、文化的ファッションとして成立していくプロセスをかいま見ることができよう。

5　ドレスアップの論理

【ファッションの横どり】

十九世紀にデパートが登場しカタログ販売が浸透したことで、ファッションの担い手が上流階級の一部の層から拡大した。その結果、ファッションは商品として流通することが可能になり、経済力に応じて今までよりも多くの選択肢から簡単に選ぶことができるようになった。しかもドレスアップすることは、あれこれとファッションを購入するだけではなく、今まで見てきたように陳腐化に抵抗して稀少性を確保する多くの手法を利用することでもある。もっとも、発見され提案された着こなしや組みあわせすらすぐに模倣されてしまう。だが、いずれの場合であっても、消費社会のなかで自分の欲望をファッションとして実現する可能性をもっているからこそ、ファッションはたえず消費者の関心の的となるのである。こうした変化によってジェンダーや階級を横断するファッションの新段階が到来した。

たとえば、第二次世界大戦後にクリスチャン・ディオールの「ニュー・ルック」は、フランスばかりでなく英米の労働者階級の女性の間にも広まった。アメリカ人によって「ニュー・ルック」と名づけられたこのファッションの特徴は、「優しい丸みをもったなで肩、細いウエスト、そしてなによりも大きく広がったスカート」である（能澤、二〇一頁）。たくさんの布地を使用して、オートクチュールへの回帰をうかがわせるディオールのファッションは、戦時体制下でデザインの多様性に乏しく、布地節約型の衣装に不満をもった多くの女性たちに支持された。

消費を印象づけるデザインが、物資不足という現実にもかかわらず人気を得て、ディオールそのものではなくても、模倣した衣装がたくさん登場した。階級を横断したという意味で、ニュー・ルックは十九世紀から存在したエプロンを着ける主婦のスタイルとは明らかに異なって、消費社会の女性にとっての新しい標準となっていくのである。

ニュー・ルックを労働者階級の女性たちが受け入れたのは、もともと支配的な階級がつくりだしたデザインを横どりしながら、自分たちに都合がよいように変更することを通じてである。そしてファッションの助けを借りて、新しく自分たちのアイデンティティや価値観を分節化できるようになった。ジェンダーの境界を超えようという社会的なメッセージをこめた境界侵犯的で中性的な衣装であるジーンズやノーブラと異なって、機能重視の現場にさえもちこめるような新しいファッションとしてニュー・ルックへの追随が行なわれたのである。またニュー・ルックのようなファッションは、パンクのような反―ファッションの動きとも異なり、あくまでもファッションという制度に反しないかぎりでの改革といってもよい。

どこで女性たちがファッションにこだわりを見せるかはいつでも同じわけではないし、まさに意外なところに出現することになる。たとえば映画『エイリアン』（一九七九）で、本船の爆破後に救命艇にたどりついたリプリーが人工冬眠をしようと下着となった姿は、彼女が機能本位な服装以外を見せて解放感を示す唯一の場面と考えてもよい。リプリーは、猫のほかに他者の視点がなく心地よい環境に身を委ねようとしている。睡眠を強制的に中断することで始まった悪夢の物語が、彼女の就眠によって閉じるはずだった。ところが、観客の予想を裏切り、エイリアンが同じ救命艇のなかに潜んでいて、リプリーは下着だけの無防備な状態でエイリアンと対面していることに気がつく。彼女は急いでロッカーへと駆けこんで、恐怖のために息を荒く乱すことになる。

リプリーを演じるシガニー・ウィーバーが、腰骨に引っ掛けるようにボトムをはいている姿を下から撮影した画面は、寝室で襲われた女性の恐怖を物語る構図となっている。リプリーはすぐに宇宙服を着こむ。つまり、イアハートのような飛行服を着た女性飛行士たちの末裔らしく、最後に自分の意志から戦闘体勢をとり、宇宙服の内部に彼女の女性性を示すファッションは仕舞いこまれてしまうのだ。その後、続編の二作のなかで、リプリーが伝統的な女性のファッションを見せる機会はまずない。たえず、シャツにズボンといった労働着姿でいて、大型のロボットを操作したり、女ランボーとなって重火器を片手にもって乱射しながら子どもを守る。また、囚人惑星では最後に坊主頭にされて髪の毛までも失うことになる。

ファッションがもつ美学は、衣装の機能を踏まえながらもときにはそれと対立することになる。差異を盛りこむことが優先されているせいで、機能が支配的な役割を果たしているようには見えないが、機能こそが差異を美学的見地から無限につくりだすことを制限している。そうしてつくりだされた衣装をさまざまな地位や条件に応じて取捨選択していくことで、今度はファッションが、単純な女性性を示す指標ではなくなっていく。ドレスアップをしていくことは、女性の社会進出と連動する関係をもっているのである。

【労働とファッション】

『九時から五時まで』(一九八〇)という労働時間を示す象徴的な題名をもった映画は、アメリカ合衆国における女性の社会進出が生みだしたジレンマを描いている。『クレイマー、クレイマー』(一九七九)のように、仕事か子育てかと悩んで離婚にいたる女性が登場することが新鮮だった時代は終わり、『ダイ・ハード』(一九八八)では、子どもを連れて夫と別居して西海岸に職を求めていく行動的な妻が描かれる。八〇年代以降、ハリウッド映画のなかでもこうした女性の自立や管理職問題を描く作品が数多く製作され、日常の風景と化している。もちろん働く女性を登場させる映画は過去にもたくさんあった。しかし特殊な技能をもって男性とわたりあうヒロインや、結婚や昇進という幸福な結末を用意している場合が多かった。さもなければ家庭への回帰が描かれる。

ところが『九時から五時まで』がとくに描きだそうとしているのは、平凡な女性たちが社会進出をするときに生じる問題点であり、男性社会に戦いを挑む女性実業家といった表象の仕方ではない。離婚で働かざるをえなくなったヒロインをジェーン・フォンダが演じ、彼女は社会経験も特別な技能もまったくもたないため、コピーも満足にとれない女性という設定になっている。男の上司の女性差別的な行動にたいして、彼女を含め、仕事の成果を横取りされた女性や、愛人と勝手に噂されている秘書が三人とも怒ってしまい、彼を家に閉じこめてしまう。その結果、彼の仕事を三人の女性が中心となって代行していく。しかしながら、それによって会社の仕事が滞るのではなく、むしろ能率があがってしまい、女性たちが自主管理する職場という一種のユートピア空間がつくりだされる。

ひとつのシステムを動かすのに担い手のジェンダーの違いなどはなく、男女に機会が均等にあることが示される。しかも、上司に代わって勝手に書類を決済した彼女たちのおかげで、オフィスのレイアウトが大幅変更され、私物のもちこみが許可され、フレックスタイム制の導入、さらには赤ん坊を会社に連れていくことまでもが認められる。映画の最後では、機械仕掛けの神のように、本社の社長が生産性の向上に注目して訪れてきて、女性たちに反撃しようとした上司の意向とは逆に、彼女たちの改革はもっと上の権力に支持されてしまう。

生産のメカニズムのなかに女性を組みこみ、結果として企業内の沈滞の打破に女性の力を活かそうというのが映画のモラル・メッセージである。喜劇的なファンタジーとして描かれているのは、あくまでも女性の社会進出がもつ実際の圧力や障害が大きく、それを変更するためには上司を閉じこめて署名を横取りするような荒っぽい手法が必要だという現実を踏まえてのことである。こうした改革は、現実社会では敗北する可能性が高いので、フィクションでも喜劇的に描く以外にむずかしいだろう。それと同時に、この映画では、実際にオフィスで働く女性たちが気に入るようなマニッシュな服装とか、チェーンをつけた眼鏡といったファッションが登場する。機能性とファッション性をすりあわせた衣装が特異なものではなく美的なものとして描かれることで、働く女性たちがドレスアップするモデルとなっているのだ。

こうした映画が働く女性向けの雑誌とともに目指し提案しているのは、今までの衣装の単純なジェンダー役割ではおさまらない新しいファッションの提出である。それは、パンツ・ルックのように、境界侵犯的な方法で男性の衣装を引用し再利用するばかりではない。むしろ、女性が働く現場から新しいファッションが生みだされていくことになる。そうしたファッションを身に着けることが、消費社会での欲望の実現とみなされてしまう。結果として、理想的なワーキング・ガールとして自己表象するためにはファッションへの感覚をつねに新たなものへと向けざるをえなくなる。もはや華美な衣装だけがファッションだとは思われなくなってしまった。ドレスアップということが、特殊な行為ではなく日常的な行為になっていくなかで、機能と美学はおりあいをつけていくことになる。そしてさらに組みあわせや着こなしを通じて、女性は自らの稀少性をファッションに託そうと努力する。

稀少性は陳腐化の危険を抱えているので、たえず差異をつくりださなくてはならない。その結果、大量生産の内部にありながら、ときには自分が所属する制度自体までパロディの対象としながら新しい差異をつくりだすことになる。刺激的な広告のように、ときには売りこむべき商品に疑問を呈したり否定したりするメタ・レヴェルの言及を行なってまで、稀少性を印象づけることになる。この場合、稀少性は使用価値ではなくあくまでも交換価値であり、流通のなかで他の商品を押しのけるための特徴でしかない。さらには、稀少性を求めるあまりに過去へとさかのぼってしまい、ミシンが再登場したりスカートの丈が変化して一巡するように、一度忘れ去られたものがふたたび呼び戻されて登場し、流行がらせん状に反復するように見える。

そうした反復した流行、また反復の仕方そのものですら、文脈が異なると、決して今までと同じようにはありえないのもたしかである。ある一種類の商品に着目すると、同じ種類の商品が異なる文脈では別な意味を帯びてきて、他の時代や別な場所で異なった価値を帯びることになるのがわかるだろう。日本で七〇年代まで抑圧の象徴として評判の悪かった学生の制服が、八〇年代には組織のアイデンティティを再創造する動きを受けて、稀少性をもち羨望を感じさせるデザイナー・ブランドへと変貌した。制服を着るために学校を選ぶという発想がもはや珍しいものではなくなった。

また、私服が自由の象徴とされたりするが、アメリカ合衆国では子どもが事件に巻きこまれたり間違って射殺されないように保護の観点から制服化を推進している地域もある。この場合には、抑圧と見える行為が同時に保護という意味をもち、ひとつの行為にひとつの普遍的な価値判断を対応させることはできない。ドレスアップをするときに、いつでも同じスタイルを保持することでは、ファッションの変化に追いつくことはできないし、逆にあるアイテムを所有することだけではファッションを身にまとったとはみなされなくなる。あくまでも相互関係のなかで、その意味が決定されるように見えてくるのだ。

【コンセプトの流行】

同じ事情はたんに「物」ばかりでなく、コンセプトに関してもいえるだろう。「貧しさの美学」ですら、位相を変えて「清貧」とか「簡素」という名前を新たにつけて過去から呼びだされてくる。それがときにはガラスと鉄骨主体のモダニズム建築のような機能主義的な発想と重なったりすることになるが、予算や資材の不足から装飾や遊びが使えなければ建築は簡素になるしかなく、結果としてモダニズムという外装をまとうことになる。機能主義は予算不足といった経済的理由から登場することもあるのだ。必ずしも建築ばかりでなく、ファッションにおいても同じことがいえるだろう。モダニズムの同時代人であるココ・シャネルは、人造宝石を大胆に使用したり、簡素なラインを追及した。シャネルはオートクチュールの過剰な装飾に反逆したのである。

ディオールの「ニュー・ルック」が乗り越えようとしたのは、シャネルのような「貧しさの美学」である。今度はディオールを乗り越えようとする川久保玲が、権威への反逆として「貧しさの美学」という同じ位相をもちこむ。しかし、当然シャネルと川久保それぞれの歴史的社会的な位置によって彼女たちの作業の価値は異なる。二人のコンセプトが時代を超越して重なっている部分があったとしても、現代に置き換えれば、シャネル・スーツと「コム・デ・ギャルソン」を着る人間の社会階層や世代は別になるだろう。それぞれの衣装がもっている社会的な意味がまるで異なるわけである。

そして、ドイツ系のカール・ラガーフェルトに率いられた二十世紀末のシャネルというブランドは、ココ・シャネルとは立場も考え方もまったく別ものである。ラガーヴェルトが、デニム地によるスーツや帽子のコレクションを発表したが、それはジーンズとの共通性を強調するよりも、シャネルというブランドが先立ってしまうことになる（バーナード、一二九頁）。ここからシャネルのファッションが前衛から退却して産業化による保守傾向をもったとみなすことは簡単である。

「コム・デ・ギャルソン」が掲げた稀少性は、いわば現代におけるシャネル・スーツの保守性と凡庸さに保証されているともいえる。なぜなら、すでに消費社会に定着したシャネル－スーツを買おうとする人間は、ファッションの先端に参加するために購入するという意識はもっていないからだ。そのせいで川久保の作品が、ギャルソンならぬギャルソンヌ（新しい女）が好んだ初期シャネルの地位を奪うことになる。ところが川久保が提供するのは、シャネル体験やディオール体験を経たあとでの「貧しさの美学」であり、購入するファンは現在ばかりでなく初期のシャネルの消費者とも異なった意識をもっている。

一見すると、「コム・デ・ギャルソン」はファッションというジャンルのなかでシャネルと同じ機能を果たすが、しかもシャネル自体の記憶ももちながら差異が提案されている。このずれは周囲から要請されて出現していると同時に、ある「物」が存在するとき周囲に働きかけながら生じてくる必然的なものである。川久保はシャネルの同時代人ではないのだ。しかも、コンセプトのうえで、初期シャネルによって現在のシャネルを乗り越えようとしたといってもよい川久保ですら、あっという間に「古典」となり、シャネルと同じ陳腐化の運命をたどってしまう。

ずれを利用することで稀少性が生成され、さらに陳腐化が反復することは、ファッションの世界だけではなく、毎月新作が登場する小説群、とくにロマンス物においても顕著である。「ハーレクイン・ロマンス」のように、基本的に個人の作家よりもジャンル全体の均質性を商品化する装置の場合は、ジャンルを逸脱しないで微細な差異をたえずつくりだすことがとくに必要となるので、出版社から作家へいろいろと提案される。そこにあるのは差異の創造の要請である。

こうした大量生産を可能にしている前提には、つねに同じものを反復させる枠組みとして働いているジャンルという装置がある。ところが、今度はジャンル内部で差異をつくりだすために、他のジャンルから引用したりさまざまな異種混淆が行なわれることになる。さらに、ジャンル自体の境界線を意識的に崩すことによって、ジャンルを自ら放棄して、他にはない稀少性をつくりだしていくことになる。自己言及的な行為までもジャンルが保証することになる。

こうした作業を通じて次々と商品としての「物」が生みだされ、それを消費することで自分の欲望が実現したかのように見える。ところが、身体の表層を飾るドレスアップは、すぐにも衣装自体から離れて身体そのものへの関心を導くことになる。衣装では限界があるところで、今度は身体を衣装と同じようにみなそうとするのである。

第3章　身体を仮構する

1　スーパーモデル

【オートクチュールからプレタポルテへ】

ファッションという身体の外側を飾る装置は、ただ単に身体を覆うだけに留まらない。身体を囲い込む衣服と、衣服が囲む身体との間の境界線は、通常考えられているのとは異なって、物理的なレヴェルでは説明がつかない。たとえ脱衣という形でファッションをすべて取り外したとしても、ファッションを受け入れる状態で待機している身体は、文字通りの裸体となることはない。

グリム童話で有名な裸の王様が滑稽なのは、王様が裸だからではなく、見えない服を着ていると錯誤している点にある。王様の身体はファッションを受け入れるようにしつけられているためにぶざまに見える。ファッション化された身体は、ファッションが欠如した状態でもそれに支配されている。いまや当然視されているファッション化された身体という現代の身体観を考える手掛かりとして、まずスーパーモデルという現象を取り上げてみることにする。

八〇年代後半からのファッション業界の特徴のひとつは、シンディ・クロフォード、ナオミ・キャンベル、ケイト・モスに代表されるスーパーモデルという女性たちの出現であった。彼女たち自身が一種の高額商品であり、商品のためのモデルとなるだけでなく、なによりもライフスタイルを売っている。他方では、ストリート・ファッションを着こなす素人の男女がファッション・ショーに出場するようにもなってきた。つまり理想的な身体や生活様式をもつ職業としてのモデルがいる一方で、職業的なモデルではないからこそ、デザイナーが提案するストリート・ファッションに近いコンセプトを受け入れる素地をもつ素人の男女たちが、今度は消費者の模倣対象となってみせるのだ。

モデルという現象においても、「オートクチュール（豪華な原型）／プレタポルテ（大量生産コピー）」という差異を解消する動きが出てくる。そこでは、プロのモデルとアマチュアのモデルの違いが消えてしまう。モデル業界を占有するのが、チャーム・スクールで磨き上げたタイプだけではなくなってきた。そうした変化とともに、二つの領域を解消しながら提示していく新しいタイプの模倣対象として、スーパーモデルという別な形態のモデルが身体のレヴェルで誕生したといえる。オートクチュールとプレタポルテ、あるいはモデルと消費者というのは二十世紀前半に確立した、十九世紀までの階級差を手本にした区分だった。それが消滅しかけていて、明確な対立項とはなりにくい。そうした変化が、ファッション産業が限りなく差異を生産しなくてはならない必要性から生じた結果であり、新しいタイプのモデルが登場してくることを通じてデザイナーたちの発想が刺激されるので、以前とは異なったモデルがますます求められることになった。

モデルの登場はデザイナーの確立と強い関連をもっていた。近代以前には衣装の作り手の名前が考慮されることはなかった。こうした匿名性を前提にして初めて、衣装全体を手工業の産物とみなし歴史資料や民俗学の対象とすることができる。衣装のようにその場かぎりでうつろいやすく見える物にも、背後に体系があることを明るみにだし、民族や時代といったさまざまな区分をあてはめて説明する試みは、文化現象を分析するフォルマリズムの基本でもあった。民話と民族衣装を同じ分析手法によって「形態学」として論じることができるのだ。その場合、民話も衣装もあくまでも現象であり、製作者は匿名のままに終わってしまう。

こうした一般化に対する抵抗がデザイナーの側から生じる。衣装デザインのひとつひとつに、製作者の固有名やブランド名が与えられ、差異をもちながら反復している芸術作品だと解釈されることになる。ポール・ポワレが始めたとされるオートクチュールは、一点物という性格から芸術作品であることを志向し、ハイカルチャーの仲間入りを目指した。その歴史的な帰結が、一九九四年の十月十三日にルーヴルで行なわれたファッション・ショーといえる。ルーヴルという会場自体がフランス文化の美術館＝博物館という文化権力の中心地であったことは、《モナ・リザ》と衣装デザインを並べる試みであり、ファッションを芸術の範囲でとらえることに成功した。

ところが、皮肉なことにハイカルチャーとして認められるようになったオートクチュールが、ファッション産業のレヴェルでは、八〇年代になってプレタポルテにリーダーの座を明け渡していて、もはや中心を占めてはいなかった。皮肉な見方をすれば、オートクチュール自体がルーヴルという殿堂入りが可能なまでに力を失い古典となってしまったのである。

プレタポルテに産業の中心が移動することで、かつて衣装が階級や民族で固定化していた状態が新しい段階で再現されることになる。アイルランドのアラン島は、漁師が水死したときに判別しやすいようにと、家ごとで模様が異なったセーターを織っていたことは有名である。だが、それは家の紋章と同じで相互の区分が重要であり、あくまでも模様の反復が優先され織り手が個性を発揮することは考慮されていなかった。現在では、個別性を売り物にするオートクチュールを一方で理想的な手本として媒介にしながら、消費社会で階級や民族を横断しながら客層を固定化するプレタポルテが出現する。

私たちが着るのはたいてい一点物ではなく、大量生産のコピー商品である。そうした商品を実際に生産している縫製工場は「スウェットショップ」と呼ばれ、低賃金と劣悪な条件で働かされる「ブラック企業」の代表格でもある。現在ではユニクロやナイキのように、海外に生産拠点を置くことで、低コストで生産して大量に売りさばいて利益を得る企業が増えてきた。

ファッションの中心をプレタポルテが占めるにつれて、今までのように特注品のための豪華なモデルは不要になる。そのかわり普段着も着こなして見せながら、さまざまなメディアに露出するモデルが必要となる。彼女たちは、いわゆるプライベートな生活も商品にすることで、オートクチュール全盛時代のモデルとしての霊気を喪失しつつ、今度は私的と公的の二つの領域を横断する生き方のお手本ともなる。モデルが特定のブランドを着飾ることはなく、さまざまな要素を引用し組み合わせながら「着こなして」いく実践者となるのだ。日常生活の小物から、お気に入りの買い物先や行きつけの店、仕事のないオフの日の過ごし方まで、一人の人間にかかわるすべての情報が商品となっていくのだ。

【ファッション・モデル】

一九二三年にＪ・Ｒ・パワーズがモデルのエージェントの仕事をはじめて以来、モデルたちは歴史上の存在となってきた。モデルとして生まれつく女性はいないのだから、モデルになるのは、選択であり、そのあり方も時代によってさまざまに構築される。理想の女性像は変化するし、モデルに対する社会の認知度も異なっている。こうした動きは当然映画や小説といったメディアにおけるモデルの表象自体にも影響を及ぼす。

たとえば、オードリー・ヘプバーンが主演した『パリの恋人』（一九五七）は、ファッション雑誌のモデルとなった若い女性を主人公にした映画である。ヘプバーンは本屋の店員で、サルトルをモデルにしたらしい共感哲学を説くパリの学生街カルチェラタンに住む哲学者にあこがれている。ファッション写真のために撮影隊がむりやり書店に入ってくることをきっかけに、彼女はフレッド・アステア扮するカメラマンに見出される。

この映画のなかでは哲学とファッションが同じ「流行（モード）」の扱いをされている。その哲学者に会いに行くことを条件として、パリでのファッション雑誌用の撮影旅行に行くことになる。だが結局その哲学者が俗物であることが明らかになり、カメラマンと結婚するまでのシンデレラ・ストーリーを描いている。ここで確認されているのは、女性のステップアップの選択肢としてファッション・モデルという職業があることだ。

こうした事情は子どものおもちゃであるバービー人形にも反映されていて、バービー人形が一九五九年に最初に登場したときに想定されていた職業はファッション・モデルだった。それ以降、バービー人形の職業の選択肢は社会における女性の地位を反映して、六〇年代には、バレリーナ、スチュワーデス、七〇年代には、医者、オリンピック選手、八〇年代には、エアロビクスのインストラクター、ニュース・レポーター、企業の重役と変化している（ウルラ、二八三頁）。つまり五〇年代当時、ファッション・モデルは女性の社会進出の象徴的な職業だったのだ。

ヘプバーンをモデルに仕立てあげていくのはトレーニングだけではなく、さまざまな装置の力であることも同時に表象される。映画のなかで、視覚的にとくに印象を残す場面は、暗室でネガからトリミングされた写真が現像され、加工されたヘプバーンの顔が浮び上がってくる瞬間である。ここで使用された写真は、映画のタイトルバック同様に、撮影のアドバイザーを務めたリチャード・アベドンの手になるものだろう。

ヘプバーンの表象をすっかり見慣れた現在の私たちがもつ基準からすれば、白地に浮び上がる彼女の顔はかなり魅力的に見えるかもしれない。しかしながら、映画の原題が「ファニー・フェイス（風変わりな顔）」となっていることからわかるように、ヘプバーンの顔がちょっと風変わりだという前提が映画を成り立たせている。つまり、当時の基準からすればヘプバーンの顔はいわゆる「モデル顔」ではなく、ヘプバーン自身も自身の顔を嫌っていた

ヘプバーンの顔の輪郭が強調された『パリの恋人』のポスター。

のだ。

彼女の角張った顔の輪郭や大きな目、それにボーイッシュな身体といった特徴が、映画のなかの表象として、また映画を成立させる修辞として、肯定的なものへと読み替えられていくのである。物語のレヴェルで、男性のファッション・カメラマンやデザイナーたちによって、理想的なモデルとして作り上げられていくヘプバーンがいる。そしてそれを支えるのが、映画のなかのカメラをはじめとした装置に他ならない。

もちろん彼女の身体の特徴は、クリスチャン・ディオールのいわゆる「Aライン」を形作るのにふさわしい体形であり、現代では主流となったやせ型のモデルが登場する先駆けでもある。当時のミス・アメリカに選ばれた金髪のふっくらとした女性たちからするとヘプバーンはかなりやせている。

しかも痩身モデルはしだいに主流となり、六〇年代になると、ミニスカートをはくツイッギー（小枝）という究極の痩身モデルが登場することになる。そして、ミニスカートをはくためにツイッギーのような身体を手に入れたいという欲望が生じるのだ。モデルの身体がファッションのために体型を変える手本となる、という現在ではありふれた現象を引き起こす。映画のなかのヘプバーンはその変化の先駆けとなっているのだ。

『パリの恋人』の根底に、ヘプバーンの身体的な特徴は、彼女以前のハリウッド映画が作り出してきたピンナップガール的な女性の基準にあてはまらない、という観点がある。ほかのハリウッド女優たち、たとえばメイ・ウェストやマリリン・モンローやジェイン・マンスフィールドと並べてみれば、ヘプバーンの身体は明らかに当時の基準からするとセックス・アピールに欠ける。といってグレース・

ケリーのようないわゆる清純派の女優とも異なった身体をもっている。

この『パリの恋人』という映画自体が、彼女の魅力を観客に納得させるために、美的基準の変更を含めてさまざまなレトリックを行使しているのだ。ヘプバーンが演じる本屋の店員がモデルとして認められるようになる、という物語を通して、彼女の魅力を再確認させる試みがなされる。

モデルの経験があるヘプバーンが映画の配役としてモデルを演じることは難しくなかっただろうが、映画のなかで行なわれたファッション・ショーはどたばたの騒動によって台無しになって全うされない。写真のモデルとしてのヘプバーン像は前景化されるが、パリでの撮影の途中でカメラマンと結婚するという結末を迎えてしまう。最後の場面で川に浮いたいかだ上で踊る二人の表象からは、物語の幸福な結末は見えても、ヘプバーンが果してファッション・モデルとしての人生を歩むかどうか明確ではない。あくまでも映画女優と観客の間に生じる神話的な距離を利用することで、ジバンシーの衣裳に包まれた彼女の姿を説得力あるものに転じているだけである。ヘプバーンという身体を借りることによって、普通の映画の観客たちでは直接見ることができないファッション・ショーのモデルと彼女が着るオートクチュールの関係が映像化されているのだ。

【スーパーモデル登場】

八〇年代以降に登場したスーパーモデルたちは、映画のなかのヘプバーンが示す映画女優と彼女が演じる配役としてのモデルという区別、さらには映画がヘプバーンを使って表象しようとしていた古典的なモデル像を突き崩した。ファッションという社会装置を形成するデザイナー、モデル、メディア（ファッション写真やファッション・ショー）といった構成要素に大きな変化はない。だが、モデルも消費者も以前のあり方とは変化してしまった。かつては、モデルは二十代の仕事であり、その後は金持ちと結婚することを望むか、ハリウッドをめざすかという選択くらいしか存在しなかった。

けれども、マイケル・グロスが言うには、「九〇年代のスーパーモデルは、商品イメージを利用することによっていっそうの発展を遂げた工業社会の偶像、象徴だ。写真や広告（そして、ときには実生活）のなかでイメージを売る商人の手によって、こんにちのモデルは服や化粧ばかりか、ライフスタイルという名の虚構も売っている」（グロス、二九頁）のだ。

それはモデルを超えて映画女優にも影響を与えた。

一九八二年に映画女優のジェーン・フォンダが「ワークアウト」のビデオを出したように、現在では、たとえばクローディア・シファーといったスーパーモデルたちがきそってエクササイズのビデオを出している（ルビンスタイン、一〇〇頁）。もっとも、ジェーン・フォンダのエアロビクスの場合には、彼女自身がよく知られた映画女優であることや、父ヘンリーや兄ピーターとともに俳優一家を形成する神話性があり、さらに保守的な親に反逆する子どもとして、ヴェトナム反戦運動に関与した者という象徴性がつきまとっている。だから、「ワークアウト」することも、必要に応じて年齢を越えた役づくりを要求される女優が、自分の老化へ対抗する手段だと受け取られた。それが同世代の女性たちの共感を呼んだのである。

「ワークアウト」は女性が容姿の現状維持をしたいという願望の産物であった。しかしながら、スーパーモデルたちは、現在の身体にシェイプアップして作りあげた過去の体験そのものを売り物にしている。彼女たちの名前を冠したダイエット方法は、かつて太っていたかどうかを問題にはしないし、若い彼女たちにとってジェーン・フォンダのように老いに対する抵抗の産物でもない。つまり太ったり老いたりする前から、ダイエット法と健康管理の脅迫観念が植えつけられていて、ファッション化された身体をもつ消費者に強くアピールする方法になっている。そしてビデオによって無限に反復できる映像が、観ている者の脳裏に理想的な身体イメージを植え込んでいくわけである。

こうした変化のなかで、モデルを引退してハリウッドの女優となるというかつて存在した図式も崩れている。たとえば、シンディ・クロフォードは、『フェア・ゲーム』(一九九五)というアクション映画に主演した。そこではアクションを売り物にして、強くてセクシーな女性という現代のシンデレラ・ストーリーを実現することになる(もちろん、実際のアクションはスタントウーマンの技やSFXなどの特撮の助けを借りているのだが)。といって、クロフォード自身がその後映画女優に専念するわけでもないし、モデルが行なう仕事の選択肢の一つとして女優が存在するのである。

モデルの身体に対するとらえかたの変化は、ダナ・ハラウェイが分析する「集積回路上の女性」というありかたと関係してくる。ハラウェイが提唱した「サイボーグ・フェミニズム」が扱うサイボーグという概念があてはまる対象のひとつがスーパーモデルといえるだろう。ハラウェイの定義によると、

サイボーグとは、サイバネティック・オーガニズムのことであり、機械と有機体の混成物で、フィクションの創造物であるとともに社会的現実性の創造物である。この社会的現実性とは生きら

れた社会関係のことであり、私たちがもついちばん重要な政治的な構築物であり、世界を変革していくフィクションでもある。（ハラウェイ、一四九頁）

サイボーグはもはやSF小説や映画のなかの想像的な存在ではなく、私たちの存在のあり方を示すモデルとなっている。ハラウェイが列挙する支配のための情報工学の特徴のうちで「生体部品」「モジュール構造」「模造」といった概念が、身体の新しいイメージを作り出している。身体の存在様式により敏感になったモデルと消費者の関係においても、部品をシェイプアップしていくサイボーグと同じ関係が表出しているとみなせるだろう。そして、モデルと消費者の両者がお互いの存在様式を映し出す鏡像関係となって模倣しあうことになる。

スーパーモデルが、外にまとう衣装に合せて自分を演出するだけでなく、衣装に演出させられている存在であり、いわば衣装という人工物と生物的な身体の混成物であることを示している。人間が作り出したり関与したりするものはすべて人工物であり、じつはその最たるものが「芸術」といえる。自然と文化を対立させる図式のおかげで、支配のためのイデオロギーは、どちらかの軸を強調することで、野蛮を克服する啓蒙思想になったり、文化への抵抗としての自然崇拝へと揺れる。ところが自然を表象する装置自体が、言語や視覚自体まですべて文化であることから、一見すると自然と文化が対立していながらも、自然を表象するときに文化を必要とするのである。つまり、スーパーモデルそのものが、自然な身体が必ず文化を必要とする事情を示す手本（モデル）となっているのだ。

2　同一化の視線

【同一化と写真】

現代の消費社会における身体への配慮と関心は、同一化と共犯関係をもっている。スーパーモデルが女性の身体というイメージに影響を与えるとすれば、それは自己イメージを自分の身体だけからつくりあげることが不可能であるからだ。私たちは、手近にいる家族や友人といった人間の立ち振舞いだけではなく、数多くの表象、とくに写真や図版によって女性や男性つまり他人の姿を見る。しかも、そうした表象はさまざまに修辞的に切断されたり変形していて、ちょうどヘプバーンの顔が写真家のアベドンによって加工されたように、自在に手を加えた姿をしている。

ときには顔の部分や脚の一部といったフェティシズムの対象となるように切断されて断片化されたイメージが広告写真のなかに渦巻くことになる。さらには映画やビデオをはじめ動く映像であっても、すでにさまざまに仮構／加工されているのだ。そこでは、外の姿をありのまま映し出すという素朴な意味でのミメシスという概念がしだいに無効となり、むしろ最初からすべてが構築されて画面が設計されたコンピューター・グラフィックスやアニメーションという概念の方が重要になるだろう。

身体というカテゴリーが「自己」と「他者」を区別する明確な閉域としての役割を果たすことが揺らいでいる。物を「実体」から「関係」で把握する世界観が二十世紀において確立することで、揺らぎは増大することになる。身体に関していうならば、具体的にそうした揺らぎを引き起こすのは、生まれた瞬間から「私の身体」をみつめ、子どもたちを捕捉し記録するさまざまな装置である。私たちの身体の領域を確定する根拠が、ますます他者のまなざしによるという事態が生じる。しかもそうした他者のまなざしを記録するのに、人間が立ち会わなくても成立することで、まなざしを人間自体から取り外し可能にしている。つまり、機能が技術という形で部品化され、ほかの部品と結合することが可能になるのである。

たとえば、かつて誕生日や記念日といった特別な機会にだけプロによって撮影されていた写真が、多くのアマチュアに撮影されるようになった。社会学者のデヴィッド・ホールは、『内側の文化』と題するアメリカ合衆国の家庭で飾られる芸術と階級の間の関係を論じた本のなかで、家族写真に一章を割いている。十七世紀のオランダの商人たちが肖像画を飾り、十八世紀のイギリスの貴族たちが室内に「家族の肖像（カンバセーション・ピース）」を飾ったように、現在では家族写真が階級を横断して使用される。マンハッタンに住む家庭を調査したあとで、ホールはこう指摘する。

二、三世代前には、飾られているほとんどすべての家族写真はフォーマルな物であった。今日飾られている家族写真は、フォーマルからインフォーマルへの移行を反映している。ここで〈フォーマル〉というのは、普段着以外の服装をしたり、（結婚式や卒業式や宗教儀式といった）特別な催しに参加したり、あるいは両方を兼ね備えた人々を写した写真のことである。（ホール、九六頁）

これと同じことはジャック・ロンドンの『どん底の人々』に登場するホップ摘みに行った農民の家庭で写真を見せられながら、世界中に散らばった家族たちの消息を聞かされる場面に登場する。写真がいわば「ハレ」の日のためのものから、スナップ的な手軽なものになったという変化は、メディアの簡便化や低コスト化だけではなく私有化を含んでいる。その結果として、撮影装置のまなざしはあらゆる場所へ侵入しようとする。

【生殖へのまなざし】

出産は、かつては産婆（助産婦）などの助けを借りて女性たちの共同体によって家庭内で行なわれていたが、医学の知によって病院の密室へと出産の現場がいったん分離された。アメリカ合衆国では「一九一〇年には、全新生児の五十パーセントが産婆の手で分娩された。大概は黒人か労働者階級の移民だったが」（エーレンライク、四九頁）。エーレンライクによると、アメリカの産婦人科医たちは、下層階級を研究対象とみなすために、競合する産婆を非衛生的であると排除することで自分たちの領域を確保した。そのことによって出産は女性の共同体によるものから、男性の医者と女性の看護婦というヒエラルキーを含んだ医学に委ねられてしまうことになった。

ところが、一九五〇年代から広まったラマーズ法などの出産のおける男女の新しい役割分担の考え方の普及により、今度は科学的な装いのもとに、出産の現場が父親にも開放されていく。結果として出産に立ち会う父親が増え、最初は現場の観察者として、ついで記録者としての役割を果たすことになる。生まれたばかりの姿や出産の瞬間が、父親などによってビデオや写真に撮影される経験をもつ子どもが出現する。そこには、生まれた瞬間を記憶しているといった幻想が入り込む余地はない。

子どもは生まれた瞬間から「事実」として提示される映像に自己同一化が求められることになるか

らだ。さらにさかのぼるならば、超音波による映像化であるソノグラフィによって、さまざまな段階での胎児の成長の証拠まで示されるだろう。もはや母親の体内から出た瞬間から自分が始まったとはいえなくなる。生殖工学の発達によって、胎児は出産以前から透視され、管理され、教育されている。これは優生学や民族衛生学といった名前で、遺伝を管理しようとする動きと相同することになる。

米本昌平はナチスの優生学を単純に過去の悪だと押し込めることを避けて、現代の医療の現場との関連で考える。

大局的にみれば、現代医療とナチス医学の類似性は、優生政策より、慢性疾患対策をまじめに推進すればするほど、表面的には、ナチスがめざした超医療管理体制に似てきてしまうことの方だろう。それは、先進社会がこれから必然的に向かう、社会の医療化に伴う、不可避の緊張関係と言ってよい。（米本、一九八頁）

つまり医療技術の進展が、歴史的にナチス医学に押しつけた問題設定を再び蘇らせてしまうわけである。

胎児を監視するソノグラフィの基になったのはX線という透視技術であるが、レントゲンによる発明は、すぐに、人体が背後に隠しているものを暴露したり監視装置として理解されることになる。たとえばイギリスの『パンチ』誌は、一八九六年一月二十五日号で、「新しい写真術」と題する戯れ詩と風刺絵を載せてレントゲンの成果を揶揄する。「いいや、こんな不愉快な墓石の思い出など／墓碑銘のために取っておくがいい。／さもなきゃあっちへ行って写真に撮るんだ／マハトマたちや、おばけや、ベザント夫人を」。この戯れ詩の作者は、背骨が写るだけのレントゲン写真から墓石を連想し嫌悪すると同時に、矛先を変えて、オカルト趣味の者の正体を暴く道具として使うように暗示するわけである（カートライト、一一九頁）。

現在では生殖工学はさらにまなざしの深度を深めていく。体外受精で誕生した子どもであれば、必然的に精子と卵子という二つの異なる細胞群が結合し、試験管のなかでひとつの生命体が生成される瞬間すら、第三者に覗き込まれ制御される。その過程では、細胞のレヴェルまで自分が自分であることを医学的な知によって監視されていると同時に、自分が自分となった根拠や日時が記録され精査され、いつでも法律や統計やさまざまな社会的な領域に引用可能なように整えられることになる。

さらに人間の細胞の核の内部にあるゲノムと呼ばれる染色体の集合から、ヒト遺伝子の構造まで分析されてしまうことで、DNAレヴェルまで、医療のまなざしに監視され、分類されてしまうことになる。こうして身体の表層の写真から、ソノグラフィーの胎児の画像、さらにはDNAレヴェルの遺伝地図まで自己同一化を求める図像があふれることになる。どうやら「鏡像段階」の鏡すら、家のなかの洗面台の鏡や他人からの呼び掛けだけではなく、ビデオや写真といった装置に移行してしまったのだ。

【見通されることへのいらだち】

こうして身体が医学的あるいは科学的な視線によって隅々まで見通されていることへのいらだち

や不安を表わす現象がいくつか登場する。たとえば、日本でも八〇年代から顕著になってきた前世の記憶をもっていると告白する子どもたちの数多い出現である（大塚、一〇七―一一二頁）。科学的な知によって捕まえられないところへ自分の起源を引き延ばすためには、前世という古くからある虚構空間に身を委ねることになる。これは同時に精神世界への関心や流行を引き起こしたが、それ自体は何度となく反復された出来事である。前世紀末のイギリスでもこのことは顕著になっていた。

バトラー、ショー、ウェルズは宗教を生き返らせ、それを自分たちの周囲の世界に適用した。彼ら以上に超越主義的だったのが、イェイツ、ロレンス、ハックスレーで、時計の針を逆回転させせて、以前にあった敬虔な気持を取り戻した。イェイツたちが自己と世界を救済する手段としたのは、形而上学と形而下学を再結合することによってではなく、両者が結合していた時代へ逃れることによってである。この幸福な時代は、オリエンタルとかオカルトとかヒンズー主義、錬金術、ブラバッキー夫人の英知によって代表される。（ティンダル、一六三―四頁）

もちろん、ティンダルが描く状況は文学者にだけ流行したのではなく、もっと広範囲な人々に社会的に流行していたわけである。

たとえば、ホームズの作者のコナン・ドイルやメアリー・ポピンズの連作を書いたトラヴァースのように、オカルトに傾倒する一方で、先程の『パンチ』の戯れ詩でやりだまにあがっていたアニー・ベザントのように避妊を求めたフェミニストも、やはりブラバッキー夫人の影響で神秘主義に賛同していた。そして、ベザント夫人は一八九三年にインドに渡って最後にはインド国民会議の議長にまでなってしまう（荻野、四四―五頁）。その三年後にあの戯れ詩の作者が「マハトマたちや、おばけや、ベザント夫人」と一括することで、神秘主義とフェミニズムを一緒に葬り去ろうとしている文脈が鮮明になる。他者としてインドやおばけやフェミニスト女性が同じカテゴリーに入っているのだし、レントゲン写真が骨格から身体的な性別や人種を分類する道具として利用されたことを考えると、あいまいな物の正体を非破壊検査して、明らかにできるわけである。

こうした技術は、ティンダルの言い方が示すように、「形而上学と形而下学」の結合した世界を証明するために、むしろ神秘主義の側も否定するのではなく、科学的な知や技術を自分の体系に位置づけて説明の要素として取り込むかに苦慮することになる。つまり霊や超能力の存在を科学的に証明するという形で、科学的な知を利用し同時に科学の限界を前提とすることによって、前世の実在の証明として了解される。コナン・ドイルも凝った心霊写真が、写真術の発達と軌を一にして進化を遂げてきたことは注目に価するだろう（ガニング、四二―七一頁）。

その一方にあるのが、仕事を殖やす意図で弁護士と精神分析医が行なった忠告に端を発して、アメリカ合衆国で九〇年代になって流行した、大人の男女が幼児期の両親による性的虐待を訴え損害賠償を求めるという件である。これは科学的な知を逆用して使うことで、物的証拠に頼らず、自分の記憶を過去の事実を忠実に記録してある一種の表象装置だと読み替えることで成立する裁判である。記憶を所有する自己が両親の欲望や憎悪を把握し捕捉する科学的な視線の側にいることが前提となっている。この場合には、いわゆる神秘的な手続きはなく、むしろ幼児体験を精神分析というひとつの科学的な知が読み解いていく形をとっている。

しかしながら、さまざまな形でねじれながら浮び上がってくる記憶を一義的に解釈することは難しいはずだし、フロイトの夢の解釈と同様に、ここで最大の根拠となっているのは結局のところ分析者による解釈である。たとえ幼児虐待の体験があったとしてもそれを認定させることは単純にはいかない。もちろん、こうした訴訟が生じる背景には、ジョナサン・ケラーマンのような幼児虐待専門のミステリー作家が生まれるくらい、現実のアメリカ社会で幼児虐待が蔓延している状況がある。

現実の幼児虐待事件の捜査においては、当事者である幼児が証言をすることは難しいので、隠しカメラを使ってベビー・シッターや親の虐待の事実をあばき証拠として採用されるということがある。大人たちはこの隠しカメラの位置に自分を同一化し、自分の記憶を解釈することが容易になったのだろう。こうした科学的な知の視線がさまざまな箇所にまで入り込むにつれて、私たちが自己認識にためにもつ同一化の視点があくまでも構築された虚構のものであることが明らかになってくる。

3　裸体とオリエンタリズム

【裸体と透明人間】

多くの人にとって、自分の身体を理想的な姿へと自由に変えられるのが、もっとも望ましい状態となる。自己イメージに忠実な身体を所有できるならば、他者のまなざしに合わせて自分を装うこともできるかもしれない。いちばん理想的な身体とは、相手の欲望に合わせてカメレオンのように変貌できるものであろう。それとは方向性は異なるが、透明という状態は、外側に何を身にまとってもかまわない点で、理想的と考えられる。自分が所有する身体からあらゆる属性をとりのぞいた「透明な身体」は、他者のまなざしに不快感をまったく与えない点でも理想的な身体となるはずだった。

H・G・ウェルズが一八九七年に書いた『透明人間』はそうした理想的な身体の所有に失敗した男の物語である。アイピングの村を訪れたよそ者である科学者のグリフィンは、人体を透明にする薬を発明しながら、もとに戻る薬をつくり忘れたので、その実験場所を求めてきたのだ。彼が獲得した透明な身体は、相手に察知されずに権力を行使するには都合がよいが、全裸の状態では冬の季節の厳しさに耐えられずにロンドンを逃げださざるをえなかったのだ。しかも社会生活上疑われずに何かをするためには、身体を可視状態にしなければうまくいかない。けれども変装することは、まず宿屋の女将に不審の念を抱かせてしまう。

彼は白い布（それは自分でもってきたナプキンだったが）を顔の下半分に巻いていたので、口や顎が完全に隠れていて、彼の籠もったような声はそのせいだった。だが、ホール夫人を驚かせたのは別のものだった。実際には、彼の青眼鏡の上の額もすべて白い包帯で覆われ、耳も別の包帯で覆われていたので、ピンクの尖った鼻を除けば顔で露出しているところはなかった。（ウェルズ、三頁）

もちろん露出している鼻も人工的なものであり、全体の表象が暗示しているのは、エレファント・マンのように皮膚病に侵された病人であろう。

透明人間は不審に思う村人たちによって不気味がられ、排除されてしまう。村人たちはよそ者に対して、科学者、犯罪者、爆破を準備するアナーキスト、無害な狂人と、彼らが排除する他者と考えられるさまざまなレッテルを貼ることになる。そして、原因の説明がつかない犯罪が起こったり、姿が見えない存在に対して犬が吠えることから、共同体内に見えない異物があることへの緊張感が高まったせいで、透明人間を追い詰める探索が始まる。

透明人間はまさに透明であり、自分の過去や村の滞在の動機を秘密にしているせいで、村人たちの負の想像力を押しつけやすい相手となっている。しかも汚れこそが、透明人間を見える仕掛けとなってしまうので、絶えず身体をきれいにしておかなくてはならないし、食べ物は咀嚼して体内に吸収されないうちは、空中に浮かんでいるとされる。

密告と暗殺による恐怖の帝国をつくる野望をもっていた透明人間も、最後にタックルされて、蹴り殺されたことでやっと普通の裸体に戻ることができる。

だれもが見たのは、まるでガラスからできていたかのように曖昧で透明だったものが、静脈や動脈や骨や神経が識別でき、弱々しくうつぶせになり、手の輪郭が識別できるようになった。すべてが見えるまで、陰影を帯びて不透明であったのだ。（ウェルズ、一四六頁）

アイピングの共同体の成員になれないだけではなく、透明人間は村人を無関心のままの状態にさせることができなかったせいで、さまざまな痕跡を追跡され、結局は共同体がもつ暴力に倒されてしまう。『透明人間』の翌年の一八九八年に書かれた『宇宙戦争』を見ると、イギリスの内側にあるアイピングの村に向いた関心が、方向を転じてイギリスどころか地球の外側にある火星へと向かったことがわかる。もっとも、表題こそ『宇宙戦争』となっているが、物語の舞台はあくまでもイギリスであり、二つの小説はじつは国内をめぐる同じ現象の両面を表現しているともいえる。『透明人間』で描かれたのは、暴走しシステムを破壊するかもしれない要素を身体内部に抱えこんだ不安であり、『宇宙戦争』には外部の力が侵入し内部を食い破るのではないかという不安があって、両者はつながっている。

『宇宙戦争』は当時のイギリスに流布していた大陸からの侵略という言説が生みだした作品群である仮想戦記物（侵攻小説）に含まれる。ナポレオン戦争以来、イギリスは世界各地に植民地の領土を広げて維持しながらも、同時にまさに暴力によって他国から侵略されるのではないかという不安を抱えていた。のちに二つの世界大戦でドイツの侵略に怯えることで、その不安は現実化される。

透明人間であるグリフィンはどんなに変貌したとしても結局は人間であったのだが、『宇宙戦争』の火星人は人間とはまったく相容れない存在として描かれている。「生きている火星人を見たことがない人たちには、その容貌がもつ奇怪な恐ろしさをほとんど想像できないだろう」（ウェルズ、一六八頁）と語り手は述べる。

そのあとにVの字の口をした触手をもつ容貌が描写されることで、知性をもちながら人間とは異なる姿とされる。火星人の姿を決定しているのは、擬似科学的な進化論の図式である。地球より進化した生物なら頭脳が巨大であろうし、火星は地球より重力が低いせいで、このような身体的特徴をもった生物が発達したとされる。こうした類推は、遠い未来では階級差がそのまま生物差となった世界を描く『タイムマシン』（一八九五）や、人間と動物の複合実験をくりかえす『モロー博士の島』（一八九六）といった作品で、進化論に対する関心を露骨に題材としたウェルズにとって当然のことかもしれない。『透明人間』は、共同体の内部に確認された目に見えない他者をあぶりだし、最後には共同体のもつ暴力の発露によって解決することで、生じた不安を解消する。それに対して、『宇宙戦争』の他者である火星人は、地球の「双子の星」火星が生んだおぞましい生物であり、語り手により説明された火星人が滅んだ理由は、人間の共同体のもつ力によってではなかった。火星人たちは「組織体が対抗策を具えることのできなかった腐敗性の病原バクテリアによって殺された」（ウェルズ、三二七頁）と語り手は言う。

しかも「戦争のあとで検査された火星人のどの体内にも、地上種としてすでに知られている以外のバクテリアは発見されなかった」（三二五頁）と科学者たちは結論づける。どうやら無菌状態にあった火星人たちは、人間の力ではなく地球がもつ自然の力によって滅んだことになる。言い換えると、一度地球の侵略に成功したように見えた者であっても、地球の風土つまり「ガイア」のもつ抵抗力によって阻止されてしまうということだ。

【見えない敵】

『宇宙戦争』の発想はそっくりそのままマイケル・クライトンの『アンドロメダ病原体』（一九六九）に受け継がれていくことになる。そこでは、宇宙から落下した人工衛星に付着していた病原体が村を襲い全滅させる「ホット・ゾーン」をつくるが、突然変異によって細菌は無害になってしまう。小説の趣向としては安易な解決方法だが、ここに表われている考えは無視できない。人間や科学力で防げない敵であっても、自然がもともと有している力によって排除できるという考えである。『シン・ゴジラ』(二〇一六)が、ゴジラの放出した放射性物質が半減期の短いものだと復興の希望を与えたのも、『宇宙戦争』の伝統に則っていた。

『宇宙戦争』が描出する、理不尽な災厄とそこからの脱出を自然、すなわち神や絶対者の摂理のおかげだとする考え方から、微細なナノ・レヴェルの「ナショナリズム」が生じる可能性がある。土着で無害なあるいは正体が判明していて対処できる病原体と、外来の未知で危険な病原体がはっきりと識別される。これは病というメタファーによって、風邪や結核といった本物の伝染病からコンピューター・ウィルスまで、異物の侵入を阻止するイデオロギーにも共通する。つまり国家やコンピューターネットなどの閉域がひとつの有機体のように関連しあっていると想定し、その風土を脅かし侵入してくる「見えない敵」をどのようにあぶりだして対抗策を抗じるのかが課題となる。

さまざまな痕跡をたどることにより感染経路を発見することは、どの場所に「起源」を確定するのかという問題になってしまう。その結果、「フランス病」とか「イタリア病」といった梅毒の別称や、「スペイン風邪」とか「A香港型」といったインフルエンザの通称でわかるように、起源を自国以外に押しつける操作が生じる。通常の侵入の場合には、意識的に対策を立てなくても、まさに自然と白血球などの免疫システムによって対抗措置がとられるから問題は生じない。けれどもエイズのように、免疫システム自体を崩壊させるものに対しては、自然治癒力を超えて強力なワクチンなどの薬剤を使って防御しなくてはならないことになる。

ウェルズの『宇宙戦争』が、内部に侵入してくる他者を排除する仮想戦記として影響力をもったのは、イギリスよりもむしろラジオドラマや映画を作ったアメリカ合衆国においてかもしれない。舞台設定をアメリカに置き換えることで、社会の不安に対する反応はもっと露骨なかたちをとった。アメリカ本土が戦場になることが、米英戦争以来なかったアメリカ合衆国にとって、敵は絶えず外にあり、国内では見えない状態にあったのだ。この作品からは、その不安が暴き立てられることになる。

ニュース形式で上演したことでパニックを引き起こし、オーソン・ウェルズの名を有名にしたCBSのラジオドラマが放送されたのは、一九三八年十月三十日という第二次世界大戦前夜であった。さらにジョージ・パルが製作したハリウッド映画は一九五三年に公開され、米ソ対立によって生じた冷戦と局地戦による現実形態としての朝鮮戦争を踏まえているといえる。五〇年代には、冷戦構造のせいで宇宙からの侵略ものの映画や小説が数多く生みだされた。さらに湾岸戦争を踏まえた『インディペンデンス・デイ』（一九九六）に至るまで、異星人たちは映画の表象のなかで執拗にアメリカ合衆国を攻撃するのである。

その後、二〇〇一年に世界貿易センタービルなどがイスラーム原理主義者がハイジャックした旅客機によって破壊された「9・11」を踏まえて、スティーヴン・スピルバーグ監督による『宇宙戦争』（二〇〇五）が公開された。ニューヨークに始まり、世界中が火星人の侵略によって蹂躙されるようすが描き出された。災害から家族を守るというハリウッド映画の主題が、見えない敵との戦いに結びつくのは不思議ではない。ウェルズの小説では妻や弟と別れた作家が主人公だったが、ここでは自分の息子や娘を守る労働者階級の父親が主人公になっていた。

『宇宙戦争』の原題である『両世界大戦』自体が「(第一次) 世界大戦」を先取りしていたことからもわかるように、もともと現実世界での仮想戦記となる要素をもっていた。この小説自体が、アメリカ合衆国が「世界の警察」として覇権を拡大するさいに生みだされた外部から襲われる不安を表象しながらも、自然の摂理の結果としての人間の側が勝利することで、その不安を解消するモデルとなりえたのである。つまり「地球=アメリカ合衆国」という図式を構築できたのだ。

【E・R・バロウズと野蛮】

ウェルズは、排除すべき異質な存在を、内部にいた者が変質する透明人間から、火星人という「エイリアン」へとずらして、ナショナリズムの根拠を示した。それに対して、もっと露骨に「エキゾティシズム」と「エロティシズム」を利用しながら、アングロ・サクソンの優位性を示したのが、アメリカ合衆国のE・R・バロウズであろう。透明人間や火星人のような、絶対的な他者として振る舞う存在ではなく、他者に見えるものを差別化して、他者のなかにじつは味方がいるという描き方をした。

そもそもエロティシズムもエキゾティシズムも、身体をめぐる関心が露骨に姿を表わす瞬間である。どちらの場合も、裸体あるいは半裸体の身体が特徴となることが多い。当事者ではなくて、覗く側に価値判断の根拠があるとされ、ふつう「男性」から「女性」へ、「文明」から「野蛮」へと視線の向きは一方向と考えられている。しかも、どちらも女性や野蛮人を対象とするのだが、その際に、対象を克明に観察して分析する道具としての医学や精神分析や人類学といった知と結託する。ときには数値を伴う客観的で科学的な知を装ったまなざしを通じて、女性像や野蛮人像を捏造しながら、差異や差別を温存するのである。女性や他民族への蔑視は、科学的な分析を通じて拡大し横行するのだ。

エロティシズムとエキゾティシズムは両者とも起源は古いのだが、消費社会において文化表象を生みだす手法としてさまざまな形態をとる。多くのジャンル内に姿を変えて生息しつづけ、両者は相互に影響しあって増殖するのだ。その一例をバロウズの小説が示している。

バロウズは、一九一一年に『火星の月の下で（のちに『火星のプリンセス』）』と題する小説を発表する。南北戦争で死亡したジョン・カーターが、いわば幽体離脱してたどりついた先が火星であった。バロウズの火星は、ウェルズの場合とは異なり、むしろ半世紀前のアメリカ国内の内乱と接合する場所として設定されている。アメリカの共和政が火星での王政へ接続されるが、アメリカの小説にあふれている「帝国」や「王政」への反発とあこがれを反映している。

ちょっと見ただけでも、マーク・トウェインは『アーサー王宮廷のコネティカット・ヤンキー』（一八八九）というタイム・トラベル物で、中世イングランドに暮らすことになる合理主義者を描き、『王子と乞食』（一八八一）では十六世紀のイングランドでの身分の転倒を浮かび上がらせた。あるいはフランシス・バーネットの『小公子』（一八八六）は、大統領を崇拝する共和主義者だった少年セディが貴族の後継者となる物語である。

カーターは都合よく、火星に暮らしている白人種の王の娘であるデジャー・ソリスと結ばれる。これはエキゾティシズムの強調によって現地の女性と結婚する可能性が示されているが、同じ人種内での結婚と了解されることで血統の混濁を回避しようとしている。

こうした異人種間結婚におちいる不安を回避するために、最終的には同じ人種や民族どうしが結びつくように配慮される操作は、一九一二年の『類人猿ターザン』においてもっと露骨に行なわれている。ターザンはイギリス貴族のグレイストーク卿夫婦の遺児であり、その遺伝的な性質によって絵本から自力で英語を習得し、類人猿たちの王となったと説明される。ターザンが類人猿の社会とイギリス社会の二重の支配層に属することで、アフリカで生きていく圧倒的な力をもつことになる。しかも人間の言葉として第一言語となったのは、その後出会ったフランスの外交官から習ったフランス語なのである。

もしもターザンがグレイストーク卿ではなく、単なる類人猿の王でしかなかったならば、ジェインと結ばれるという結末を欠くことで物語は破綻をきたしただろう。ターザンは一度他者としてみなされながらも、指紋による鑑別によって貴族の称号も財産も引き継ぎ、ジェインの父親の借金をかわりに払うことで財産目当ての結婚を阻止する一種の「あしながおじさん」の役割を果たすことになる。

こうして、被植民者の男性によって植民者の女性がレイプされる、という広く流布していた想像的な物語までもが都合よく回避されることになる。つまり両者の結婚によって人種的なレヴェルでの「ナショナリズム」が保証されると同時に、ターザンは英語やフランス語ばかりでなく、類人猿の言語体系や生活習慣も吸収し、さらにアメリカの女性の力までも吸収するヒーローとなる。この結婚は、ヨーロッパとアフリカとアメリカの三つの大陸の力の統合とみなされているのだ。そのとき、類人猿としてのターザンの半裸体は、文明という社会コードに包まれている。

バロウズが描く、デジャー・ソリスやジェインが、他者のなかにいる理想的な女性としてエロティシズムの対象となる。異性愛的なエロティシズムは、裸体それも女性の裸体への関心として提出される。視線を誘惑するのは直接の裸体ではなくて、ボードリヤールが「二次的裸体」と認定しているものだろう。二次的裸体とは、身体のうえに走るさまざまな区切りの線である。衣服がつくりだす線ばかりでなく、目に見えない区切りの線が第二の皮膚として包んでいると考えられている。その線のたわむれがエロティシズムとなる。

しかも、ボードリヤールは、エロティシズムがエキゾティシズムと関連していることを端的に述べる。「エロティックな意味をもつ用具はすべて、奴隷（鎖、首輪、鞭など）や未開人（黒人趣味、日焼けした肌、裸体、刺青）のものにほかならない。つまりみな支配されている階級や人種の記号なのである」（ボードリヤール、二五一頁）。

これはナポレオンの遠征などで発達したエジプト学の結果、アイシャドウをはじめさまざまな装飾が、パリを中心とするモードに引用されていった理由を裏づけてくれる。また、フェティッシュのもともとの定義である物神崇拝は、おぞましくも誘惑する形式だったのである。ある特定の「階級やグループをフェティッシュ化」することで、その存在を性の領域に限定してしまう操作が行なわれる、とボードリヤールは主張するが、これは一種の異郷への過度な思い込みとしての「オリエンタリズム」と言い換えられるのだ。もちろん、ヨーロッパから見た東方にだけ向けられたものではない。

オリエンタリズムとしての南方への関心は、ウェルズの『透明人間』のなかにも存在する。主人公のグリフィンは透明人間でいるためには裸でいなくてはならず、冬とともに生活が厳しくなり国外への逃走を考え、裸でも暮らせる場所としてアルジェリアを想定していた。彼の目的地はあくまでも地中海地方だが、ヨーロッパの対岸であるアフリカ側であることに地理的な特徴がある。

もっと広義の南方つまり世界に広がる「熱帯地方」に対する関心そのものは、すでに十八世紀から存在していた。そこの住人たちの性的な放縦さと裸体の生活が結合した「楽園」のイメージが存在する。とくにイスラム教圏の性的慣習としての一夫多妻制は、そこを訪れた旅行記作者が注目して書き留めることであり、キリスト教圏の一夫一婦制と対比されて、おぞましさとあこがれをかきたてる制度とみなされていた。

【ゴーギャンと裸体】

エキゾティシズムを経由したエロティシズムという観点からすると、フランスの画家ドミニク・アングルの絵画のなかでくりかえし表象されるトルコのハーレムの女性も、アングルを讃美するポール・ゴーギャンが描くタヒチの女性も共通点があるが、了解されている前提にはずれがある。

ハーレム内の浴場が、裸体を覗くための格好の装置となるためには、日常の彼女たちがヴェールなどで全身を隠していることが前提となるだろう。隠されているものを覗き見るというかたちでエロティシズムが提出できるのだ。だからその場合は、ヨーロッパの女性を描くときに神話的な設定や水浴といった慣習をもちこむ修辞的な口実と変わらない。

それに対して、日常生活において裸体や半裸体の生活が前提されている女性が対象ならば、あえて断わらなくても、乳房が描きだされていることに抵抗を感じなくてすむという仕掛けになっている。タヒチの女性はこうした例にあたるだろう。しかも現在の映像メディアが執拗にアマゾンやニューギニアあるいはアフリカといった土地に住む「裸族の女性」を撮影しようとするときに同じ前提が潜伏している。

画家が対象を見て選びとる枠組は、当然ながら彼が所属する共同体がもつ枠組の影響は大きい。共同体から物理的な距離をとったところで、すでに体得した思考枠から決別できるわけではない。言い換えるならば、ゴーギャン自身のタヒチ体験が油絵という表現手段の制度を生みだしたわけではなく、ゴーギャンはあくまでもパリ時代から油絵という制度のなかで仕事をし、彼にとって気に入った主題を探すためにフランス領であったタヒチを訪れたにすぎない。また彼がタヒチの女性たちを描くときに、さまざまな先行作品から構図や主題を借りているのも間違いない。

ポール・ゴーギャン《二人のタヒチの女》1899年、メトロポリタン美術館蔵

かりにゴーギャンと同じ時代に、タヒチの住民がつくった女性を表象した「民芸品」があったとしても、それは、ゴーギャンの絵と同じ分類体系や批評の制度内で論じられることはない。民芸品はタヒチ文化の証拠であり、絵はあくまでも芸術家ゴーギャンの作品とみなされるので、たとえ同じ博物館や美術館の建物のなかに存在していたとしても、別の棚に分類されて両者が出会うことはまずないだろう。

ゴーギャンがタヒチで描いた現地の女性の絵は、路上といった村の生活空間でも上半身が裸で乳房が見えていたりする。だが、絵を見る場合にそうした描写がどこまで意図的に構築されているかが意識されることは少ない。ゴーギャンの題材を象徴的に理解したとしても、その根拠となるゴーギャンが描くタヒチの女性はもともと「半裸族」だとして、たとえ乳房を見せていても不思議には感じなくなる。現地の女性が乳房を見せていたから、ゴーギャンが「事実」をありのまま描いたのだ、と納得してしまう。あえてゴーギャンがタヒチの女性を描かなくてはならない動機が、美学という装いの下に隠して、了解されるのである。

《二人のタヒチの女》(赤い花と乳房)、一八九九)では、紅色の花弁とも刻んだ果物とも見える捧げ物を盛った盆を裸の胸元にもつ女と、ピンク色の花を手に片方の胸をあらわにした女が、優雅な官能性を発散している。女たちの裸体はギリシャ彫刻のような美しさを見せ、木もれ日がちょうど捧げ物と彼女たちのあらわな胸元に射して、あたかも乳房も捧げ物のようである。(湯原、二二四頁)

これは象徴性を第一に考えた理解であるが、他の絵では着衣の女性もたくさん描かれていることから、はたしてモデルとなったであろうタヒチの女性たちが、日常生活で胸をむきだしにしていたのかは疑わしい。そうした現実還元する理解は、ギリシア彫刻を模倣するゴーギャンの修辞性を無視することになる。

乳房をエロティシズムとして扱う考えにも紆余曲折がある。たとえば、自然に帰れという標語をかかげたジャン＝ジャック・ルソーが、母乳で育てることを提唱したあとで、人前で赤ん坊に母乳を与えることがパフォーマンスとなった。根底には、共和政の母親が子どもに乳を与えることによって次の世代を育てるという願望がある（ジェイコバス、二〇七―三〇頁）。乳房を公に晒すことで、社会からの理解を得るのである。

その一方で、乳房は医学的に解剖されて機能が外科的に解明され、さらには結核予防のレントゲン写真で切開されることなく構造が解析されることを通じて、もう一度個人のものであることが確認されていった。その結果ルソーの枠組では、ひとたび公のものと認められた乳房が、私的なエロティシズムの対象と認識されることで、ふたたび隠されることになる。

アメリカ合衆国のテレビ放送のように放送コードによって映像内では乳房にモザイクがかかることになる。だからデイヴィット・リンチは『ツイン・ピークス』（一九九〇―一）という小さな町の背後にある秘密をあばくテレビドラマの表題に、ずばり乳房の隠語を冠したのである。映像メディアにおけるタブーを、タイトルバックの山の映像や会話によって破ったわけである。

裸体に関心をもつエキゾティシズムに科学的な装いを与えるのは人類学で、裸族に対する調査はその端的な例といえる。ところが、人類学者の和田正平は、主としてアフリカの裸族に対するフィールドワークに基づいて、被服学が前提としている「自然裸体」と「脱衣裸体」という区別が人類学的には成立せず、動物と同じ自然裸体が裸族にはあてはまらないと主張する（和田、一三三頁）。

多様な文身で皮膚を装飾したり、身体変工をすることで、どこかに「脱衣裸体」と同じ羞恥心を感じる段階が設定されているというのだ。裸体を異質な状態と考えて、イスラーム教文化やキリスト教文化がアフリカの裸族に衣服を導入してきた。そのときに否定すべきものとして動物と同じ状態の「自然裸体」という考えが構築されていく。

身体の皮膚の表面上に存在した区別が、脱衣状態か着衣状態かという区別へと移行してしまうわけである。あくまでもモデルになっていたのが身体の上にさまざまな衣装を着るという社会慣習であった。さらにはペットの犬や猫に対しても、同じ類推をもちこみ自然裸体を忌避して衣装を着せたりするのだ。結局のところ、エキゾティシズムやそれを経由して示されるエロティシズムが、他者との出会いではなく、自らの文化がタブー視しているものを相手に投影して、巧妙に再生産する口実になっているのだ。

4　加工された身体

【身体を加工する】

身体変工、つまり刺青を施したりピアスの穴を開けることで身体に何らかの装飾を施すことは、文化人類学者から見ればありふれた現象である。だが、民族を根拠にする文化の差異は、十九世紀までの民族誌家たちが思っていたほど固定的ではない。現在「観光人類学」が明らかにしているのが、純粋な伝統文化が観光客向けに新しく作り出されている状況である（山下晋司編『観光人類学』参照）。

文化というものは純粋型としてではなく、たえず混成した状態で存在する。だから、身体変工という技術自体も、そうした慣習をもたないか、現在は喪失した文化体系に引用されることによって、新しいモードを作り出すのだ。おなじように、現在の日本で、刺青は江戸時代から続く民衆文化ではなく、アメリカ合衆国のバイカーたちがするような「タトゥー」として、若者たちが路上で電動の針により手軽に行なうものとなった。文様や言葉はスタイルによって選ばれていて、たとえトライブ（種族）に由来するものでも元の意味合いは失われていることが多い。

また、肖像画などを見るとかつてヨーロッパのルネサンスの頃には男性が身に着けていたピアスは、女性だけがすると制限された時代があり、現在では男女の別なく若い世代に見られる習慣として復活してきた。ピカソなどのモダニズム美術がアフリカの「原始文化」と評される仮面や彫刻などのいわゆる異文化を引用して作られ、ラベルやドビッシーが一九三一年のパリの国際植民地博覧会で、バリ島の音楽に触発されて作曲したのと事情は同じである。バリ島の文化が観光客向けに再構成されたように、異文化のなかに統一した有機的なシステムを見出すことで、引用しやすくなるのである。

また、先進国の映像メディアが、アマゾンなどにでかけて、今までカメラや「文明」が入ったことのないというふれこみで、その原住民の「ドキュメンタリー」を撮影すると、村人たちが「ＵＣＬＡ」や「ビバリー・ヒルズ・ポロ・クラブ」などと大書したＴシャツを着ている状況もある。当事者にとっては「シック」なファッションだから着ているにすぎないわけであり、世界資本主義のシステムのなかでは、もはや商品も情報も流通することになる。このように相互に（ただし歴史的政治経済的な条件に応じて偏った選択をしつつ）引用しあうことで文化は成立している。純粋な文化体系を構造的に構築することは可能だが、現象は取り出された構造を裏切る要素を含むのも確かであり、それを単なる例外として処理するだけでは説明がつかないことになる。

けれども、衣装を変えることと、自分の身体を自由に加工することは、さすがに消費社会においても異なった意味合いをもつ。たとえどのように身体が扱われたとしても、身体はあくまでも「私的所有物」であり、自分の身体を所有している存在として「私」という近代的な主体が認識される、という前提を近代の産物である国民国家が崩すわけにいかない。「我持つ、ゆえに我あり」というわけである。国民国家が精緻に管理のネットワークを張りめぐらすときに、さまざまな問題設定が通過し集約される一点としての「私」という身体がつねに必要となる。

一九七七年に犯した事件で逮捕され、アメリカの裁判史上初めて多重人格者として扱われたビリー・ミリガンは、全部で二十四の人格をもつとされた。しかし、彼といえども、ビリー・ミリガンという名前を付与され、社会的にほかと区別し特定できる一つの身体にすべての人格が収納されていなくてはならない。法律の文書に明示される一つの身体を前提とすることで初めて、その身体に併存する人格の多重性が識別できるのだ。

法律が取り締まることができたり、支配下に置くことができるのは、結局のところ身体だけなのである。そうした「私」に向かって請求書ばかりでなく、税金が督促され、投票用紙が配達されてくる。私的所有権は、資本主義の基本命題として設定されるばかりではなく、あらゆる権利と義務を届けるあて先を維持するために不可欠な考えとなる。

国家が管理する最小の単位は「個人＝私」だが、さまざまな網の目を使いながら「私」を管理して制御する一方で、「私」にその管理自体を部分的に委譲することによって一定の自由を保証するというのが近代社会のメカニズムであろう。そのとき、権力を抑圧者が被抑圧者にむけて一方的に行使するものだ、という古典的な理解にもとづいた理解では説明がつかないことになる。圧力や権力はあらゆる方向から押し寄せてきて、あくまでも多様な形態や媒体を通過して作用することになる。そして、一方的に権力をもったり行使したりする主体を設定することはできない。

ここで働く力を、パスカルが流体について述べたように、力学的に理解することは、一応わかりやすいかもしれない。満員電車で押される身体のように、水圧をうけている対象である水の分子自体がじつは水圧を作り出す原因ともなっているわけである。圧力や権力として「私」に働きかけてくる力自体が、「私」の行動の可能性を押し広げて支持してくれる根拠にもなるが、同時に行動の可能性を限定し押え込む抑圧にもなる。もはや、むき出しの形で「国家」と「私」が対立したり二極化したりはしない。「国家」と「私」が「全体」と「部分」の関係となってしまい、個人が支える全体が、個人に影響を及ぼすことになる。しかも「私」ですら最下位の区分単位ではない。分割不可能に見えている個人が、じつはさまざまな部品から成立することによって、うまく圧力を散らして機能しているのである。

身体はたんなる閉域ではなく、十八世紀以来対立する「個人的な快楽」と「社会的な幸福」がせめぎあう場とも了解される。快楽を強く読み込むことで、身体を快楽のための道具とみなすだけではなく、身体そのものにさまざまな快楽を求めていくことさえ、基本的には制限されず、個人の特権として理解される。ボディピアスだろうが、タトゥーだろうが、茶髪だろうが、それを制限し否定する論拠はない。

だが、他方では、政治支配のテクノロジーとして、個人の逸脱や不備あるいは過去の罪の痕跡をあぶりだすことが、公共の福祉という観点から正当化されることになる。そのときに身体はあらゆる痕跡をもったテクストとして姿を表わす。快楽を追及する法的な根拠は私的所有権であろう。「自分の身体をどう使おうが自由だ」というのが主張の眼目だが、同時にそれを制御する技術として規範や倫理がさまざまな形で紡ぎ出されることになる。そのせめぎあう場が身体なのだ。

もしも、個人がどのような身体をもち、それをどのようにデザインするかが、技術的に実現可能で完全に自由となった社会が想定できるとしても、その身体が引き起こし関与する行為を帰属させる先を抹消するわけにはいかない。犯罪者が顔を変えて、人格を偽って逃亡することは、今後も重大な犯罪となるはずである。自分の姿かたちを変えることは、改名といった記号のレヴェルとは扱いが異なる。たとえ、人間の身体の取り扱い方が車の場合に近づいても、車の所有と身体の所有は等しくはならない。なぜなら、車の所有権を転売するようには、身体の所有権をまるごと転売はできないからだ。

【変身物語】

昔から変身物語が繰り返し再生産され、文化表象を満たしているのは、身体と私との関係を完全に恣意的なものとして扱えないせいである。ファンタジーに登場する魔法の薬などによる変身から、カフカによる虫への変身、あるいはコンピューター・ネット上のハンドル名の利用や、SFの題材となっているヴァーチャル・リアリティを利用した「一時的な」変身の可能性まで、さまざまな空想物語がすでに大量に蓄積されてきた。しかもそうした状況から生まれる厄介な問題さえも指摘されていて、黙示録的な結末からときには解決方法までもが、作家たちの頭脳のなかでシミュレートされている。

その目録を眺めると、未来があらかじめ消費され尽くしている気持ちにさえなるほどだ。だがそうした物語であっても、登場人物が一貫したアイデンティティをもっている前提を覆せはしない。ふつう文字や映像による表現は、どんなに読者や観客を欺いたとしても、キャラクターの一貫性を保ち、勝手に消去させたり別物だと言い放つことはない。「スカーレット・オハラ」という記号が反復されるたびに、差異があっても連続性をもつと信じられるからこそ、『風と共に去りぬ』を読み続けられるのである。

むろん、推理小説のように読者や観客を欺く多様な技法やプロットの仕掛けは存在し、本当の姿を隠し続けることはできる。だが「驚き」という効果を求め、そこにむけて細部を組み立てるときには、推理小説でまさに最後に種明しとして犯人が明らかになるように、複数のキャラクターが、一人であったと告げられる。じつは発見された死体は犯人だったとか、推理をしていた刑事や探偵が犯人だった、とわかることで、複数の物語に分裂しそうだったものが統一されるのだ。

普通把握されている変身とはあくまでも一方向の運動で、「変身前」と「変身後」に明確な区別がある。だから変化についての時間の軌跡上に不連続が指摘できたとしても、幼虫がさなぎを経て成虫となるように最終的にどのような形になろうともアイデンティティの連続性がかき消えることはない。

利害を受け取るあて先を設定しなくては、個人に対する国家の管理は不可能となる。どのようにアイデンティティの亀裂や複数性を前提とした議論が登場しても、近代国家はそうした言説を拒否する。クレジットカードによる買い物とカードの使用者の関係のように、署名を媒介にすることで行為を存在と結びつけ、そのシステム自体を国家は信販会社のように管理するのだ。

言い換えると、身体を加工することは、表面上どのように変更しようとも、帰属概念としてのアイデンティティが保たれているかぎりは、「反体制的な」とか「脱社会」という意味合いを誇示できない。そうした変身は、あくまでもクレジットカードの悪用のように誤動作であり、自分の署名の正当性を主張することで、不正使用を排除するならば、もう一度クレジットカードの制度内に入ってしまうのである。

現在、身体を加工するレヴェルはいくつもの相をもつことになる。スーザン・ボルドはスレンダーな身体という支配枠を読み取ろうとする。

ブルジョワによる〈スレンダーであることの専横〉［キム・チャーニン］は、（とりわけ女性にたいして）全盛を極め始め、それとともに、数多くの技術――食事制限、運動、のちには、化学物質や外科技術の開発が、純粋に身体の変身のために向けられた。（ボルド、一八五頁）

ボルドが指摘するように、衣装や化粧などによる一時的な変装の相、食事制限やスポーツによるシェイプアップといった間接的な加工の相、さらに美容整形などによる半永久的で直接的な身体加工の相が考えられる。実際には、どの相もはっきりと分離しているわけではなく、相互に絡みあっているし、さらに複合的に組み合わせて使用されている。

技術の発達によって、身体を加工するレヴェルが皮膚の外面ばかりでなく、皮膚そのものや内面にまで及ぶことが、身体加工の問題をより大きな倫理的な問題と化けさせてしまう。いわゆる性転換（切除のほうが容易という身体の物理的な制約から、通常は「男性」から「女性」への一方向だけと考えられている。もっとも、そうした前提自体が「男性」だけが性転換をできるとする優位の傾向を帯びるのだが）の場合には、性器切除やホルモンの投与によって表面的にはジェンダーを横断できるように思えるし、国家が管理しているジェンダー区分という強力な装置自体が揺らぐように見える。単なる役割交替や分業以上に、視覚的にべつの領域に移動している。

けれども、その場合でも身体の加工の目標はあくまでも反対の側への移行であり、表層における変貌に留まり、他人の視線による価値判断を誤らせる点に重点を置いている。だから、そのとき想定されている「女性」というジェンダーは、侵犯行為にもかかわらず、いやむしろ侵犯者であるはずの「男性」によって強力に保持されてしまうことになる。これは模倣がモデルを必要とする以上、どうしても起きてしまう逆転なのだ。それが、女形やドラァグクイーンのように女性を模倣する男性のほうが、平均的な女性より過剰な女性性を示す理由である。

皮膚およびその下の部分の加工に対してどれだけ精緻な技術を駆使しても、それはあくまでも表層というレヴェルでの判断に奉仕するために利用されることになる。化粧などによる一時的な変装は、身体の特徴を隠し身体に対する判断を誤らせるものに思える。だが、たとえ「裸体」で生活する人間であっても身体変工を施すことでわかるように、身体の表面は絶えず加工し判断される目標となり、多くの技術によって具体化される対象として把握される。その限りにおいて、人工的な加工を加えられない「まったく自然な裸体」は存在しないことになる。

5　美容整形の戦略

【美容整形の発達】

身体を加工することは、表層のとりかえとして、あくまでも暫定的な価値しかない。そして、化粧以上に直接加工するのが「美容整形」という方法である。形成外科が美容整形と名称を変えて、男女両方に定着したのは、ヤッピー（若い都市部のエリート）などが登場した八〇年代に入ってからだった。

「美容整形」は、別人になるために行なわれるのではなく、自己を補整して、よりよい姿を見せる技術として利用される。コミュニケーションの技術として考えるならば、笑顔の作り方とか話し方の矯正と同じレヴェルに並ぶだろう。また本来の医療行為としては、負傷や疾病による身体の欠損や外傷、または生まれつきの障害を補整するのが目的であったはずである。乳癌で失った乳房の再建や、事故などで切断した指の復元を考えるとわかりやすいだろう。

アメリカ合衆国の美容整形の広告を見ると、シェイプ・アップと、傷やケロイドの除去、老いの象徴である静脈瘤の除去をひとつの医院で行なっている。身体加工の技術が、社会生活を営むうえで他人の視線において生じた不快感を個人ではなくて社会的なものとみなして、原因をつくった自分の方を訂正しようとする考えが背後にある。太っていることも老いの徴候を見せることも、相手に不快感を与えるので、それをまなざす側ではなくて、当事者の自己責任だとされてしまう。身体加工の技術レヴェルを発達させてきた結果、ひとつの医療機関が身体の復元から、理想とする身体への加工まで扱う範囲を広げたのである。

美容整形の医者たちは、老化を防ぎ若返らせるという目的を新しく導入することで、補助的な医療行為によって、身体を補整する対象を増やしたのである。結果として、少数の需要から多数の需要へと美容整形に関する市場が拡大したわけである。たとえどんなに完璧な容姿の持ち主であっても、老化自体から免れることはできない以上、潜在的な市場は大きいことがわかる。

しかも「自然」な身体をさまざまな加工技術によって補整して、ひとたび仮構の身体を入手すると、周囲へ差しだした自己イメージを維持するために、その技術に隷属してしまう。結果として、エリザベス・テイラーやマイケル・ジャクソンのように、死ぬときまで永続的に美容整形手術を続けなくてはならない。

もちろん若返りや老化防止という欲望自体は古くから存在する。容貌の衰えに対する不安は、たとえばうぬぼれ鏡に向かって美しさを自己確認する白雪姫の継母の姿として示されることになる。彼女の嫉妬の原因は、たんにあとからきた者である白雪姫の成長ばかりでなく、なによりも自分の容貌の衰退にある。姫の成長と同じ速度で継母が老化していったことが、白雪姫への殺意の原因なのである。

二十世紀にあっても、ホフマンスタールが台本を書きリヒャルト・シュトラウスが音楽を書いたオペラ『ばらの騎士』（一九一一）では、古風なかたちで老化が主題となっている。侯爵夫人が白髪を発見して驚き、自分の恋人を若い相手へと譲るように、老化は恋愛対象からの脱落と形象化されている。もちろん、女性の容貌を守るためには、伝説的なクレオパトラの牛乳風呂があるし、恐ろしいエピソードとして、若い女性を殺し集めた血の風呂を浴びたという十七世紀のハンガリーの女城主エリザベート（エルジェーベト）の伝説まで存在している。

不老不死を探究する情熱はどこにでも存在する。アメリカのフロリダ半島には、ポンセ・デ・レオンなどの初期の探検家たちがそうした不老不死の聖なる泉を探索した。現在ではスパが伝説上の泉のかわりを務めている。フロリダの老後の保養施設を舞台にした『コクーン』（一九八五）というSF映画では、老人たちが宇宙人の繭を沈めたプールで泳ぐことでしだいに若返っていくことで、彼らがもつ願望を満たすことになった。

ところが、美容整形外科は技術力によって、こうした神話的な欲望を部分的に現実化できるようになった。顔ばかりか身体全体にわたって多様な加工を施すことで、身体を新しい管理システムに置くことが可能となる。つまり人造人間、あるいはサイボーグが、身体を考えるモデルとなる。もちろんモデルとは、全員が同じように扱われる可能性を秘めていることを示すための代表物であり、すべての成員が同じような表現形態をとるわけではない。

全員が、疾病に対する医療のまなざしだけでなく、美醜や老化への美容整形外科のまなざしの対象となっていると考えるべきなのだ。ジェンダーの問題が表出する性転換手術は別にしても、就職や昇進あるいは結婚のために、顎をつけ足したり、頬骨を削ったりする大掛かりなものから、二重まぶたにするといった軽い美容整形まで、この技術が大衆化したのは、身体へのコントロールが倫理的な抵抗を伴わなくなったせいである。「きれいになりたい」とか「若いままでいたい」という欲望は肯定され、否定されることがなくなり、自分の身体という資本へ投資することが当然視されるようになったのだ。そして、肌の衰えを防ぐために、豚や馬の「プラセンタ」すなわち胎盤を摂取することさえも厭わないのだ。他種の母体の成分を吸収することで、アンチエイジングを行なうのである。

【永遠の美を求めて】

ロバート・ゼメキスが監督した一九九二年の『永遠に美しく』（原題は『彼女には死がお似合い』）という映画は、こうした事情を皮肉な目で描いている。メリル・ストリープ演じるミュージカル女優と、ゴールディ・ホーン演じる女性作家が、ブルース・ウィリス演じる美容整形外科医を争う話である。しかも、欲望とは他人の欲望に対する欲望である、というルネ・ジラールの模倣欲望の図式そのままに、女優は女性作家の恋人たちを奪い続けてきた。

今回も美容整形外科医を略奪して、ついには彼と結婚してしまう。その結果、敗北者となった作家の方はストレスから過食症となり肥満体になる。セラピーにおいても、女優への執着を告白するだけで、なかなかポジティヴになれない。一方の女優と美容整形外科の結婚は破綻しており、アル中になった外科医が金を稼ぐために行なっているのは、死体を綺麗に整形するだけという創造性が欠如した仕事である。

ところが、彼らの前に、美しくしかも若々しい姿で作家がふたたび登場する。若い不倫相手からも見捨てられていた女優は作家の姿に嫉妬し、うらやましくなり、対抗意識から永遠の生命を与えてくれる秘薬を売ってくれる謎の女性を訪ねて若返りに成功する。医者は作家とよりを戻そうと決意して、女優を階段から突き落としてしまう。しかしながら、生きている死体である女優はそれでは死なず、じつはすでに死体として生きていた女性作家との間で医者を奪いあうことになる。ついに両者の利害が一致して、補修係として医者に永遠の命を与えようとするが、医者は拒絶して彼女たちの前から逃げだしてしまうのだ。

この映画はまずなによりもSFXという特殊撮影技術が売りものの映画として理解された。メリル・ストリープの肌が若返る瞬間や、彼女が家の階段から落ちたあと、人形のように首が半回転したままで歩き回る様子。あるいはゴールディ・ホーンが銃で撃たれて、腹に穴が空いて向こうの景色が見える状態でも生きている場面が登場する。映画のビデオのパッケージやポスターが強調しているのも二人の女性の異様な姿である。モダン・ホラーの映画に頻出する歩く死者（ゾンビ）を描きだすために蓄積されたSFX技術が、ここではブラック・コメディに転用されている。

不自然でメカニカルな身体の動きによって、ホラーとコメディという二つのジャンルが交換可能であることがわかる。こうした動きを支える特殊効果やメイク自体は、映画の歴史ではありふれた技術である。たとえコンピューター・グラフィックスによって、画面をデジタルに処理できて、合成の不自然さを消す方法が精緻になっても、基本的には映画のテクスチャーをきめ細かく仕上げる技法が向上したにすぎない。「リアル」という手本に向かってかぎりなく近づいていったのである。

むしろ注目したいのは、映画内に存在する二つの技術思想の対立である。身体に若さを与えて時間の流れに逆らうために使われるのが、美容外科医の「メス」と、悪魔の女性が提供する「秘薬」である。死体に葬式用の化粧をするまで社会的におちぶれた美容外科医は、あくまでも時間という枠のなかで老化に抵抗している。彼は生きている人間を扱い、「自然」な老化の範囲内で事態を解決していた。それに対して女性たちは、金の力で性急に永遠の生命を買ってしまう。

しかしながら、身体の傷やけがのアフターケアまでは保証してくれず、死んだ皮膚は再生しないので、身体に不都合が生じるたびに永遠に死化粧を施す必要があるのだ。最後の場面で、美容外科医の葬式に二人が登場したときは、喪服のベールに隠された顔は互いに助けあいながら素人による補修で壊れかけている。けんかになって罵りあいながら教会の階段から転落すると、二人の女性の身体は壊れたおもちゃのようにバラバラになってしまう。

だが、すでに死んでいるので彼女たちはこれ以上死ぬことはない。そこで部分となっても「生き」続けなくてはならない身体は、タンタロスのような永遠の苦しみをもつ。スウィフトの『ガリヴァー旅行記』（一七二六）に登場する老人の時期だけが長く続く長命人のように、不自由な老後が永遠に続くだけのことである。それは美を求めて滅んでいくという芸術テーマの変奏ともなっている。永遠の美という理想と現実のずれを、女性たちの切断されて醜くなった身体が示している。

医者の葬式の場面になって、教会による権威の裏づけを経由して、映画のモラル・メッセージが姿を表わす。永遠の生命という問題は、女性たちから逃げだしたあと再婚をして「子孫の繁栄」を目指し死んでいった美容外科医の側への勝利が宣言されて解決する。つまり、映画は二つの技術思想の対立を巧妙に回避してしまうのだ。人間の身体に固有で本来的に具わっていると考えられる生殖能力に頼ることを通じて、また周囲の人間の記憶に残ることで、永遠の生命が達成できるのだ、という牧師の説教が提示される。

「秘薬」による永遠の生命の獲得は不幸を招く行為として退けられるが、「メス」を使って現世的に美を保つこと自体への教会側からの価値判断は示されない。肉体や技術の問題が、いつのまにか魂や倫理の問題へとすりかわってしまう。

監督のゼメキスはスピルバーグ門下としてハリウッド映画のジャンルの規則や倫理コードを習熟していて、「美容整形」という現実社会に存在する技術の当否を問うという露骨な描き方はしない。見方を変えると、技術思想における偽の対立を設定しておいて、今度はそれを調停することで、宗教的なメッセージを物語に導入しやすくしている。

ブルース・ウィリスが演じる美容整形外科医は、卓越した技術をもっているせいで、若い身体を保持したいという女性たちが抱く欲望にふりまわされる。その場合あくまでも美容整形を施し、女性の身体の美しさを保つ力をもつのは男性であり、女性はそれを甘受するしかない。だとすると「美」を支配するのは男性ということになる。ここに典型的な「ピグマリオン・コンプレックス」が姿を表わす。

そこでは、メスによって理想の女性をつくりあげる男性という立場へ帰属するしかない。だから、イザベラ・ロッセリーニが演じた悪魔のような謎の女が提供する、女たちの欲望の解決策である「秘薬」を飲むように勧められたとき、美容整形外科医は、長生きをしてそれからどうなると叫んで拒絶する。これは悪魔との契約を拒絶する「人間」らしさの発露とも読めるが、女性たちが行なう魔術的な解決に対する男性側の科学の抵抗ともいえそうだ。女たちが見つけだす技術を退ける理性的な男というわけである。

しかしながら、こうした物語を表象している映画自体が、そもそも女優たちを理想の女性につくりあげていく装置の産物にほかならないのだ。輪郭線をぼやかすソフト・フォーカスや、日本の少女マンガの主人公たちの瞳が模倣することになった、銀幕の女優たちの目の輝きをつくるアイ・ライトは、現在でも効果的に使用される古典的な撮影技法である。それによって、女優をより美しく見せることができる。ところがここでは逆に、女優たちを醜く見せるために技術が総動員される。

メリル・ストリープのしわやしみだらけの姿や、ゴールディ・ホーンが肥満体をゆすって台所で食べものをあさる姿は、特殊メイクで否定的な方向に誇張されている。どれもが特殊効果をとりのぞいたときに、はっきりと姿を見せる彼女たちの容貌を際立たせるための仕掛けにすぎない。彼女たちを理想体型や理想的な美貌として羨望の目を向けている観客の視線を、あざむきつつ制御するためにSFXが利用されている。したがって、映画が「診療的なまなざし」に満ちているのは当然なのだ。

【仮面の情事】

美容整形の本来のかたちである身体の補整は、ときにはアイデンティティそのものの危機を招くことがある。『仮面の情事』（原題『プラスチックの悪夢』）は、リチャード・ニーリーによる一九六九年のサスペンス小説で、のちに映画化もされた。叙述ミステリーとか倒叙ミステリーと呼ばれる、語り自体を小説のトリックとするサブ・ジャンルを書いて活躍するニーリーは、一人称の主人公を巧みに使いながら、主人公が事故によって記憶喪失になるという設定と、外科手術によって顔がじつは別人とすりかえられたという設定を交錯させる。

最後の場面はとくに印象的である。「私は手術痕の残る顔を、私にとっては永久に他人のものである顔を、手でごしごしとこすった。心臓が静かに打っているのがわかる。これは私の心臓、リッジ・スタンディッシュの心臓だ」(三二二頁)。こうして語り手でもある主人公は、心臓移植手術とは逆に、他人の顔が移植されて二重となった自分の状況を受け入れざるをえなくなる。

顔は他人のもので、自分が回復したと思えた記憶は、じつはその顔のもとの所有者で殺された男の妻によって巧妙に仕組まれ、再構築された人為の記憶である。ニーリーはミステリーの定道である読者をあざむくための「偽の解=偽の物語」を、「仮面=他人の顔」へと背負わせることで、失われてしまった本物の顔とつながる物語こそが本物の解決であると示した。

『仮面の情事』が依存しているのは、自分のなかに他人が入ってしまった異和感を覚えて、外界から与えられた情報の真偽をたしかめながら「自分の正体」を探してとりもどす、という図式である。この図式は「自我の探究」の別ヴァージョンと考えることができる。別の土地や世界を旅するのではなく、探究すべき対象が自分の過去となり、自己探究する軌跡がそのままサスペンスとなっている。

たとえば、エディプス神話の解明において、共同体の宿命である「モイラ」を確認する方向ではなく、自分の出生の秘密を探究するという個人的な欲望にずれていってしまうことである。共同体へ帰ってくる契機を喪失した自己探究は、たしかにサスペンスであるが、同時に共同体での位置の喪失こそが自己探究へ向かわせた原因となる。

ニーリーの設定では、他人とすりかわるために利用されるのが、服装といった外側だけでなく、パトリシア・ハイスミスの小説『太陽がいっぱい』（一九五五）で有名になった身振りや署名を真似るといった「演劇性」すら超えてしまう。ここでは乗っとる目標が字義どおりに相手の身体そのものになる。しかも、模倣したり人工的に構築するのではなく、直接他人の顔が自分の身体の一部として付着し、さらに自分を規定するのだ。現代の医療技術の裏づけによって、自分の表層が別人によって乗っとられる恐怖を身近に感じられるようになった。

とはいえ、現実の身体には抗体反応があり、他人の皮膚や肉体の一部をとりいれることはかなりむずかしい。免疫系が「自己」と「非自己」を識別するための装置をもっている以上、免疫を緩和させることは、他の危険なウィルスなどを繁殖させる結果を招く。免疫不全がエイズの直接の死亡原因であることからもわかるように、免疫抑制剤は一種のファルマコン（毒／薬）である。実際免疫系が自分の身体を蝕むという難病もあり、免疫抑制剤で働きを和らげるのだが、こういう人たちは、感染症にかかるのがいちばん怖いのである。

身体の一部を移植できるという技術的な可能性が、身体のさまざまな箇所に幅広く設定できることになる。ナチスによるユダヤ人の最終解決として強制収容所で行なわれた身体の資源化にも似て、身体を再利用可能な資源が埋蔵した地図とみなすことが、新しい恐怖と羨望を生みだす原因となる。「私の身体の一部を求めている誰かがどこかに存在する」ことへの反発である。自分の身体が意志とは関係なくパーツ化されて流通してしまうことへの不安が登場する。そして、そうした不安の背後には、畏怖をかきたてる想像的なモデルとして、他人の身体からの引用のみで成立したフランケンシュタインの怪物が立っている。

日本での脳死をめぐる議論の背景のひとつとして、たとえば腎不全による腎臓移植用に「鮮度の高い」内臓を必要とすることを、死を待つ非人道的な行為だとみなす嫌悪がある。生体腎臓移植が患者の身内によるものがほとんどである理由も、生体にメスを入れることへの倫理的な抵抗が広く存在するからだ。ましてや脳死状態でないと良好な手術が望めず、ひとつの身体にひとつしか存在しないために生体からの移植が絶対に無理な心臓や肝臓となると、患者が所有者の死を待っているように理解されてしまう。

脳死そのものに対してではなく、付随して生じる死体の商品化への嫌悪が根底にある。『仮面の情事』が示しているのは、どのようにでも塑形可能な状態（プラスチック）をもつのが、加工用のプラスチックではなく、なによりも身体自体であるという現実である。今では、医療技術のおかげで身体は、他人どうしですら直接引用したり、接合できる素材となっている。

【顔を作る】

しかしながら、『仮面の情事』は、あくまでも犯罪を成立させるすりかえのアリバイつくりに整形外科が利用された特殊な例である。もっと幅広い欲望に応じた理想的な美をつくりだす技術として美容整形のあり方を描く小説がある。ウィリアム・カッツによる『フェイスメーカー』（一九八八）というサスペンス小説である。

これは題名どおりに、美容整形外科医であるラヴァルが九〇年代の理想の女性の顔をつくろうとする物語である。ところが、彼は顔のモデルとなった女性を殺していた。ヒロインは飛行機の脱出シュートで顔を傷つけた女性記者で、新しくつくられた彼女の顔が別人のものであることに気がつく。ヒロインと敵対することになるラヴァルは、『永遠に美しく』に出てくる自分の仕事に自信を失った弱々しい外科医ではなく、権力をもち野心も抱く「マッド・サイエンティスト」である。彼はフランケンシュタイン博士のように自分の美の理想を追及する。

もともとラヴァルは挫折した芸術家であり、画家がカンヴァスに絵を描くかわりに、人体をそのままカンヴァスにしてしまうという欲望を満たしたのだ。これは伝統的な芸術の理解モデルとなっている写実や模倣を超えた行為である。自分の理想をカンヴァスに投影するのではなく、モデルに介入することで、モデルそのものをつくりかえようとする。訓練により時間をかけて変化させるのではなく、技術によって理想を直接的なかたちで実現するのである。

ここからわかるように、技術は決して中立でも平等でもない。しかも技術を所有し利用するには、投資できる資産や教育による訓練という裏づけが欠かせないのである。たとえば、インターネット社会が、パソコンやタブレットやスマホ、さらに通信費などの維持管理コスト負担、そしてたえず進む技術革新への再投資を前提にしているので、社会の成員すべてに平等なわけではない。経済状態によって、システムから排除される者が必ず出てくるのだ。インターネットを前提とした公共サーヴィスが行なわれても、受容する層の格差は広がったままとなる。

経済だけではなく、ジェンダーによる格差もある。たとえば出産のような医療の現場では、手術を担当する医師が男性の場合も多く、患者はすべて女性である。医学の技術を仲立ちにして、ジェンダーの間に一方的な力関係が設定されてしまう。男性の医者は自分ではまったく経験できない事象に対して、診療的で科学的なまなざしを向けるだけである。こうした関係は、たとえ女性の医師が担当しても完全に解消されるわけではない。同じジェンダー内で、技術の所有自体が医者と患者の間の優劣を決定づけてしまうことになる。

けれども、いろいろと問題点はありながら、技術はまさに技術であるせいで、異なる立場や価値観からでも、技術として働きかけてくる別のアプローチを受け入れる余地がある。そのことを見誤ってしまうと、単純に技術全般を悪とみなして、社会から排除することが道徳的汚染の除去につながるという考えを生みだしてしまう。

一九七八年から九五年にかけて爆弾をしかけた、アメリカ合衆国の有名な爆弾魔であるユナボマー（セオドア・カジンスキー）は、大学と空港を狙い、科学技術万能社会への批判を主張した。標的とした二つの施設空間が彼には現代のテクノロジーの象徴と思えたのだ。ところが、彼が自分の主張を宣伝するために利用していたのは、原稿を打つためのタイプライターや新聞というメディア装置だった。しかも彼には、爆弾をつくりだす科学知識と技術の裏づけがあった。技術批判のために、古いかもしれないが既存の技術を使っているのだ。

こうした矛盾はどこにでも存在する。原発反対のサイトを見るためには、原発で発電されたものを含む電力を利用しなくてはならない。また、自然を守ろうという主張を印刷したパンフレットでも、どんなにリサイクルされた古紙を利用しても熱帯雨林のパルプ材がすでに使用されている。こうした事実に対して倫理的に嫌悪や反発を示して、技術のなかにとりこまれている状況を否定しても、それだけでは問題は解決しない。

【魔女となるために】

ゲリラ的ともいえる技術利用の可能性を提示している例が、一九八三年に出版されたフェイ・ウェルドンの『魔女と呼ばれて』(原題『女悪魔の生活といくつかの愛』)であろう。ウェルドンはイギリスの作家で、ラジオドラマの脚本を書き、著書も多く出版していて安定した評価を受けている。彼女が扱う題材の選択は意欲的で幅広く、美容整形ばかりでなく、クローンによる自己複製といったサイボーグ技術にまで踏みこんでいる。現在の主流文学がもつ可能性を示す作家といえるだろう。

物語の展開はこうである。主人公のルースは専業主婦で、身長一八五センチで体重九五キロの大柄な女性である。会計事務所の経営者として成功した小柄な夫のボッボと暮らしている。だが、夫はロマンス小説の作家で、彼よりもさらに小柄なメアリー・フィッシャーと愛人関係にあり、ルースを魔女と決めつけ、家を出てメアリーのもとへと逃げてしまう。それに対して、ルースは自宅を焼き、子ども二人をメアリーに預けて行方不明となる。ルースは老人病院で働いて、そこに入院していたメアリーの母親をそそのかして自宅療養へ切り替えさせメアリーに世話を負担させる。さらに会計の勉強をして人材派遣会社を起こし成功する。

その一方で、ボッボが不正な送金をスイスにしているように工作し、告発することでボッボを経済的にも精神的にも破滅させる。メアリーはついに住んでいた家を手放さざるをえないほど経済的に追いこまれてしまう。そのかわりに、手術によってメアリーの姿に自己改造したルースがそこに住み、愛人たちとともに精神に異常をきたしたボッボまでも受け入れて暮らすことになる。

彼女の復讐のポイントは、夫を破滅させ、塔のある豪邸に住んでいるメアリーの場所を乗っとることにある。そのために、彼女は手術で自分の身長を減らし、顔を変えることさえする。ルースは、ロマンス小説のヒロインのように成りあがって土地や家屋や消費生活を所有するだけでは満足しない。彼女は、メアリーの家を入手するばかりでなく、金髪で小さな顔で小柄な肉体、といった本のジャケット写真に表象されたメアリーの想像的な身体を所有しようとする。ルースにとって、メアリーに対する復讐は、相手の所有物の喪失と身体の奪取と二重に行なわれるのだ。

といって、ルースは別に正義を実現しようとしているわけではない。彼女はピカレスク・ロマン（悪漢小説）の主人公に近く、事態に対して倫理的で合法的な戦い方をしない。離婚の訴訟をするわけではなく、行方不明になっておいて自らがさまざまなかたちでメアリーとボッボの間に介入するだけである。彼女は今村仁司が「ポップ的理性」と呼ぶ実践理性を体現しているといえよう。「ポップ的理性は、荒れ狂う大海や砂嵐がさかまく砂漠にたとえられる実践的生活世界が有無をいわさずおしつけてくる際限のない課題にそのつど即興的に解答を与えることを、自己の仕事とする」（今村、二頁）。

まさにルースは専業主婦の座から突然外れて、自分の経済力で生活を営む必要が出てくる。彼女は病院で働き、会計の勉強をし、主婦の労働力を活用するために人材派遣業の会社を起こして成功させる。これは別に企業家としての野心というわけではない。そして「ポップ的理性」の危うさは、一時的に仮構築したものが、次の瞬間に別のかたちに変貌する可能性を秘めていることである。メアリーを修辞的に手に入れてしまったルースは、メアリーのもっていた孤独や不安まで引き受けてしまうことになる。

私は小説を書くことを試してみて、メアリー・フィッシャーが小説を出した複数の出版社に送った。彼らは買いとって出版したがったが、私は断わった。したいと思えばできるんだということがわかれば十分だったのだ。結局小説を書くことはむずかしくなかったし、メアリーもそれほど特殊な才能の人ではなかった。（ウェルドン、二七七―八頁）

フェイ・ウェルドンが、ルースの人体改造の可能性という小説内の主題とは別に行なっているのが、ロマンス小説という形式を乗っ取って、自分の小説につくりかえる作業である。これは、独特の段落分けと会話の処理という小説の形式のうえでも示されている。ラジオドラマのシナリオ・ライターとして経験を積んだウェルドンが見つけだした形式である。主人公のルースが成功した要因は、夫から逃れたあとに学んだ会計の知識や美容外科の手術といった現実的な技術を使うことで、メアリーがロマンス小説を生みだす基盤を解体していくことである。結果として、メアリーは、愛人と、その二人の子ども、さらに痴呆症の母親を抱えこむことになる。

ウェルドンの狙いは、女性にとってきびしい現実の一端を示しながら、ヒロインに冒険をさせる新しい（ピカレスク）ロマンスという小説を構築する点にある。メアリーの解体とルースによる吸収はそのまま小説家ウェルドンが、いくつものジャンル、すなわち男性の主人公が冒険をするピカレスク・ロマンとヒロインが明確にいるロマンス小説を吸収する過程をなぞっているといえるだろう。

ただし、ヒロインが逆境から這いあがることは、ロマンス小説というジャンル内で珍しい設定ではなく、それどころか基本型といってもよい。『あしながおじさん』のジュディが、くりかえし読んで自分をヒロインになぞらえていたのは、ロマンス小説の原型と呼べる『ジェイン・エア』だった。孤児院からとびだして、住みこみの家庭教師、二重結婚の破綻、荒野をさまよい宗教者と出会い、自分が遺産を相続したことがわかり、妻が死んでくれた愛人と晴れて結婚する。こうしたジェインの軌跡自体が、女性が家庭の外へと出ていった場合に必然的にとらざるをえないピカレスク的な動きをなぞっている。

では、ウェルドンが設定したルースがジェインとどこが違うかといえば、幸福な結末が待っていることが提示されないことだろう。ジェインと同じ一人称の語り手でありながら、復讐という動機にとりつかれたルースは、メアリーというモデルに支配された人生を生きてしまうことになる。これは、ウェルドンがロマンス小説に突きつけたアンチ・テーゼともいえるし、ルースに感情移入してしまった読者の期待を裏切り、カタルシスを宙吊りすることで考えさせることになる。

ルースはボッボの事務所に忍びこんでスイス銀行に送金したようにみせかけて破滅させてしまうが、あくまでも法に従うというボッボの見方をなぞっている。ルースの行動は所与の技術から対策を紡ぎだして自己を防衛した結果だと考えられる。家庭の主婦というありふれた女性がもっている能動性が、過剰なまでに突き進んだ産物である。夫の愛人の身体と物理的に入れ替わろうとするルースに至り、サイボーグ化して仮構の身体をもつ現代の女性の存在様式が明らかになる。ルースにとっては、経理やその他の技術で自分の会社をつくったりすることと自己を改造することは、別のことではなかった。この通底こそが、ウェルドンが小説という形式を使って示そうとしている考え方なのである。

第4章　移動する女たち

1　旅する〈視線〉

【女たちが移動する】

『魔女と呼ばれて』のなかで、自分の身体を改造してまで夫の愛人の位置に移動したかったルースは、主体的に移動しているようで、その場所に呪縛されているともいえる。ルースの移動はもちろんたんなる観光ではなく夫と愛人に対する復讐なのだが、専業主婦が家庭を脱出するという形で移動しないかぎり主体化できないようにウェルドンは描いている。ここにある移動の問題はもう少し掘り下げてみる必要がある。だから以下では、移動する女性たちの表象に目をむけていきたい。

まず、旅行がもつ美学的な枠組について論じる。ついで、女性が経済行為の主体としての機能を果たす例を探っていく。日常生活の延長として移動する女性たちが行なう交易で市場が拡張していく場合もあるのだ。ついで植民者の子孫を本国に帰還させて、商品ばかりでなく知識や能力までも利用することを明らかにする。最後に植民地や外国での体験が、女性にどのような可能性をもたらすのかを見る。

もちろん、女性が移動するのは珍しいことではない。文化人類学が明確化したように、結婚という制度を通じた女性の交換自体が社会システムを保持するのに必要だとすると、結婚制度が発明されて以来、女性は交換される財としてたえず移動を強制されてきたわけである。現在に至るまでこの移動の仕方が社会の基本をなしていて、場合によっては階級や人種や宗教の違いを越えて社会移動することもできる。だが、女性が行なう移動は、ある特定の社会階層への組み込みをする社会移動だけではない。たとえば、聖地巡礼のような宗教儀式としての旅がある。

イギリス中世文学の代表作であるジェフリー・チョーサーによって十四世紀に書かれた『カンタベリ物語』では、聖地カンタベリを訪れる旅行者のなかに粉屋の女房や女性修道院長が含まれている。宗教上の口実があれば、いわゆる庶民階層の女性たちまで旅をすることができたのだ。近代になると、観光などの旅行者として、教育を受けるために女性が移動することがある。ヘンリー・ジェイムズは、「デイジー・ミラー」(一八七八)などで、アメリカ合衆国からヨーロッパに遊学する女性を描いている。また、植民者の家族の一員としても女性は移動する。ローラ・インガルス・ワイルダーが書いた自伝的小説である「大草原の小さな家」のシリーズのローラや彼女の母親や姉妹を考えてみれば、アメリカ合衆国に植民した者の生活において女性が果たした役割がわかるだろう。また、第2章で扱った飛行機乗りのアメリア・イヤハートのような探検家や冒険家もいる。女性が結婚以外で別の場所に移動することは昔からあったといえるし、結婚による移動と同様に社会の流通を構成する重要な要素となっている。一時的であれ別な場所に身を置くことは、家庭や社会の束縛から解放されたように見えるが、移動によって家庭や社会がもつ枠組から脱出できるわけではなく、別な場所にいることが直ちに異なった主体のあり方を保証してくれるわけでもない。男性と同様に女性も置かれた位置によって、好むと好まざると社会システムのなかで一定の役割を果たしてしまう。植民地で暮らす植民者の女性は家庭内では父権制の被害者かもしれないが、被植民者にたいして人種的あるいは階級的な抑圧者となる場合も多い。

その一方で、移動せずに本国の家庭内に篭っている女性たちが、家庭の外で起きている事象からまったく切り離されて、植民地や外国と無関係なわけではない。たとえばエドワード・サイードは、ジェイン・オースティンの『マンスフィールド・パーク』という、十八世紀の片田舎の結婚と家庭内の騒動を描いた小説を、カリブ海の西インド諸島のアンティグアというプランテーションの富が支えていることに注意を喚起した（サイード、九七―一一〇頁）。

もちろん、文学における表象がそのまま社会関係そのものとはみなせないが、修辞的なレヴェルでの深いつながりをもつのである。さらには、シャーロット・ブロンテが書いた『ジェイン・エア』のなかで、ジェインが手紙を書くのに使用する「インディアン・インク」という形で、すでに道具のレヴェルで植民地やオリエントと関係をもっていたという指摘もある（メイヤー、九四頁）。

たとえ植民地や外国に移動した経験がなくても、商品の流通のネットワークのなかで、さまざまなものが生活を形成するために外から入ってくる。たとえば、紅茶やそれに入れる砂糖のように直接イギリス本国では採れないものが、植民地のプランテーションを通じて生産され輸入され、しまいには家庭内での紅茶を飲む習慣やアフタヌーン・ティーとなる。

ヨーロッパによる新大陸への植民と物資の収奪がなければ、イタリアなどの地中海地方でトマト料理は存在せず、ジャガイモがドイツなどの下層階級の生命を救うのに役立ったり、イギリスでフィッシュ・アンド・チップスを生み出さなかった。さらにはトウガラシが日本から朝鮮半島に伝わることで、辛いキムチが誕生したわけである。つまり、現在各国の国民飲料や国民料理と認識されているものでさえ、大航海時代以降のさまざまな移動や流通のおかげでここ数百年で成立したものが多い。

植民地主義や帝国主義への研究あるいはポストコロニアル批評の進展が、旅行体験やその記録に対する新しい関心を呼び起こした。私たちが「自然」なものだと思っている社会慣習や価値判断さえも、物や概念が移動した結果、歴史上構築されたものだというのは、もはや常識に属すだろう。そうした新しい批評の成果を受けて、フェミニスト批評家のフランセス・バートコウスキーは、旅行を次のように定義している。

旅とは移動である。領域化された空間と空間の間を通る移動であり、移動することを選択した者たちと、自分では制御できない力によって移動させられる者たちによる移動である。だから、旅は文化的境界線を横断すること、越境し、訪問し、争奪することを指し示せるだろう。(バートコウスキー、二三頁)

バートコウスキーの考えでは、旅をする者には、領土拡張主義者や冒険商人それに移民や難民まで含まれ、移動することを観光のように是認する見方を放棄しなくてはならない。

【スタインベックの朝食】

移動のさいに自分と異なる者や風景との遭遇を「美」と決め込む視線、つまり「インスタ映え」とみなす一種の観光写真化の問題が明らかになる。数多くのアンソロジーに採用されているジョン・スタインベックの「朝食」（一九三八）という短編には、その視線の問題が十分に描き出されている。のちにこの短編は、アメリカ合衆国の大恐慌時代に土地を奪われて流浪する農民たちを旧約聖書の枠組を使いながら描いて有名になった『怒りの葡萄』（一九三九）のなかにそっくり組み込まれてしまった。

けれども、最初の形のほうが視線の構図がはっきりしている。「朝食」には短い外枠があり、過去の体験を回想する現在の「私」が頭のなかで反復すると喜びを感じると述べる。その体験とは、現在それなりの生活を送っているらしい「私」が、サリーナス峡谷とおぼしい場所の山道を夜明けに下っている途中で出会った一家に、簡素な朝食を奢ってもらうという内容である。「私」が出会った男二人と赤ん坊を抱いた若い娘の一家は、山裾でテント暮らしをしながら、綿摘みで生活をしている。夜が明けてしだいに辺りに色彩があふれてくるという演出のなかで、素朴な食事を共有することによる温かい心の交流を巧みに組み合わせて描いている。

スタインベックが採用する即物的な描写と、人名を省き人物関係を最低限しか提示しないせいで、この物語は原型的なものと受け取れる。つまり、この家族が、聖書に登場する迫害されて流浪する家族たち、あるいはジプシー（ロマ）と呼ばれる人々、それからオーキーたちといったさまざまなイメージをだぶらせることができるし、明らかにそうしたイメージの重ね書きが利用されることで厚みをもったテクストに見えてくる。最下層の人々が、通りすがりの者に自分たちの乏しい食物を分け与える「歓待」が行なわれる。

よく読むと、一家は綿摘みの収入で一時的に経済的余裕があったのである。しかも、ふたりの男と「私」が食事をしている間、料理を作った若い娘は給仕をするだけで食事に加わっていないので、語り手の「私」が食事に招かれた理由は男性であったせいかもしれない。語り手の「私」に喜びを与えてくれたのは、男性どうしの連帯の確認のなかで、朝食を媒介にこの一家と束の間の接触したことであり、「考えるたびに温かさがほとばしるような、素晴らしい美の要素がそこにはあった」と締め括っている（スタインベック、四二〇頁）。

こうした遭遇が「私」の内面を書き換えたり、現在の状態を脅かしたりしないのは、過去の体験を一種の絵画として記憶しているせいである。何度も安全に思い起こせるためには、体験が物語となって記憶される必要がある。しかも語り手は「思い起こすたびに」という表現を使って、体験をすでに何度となく記憶のなかで反芻していたのである。

ジャック・ロンドンは『どん底の人々』のなかで、アメリカ合衆国内を放浪する「ホーボー」の体験に基づいて、イースト・エンドの住人に対する一定の共感を示した。ところがスタインベックの短編の語り手である「私」は、彼らを気遣う表現をもたない。ただし、短絡的に「私＝作者＝スタインベック」とみなして、スタインベックの視線を冷酷だと問いただすのは誤りだろう。あくまでも、外枠に位置する現在の私が、現在の一家に何ら思いを寄せることなく成立している構造そのものを、スタインベックが提出しているのだ。

物語の内容として、視線の主体と対象との間の「距離」の存在が当然視されている。語りのこのような主体と対象の間の区別を踏まえたうえで、「朝食」に登場する「私」という記号自体が、表面上異なる時間に設定されている二つ（正確には三つ）の空間を横断していくのだ。それでいて記号としての「私」が連続して見えることが、物語の連続と読み替えられていき、最終的には「私」が主体としての連続を保っていると錯覚される。回想することで複数の「私」を生み出されるのではなく、むしろ最初の行から最後の行まで連なる「私」という記号が全体を統括することで、ひとつに固定して安定した物語を演じてしまうのだ。回想する「私」と回想される「私」が同じだと読者は信じて疑わないのである。

相手への共感や同一化のために距離が必要であり、それが「私」を確立することと不可分であるというのは、同時に周囲への無関心も生む。植民地や外国を訪れながら、そこでの体験が、自己発見や自分の伝統の再確認として作用するのは、「自分探し」というひとつの文化的な装置となっている。

文化人類学者のＪ・Ｌ・ピーコックは、個人という概念を確立したホッブスと集団の方を重要視したデュルケムを対比させながら、人類学者が採用するのは後者の方法だと述べる。そして、ホッブス流の個人主義を歴史的に相対化して見せる。

私たちが理解している意味における個人主義の観念は、宗教改革やルネサンス、さらに産業革命などに伴って、わずか数百年前に生まれたものであり、しかもそのころはまだ西欧諸国とその植民地に限られていた。（ピーコック、四五頁）

西欧諸国による植民地に個人主義の観念が流布していたという不用意な表現には、観念を共有していた人間の人種・階級・ジェンダーにかなりの限定が必要だろうが、個人主義が歴史のなかで構築された観念にほかならないのである。つまり個人主義という観念を（再）発見するために別の場所を訪れることは、そこに住む人々との「交渉」を欠くことで、かえってステレオタイプを登場させてしまう。訪れる土地があくまでも自己確認という物語の舞台や背景となって、土地や住民との相互作用は描かれないか、あったとしても後からの反省では無視されてしまうのだ。

【植民地とエロティシズム】

そうした無残な例は旅行記をはじめ枚挙に暇がないが、たとえばフランス製のポルノグラフィとして有名な『エマニュエル夫人』のようなステレオタイプのイメージを濫用する作品に、そうした態度が純粋な形で保持されている。一九七四年の映画版（邦題『エマニエル夫人』）は、フランスの外交官の妻であるエマニュエルの陳腐な性遍歴を扱っているが、その舞台となっているのは東南アジアのタイである。映画のポスターなどで使用された籐でできた椅子に座るシルヴィア・クリステル演じるエマニュエルの姿は、まさにエキゾティシズムをねらった構図をとっている。

フランス文化において、東南アジア、とくにインドシナというインドと中国の名称を合成した語で示される場所は、かつてヴェトナムを植民地としていたせいもあって、さまざまな連想を誘う。たとえば同様に映画化されて話題になったマルグリット・デュラスの『愛人（ラマン）』（一九八四）も、彼女自身の体験に基づきながら、デュラス風の地理学、つまりフランス領のインドシナからインドのカルカッタ（カルコタ）にまたがる奇妙に混沌とした世界を描いている。そこでは、ヒロインと金持ちの中国人との性愛関係も、決して二つの文化の相互交渉とはならない。

映画『エマニュエル夫人』のなかで描き出されるタイの風景は、バンコクの水路や雑踏を除くと、今度は一転して絵葉書のような自然が映し出されるだけである。考古学を専攻してユネスコによる発掘を行なっているヴィーという女性と同性愛の行為をもちながら、エマニュエルはヴィーを自立した女性とみなして自分の手本にしようとする。また、マリオと呼ばれる老人が彼女に自由恋愛の哲学を手ほどきすることになっている。主体を確立するためには性行為が不可欠というのが、「ポルノグラフィ」としてのからくりである。

しかもエマニュエルが性行為を結ぶ相手は、フランス語が通じる白人とだけであり、彼女の家にいるタイ人のメイドとは言葉や何らかの交流があるようには描かれないし、彼女はメイドたちの前で裸体をさらすことにためらいを見せない。また、エマニュエルの帰宅を待って嫉妬にかられている夫が友人を探して訪れる酒場では、タイの女性のダンサーたちが裸体で踊っているのだが、それも背景にすぎない。この映画にとってのタイは、エマニュエルがフランス人外交官コミュニティのなかで、主体を形成し、性的な意味で大人になるための道具にすぎないのだ。

エマニュエルの自己発見や主体形成がパリといった「帝国の中心」では起きない点に文化的な仕掛けがある。ジャック・ロンドンがイースト・エンドでアメリカ合衆国のよさを確認してしまうように、エマニュエルはタイという外国で、フランス風自由恋愛と考えられている心性を習得するのである。しかしながら、欧米の消費社会から隔絶しているように見えるタイでのエマニュエルたちの行動を支えているのは、為替や経済システムの相違が生み出す見せかけの富である。素朴な土地での豪華な体験が実現できたのも、タイとフランスが経済的に対等な関係をもっていないせいである。そうしたシステムどうしのズレにうまく入り込むことで、エマニュエルの変身は正当化される。

こうした関係はフランスとタイやインドシナのような「先進国」と「低開発国」の間にだけ存在するわけではない。この関係は都会と田舎というヴァリエーションとして姿を見せる。たとえば、BBCによってテレビ番組にもなったピーター・メイルの紀行文『南仏プロヴァンスの十二ヵ月』（一九八九）では、イギリス出身でアメリカで仕事をしていたメイルとフランスのプロヴァンス地方がそうした関係を作り出している。エマニュエルがタイに向かったとすれば、こちらは彼女が顧みることもないフランスの田舎が舞台なのである。

広告会社を退職した後にサド侯爵の城跡近くの村に住むことで、メイルと妻は近隣の頑固で偏屈な村人と交流することになる。学校で習ったフランス語とは異なるプロヴァンスなまりの言葉に悩まされながら、彼らとの交渉や和解を通じて、ロンドンやニューヨークではすでに失われた、とメイルが考える職人気質や心の温かさを体験したように描かれる。とりわけ、英米の都市生活者という読者層には、フランスの小さな村での日常生活そのものに稀少性が感じられたのだ。当初の出版社の予想を裏切って、イギリス国内だけで百万部を売ることに成功した。

そして「今ここ」から逃れた別の場所に真実があるかのように設定することは、理想を別な場所に転移しているにすぎないのだが、理想が裏切られることにより次々と理想と合致する場所を追い求めることになる。ピーター・メイルの場合も、プロヴァンスが俗化することを嫌いながら、じつは自分の体験を商品とすることによって、プロヴァンスを訪れる観光客を増やして俗化を促したのである。追体験をしたいファンが押し寄せた結果、今度は自分がそこからアメリカ合衆国へと逃げ出さなくてはならなくなってしまった。最後にはプロヴァンスに戻って二〇一八年に亡くなったのだが、理想を求めることの難しさを物語っている。

2　マーケットに囚われた女性

【未来というマーケット】

市場を求めて空間を移動する女性が抱える問題を、有名なアメリカのSF作家フィリップ・K・ディックは「囚われのマーケット」（一九五五）のなかでかなり辛辣に描いている。物語の舞台は一九六五年、つまり雑誌に発表した年の十年後の設定である。エドナ・バーセルスンは土曜日になるとピックアップ・トラックに荷物を積んで金を稼ぎに行く。その目的地の秘密を知りたいと思った孫のジャッキーが乗っていくと、山のなかでトラックは文字どおり姿を消してしまう。彼女がでかける先は「未来」であり、彼女がもつ時間軸の前方へと飛ぶ能力によって到達できるのだ。

未来世界ではアメリカとソ連が最終戦争を行なってしまい、人類は滅ぶ寸前である。生き残った人々が生活するのに必要なものを週一回売りつけに行くというのがエドナの商売のやり方だった。明らかに冷戦構造を背景にし、核の脅威に基づいた終末風景を描いたテクストで、未来世界の日付けは明示されないが、この「未来」が明日のことかもしれないという五〇年代の緊張感がもつ不安感が漂っている。『ブレードランナー』（一九八二）の名で映画化された結果ディックの再評価を高めた、『アンドロイドは電気羊の夢を見るか？』（一九六八）に出てきた、つねに放射能を含んだ灰が降っている西海岸と同じ情景である。

しかし、このテクストは単純に人類の滅亡といった終末風景を描いているだけではなく、むしろ、二つの地点を結んだ交易の問題をあからさまにしている。未来世界との回路を確保した平凡な田舎の雑貨屋の主人であるエドナは、どこにも競争相手がいないせいで、この小さなマーケットを独占できる。放射能や有害物質に汚染されていない食料品や、戦争で壊滅してしまった工業生産力を補うためにさまざまな製品を、「豊かで無傷な過去」から運んで行く。

そして、最終戦争後の荒廃した経済体制では無用になった紙幣によって、エドナへの代金が支払われることになる。この交換が価値を生み出すのは、二つの地域差からでしかない。ただし遠隔地貿易が成立しているのはこの場合、物理的な距離によってではなく時間である。同じサンフランシスコ郊外の土地に存在しながら、時間によって仕切られた二つの「地域」が作り出す差異によってお互いの交換価値が生まれている。

未来世界に残った二十人の人間たちは、新しく何の生産も行なえず、ただたんに消費するだけの存在となっている。唯一行なっているのは地球を脱出して金星へ行くために、最終戦争で使われずに残った核兵器用のミサイルを宇宙船へと改造することである。彼らの事業の資金的な裏づけは金庫に残っていた紙幣であった。もちろんそうした紙幣が使用価値をもつのは、エドナが暮らす現在の世界においてだけである。

片田舎の雑貨屋の主人であるエドナがどんなに現在の世界で商売をしても二十五万ドルもの大金を稼ぐことは不可能であり、利潤を追及するためには、自分の能力を使って未来の世界へと荷物を運ぶ必要がある。エドナ自身もマーケットとなったこの世界から離れることはできないのだ。この強制的ともいえる相互依存的な関係こそが、かろうじて両者の交易を持続させる根拠となっている。

エドナと未来世界の関係は、自分の利益を生み出すマーケットという経済行為に限定されている。彼女は人類の未来やそこでの生活を経済的な対象としてみるだけで、ほかに何の関心ももたない。自分の子孫が含まれているかもしれない彼らを、汚れて垢だらけの連中だと嫌悪している。つまりエドナは、移動能力をもつのが自分だけだと確認したあとは、未来世界から離れることができない彼らを「土着人」と規定して、何の遠慮もなしにそこからの経済的収奪を続けるのだ。

こうしたエドナの態度に呼応するように、住人から反感が生れてくる。「要するに、この世界は旅行ができる一地方だというふうにしか見ていないのさ。いわば、珍しい異郷の記録映画だな。あっちは出るも入るも思いのまま——ところがこっちは釘づけときている」（一六三頁）と、住人のひとりであるフラナリーは嫌悪する。観光主義と同一視される態度で行なわれた交易は、双方とも対等ではない条件のもとで、しかも相手を軽蔑している状態のなかで、かろうじて行なわれている。

この交易と相互関係はそのまま植民地と宗主国の関係と相同性をもっている。エドナが訪れる未来世界が、荒廃して何の生産力ももたない世界として描かれることで、フラナリーの言う通り、観光で訪れる異郷の地、あるいは植民地や交易先の遠隔地という形象と容易に重なってくる。

その一方でエドナは彼女の「超能力」だけを頼りに、まさに冒険商人として、未来世界という未知の領域に飛び込んでいった。そして無数の未来の可能性のなかから、次のような選択をする。

彼女はあの世界に——小さなコロニーの人々が必死に宇宙船を建造しているという特定の鎖に——踏み込んでいったのだ。そこに入ることによって、夫人はその世界を顕在化させた。現実の存在として固定させた。無数の鎖のなかから、かぎりない可能性のうちから、ひとつをすくいあげたのである。(一七〇頁)

ここには複数の可能世界とその顕在化に関するひとつの見解がある。複数ある可能性のひとつをエドナが選択することで、その世界を存在させることができる。この設定は、SFが繰り返し描いてきた自分に都合の良い世界を所有する、という創造神話のひとつの変形なのである。どこにでもいる平凡な人間が、ある日特殊な能力という技術のせいで、造物主となり世界の支配権をもつわけである。

【アメリカ合衆国という連続性】

二つの世界を往来するエドナは、その地域から原材料を運んでくるわけではなく、新大陸の黄金ならぬ紙幣という形で利潤だけを吸い上げてしまう。けれども、その紙幣は彼女が見つけた未来世界に蓄積されてはいたが、流通するシステムの崩壊で死蔵されていたものなのである。紙幣は運搬可能なので、現在世界で利用されてはいるが、黄金とは異なる。黄金は、新大陸でのインカやアステカにおけるフェティシズムの対象としての装飾の材料となっていて、そのままヨーロッパで別なフェティシズムの対象としての貨幣の材料にも利用できた。だが金本位制の裏づけもない兌換できない紙幣は、しょせん紙切れにすぎない。

紙幣は金貨のように自由な加工ができないので、経済システムが異なれば何の価値ももたない。だから、未来世界の金庫に入っている紙屑同然の紙幣の価値を支えているのは、現在世界の経済システムなのである。エドナが訪れる未来世界が現在と同じ地理的な空間を有していて、「アメリカ合衆国」としての連続性をもっているせいで、彼女が持ち帰る紙幣が現在世界でも流通できるのである。これがオーストラリアドルや香港ドルでは意味がないのだ。

このテクストを支えている原理が自然に見えるのは、未来を収奪することで成立する現在というのが資本主義の原理そのものともいえるからである。資本主義では投資とその回収にむけてすべての条件を整えていくことが至上命題となる。注文をキャンセルされたことにエドナは激怒して、「だけど、みんな注文を出してあるんだよ」「みんなわたしのところに送られてくる。代金を払わなくちゃならない」（一六五頁）と未来世界の住人に訴えることになる。一度エドナが設定したレールの上を走り出していたシステムが、破綻しかける。つまり、注文と決済という循環が断ち切られ、未来からの収奪が不能になった瞬間、在庫品と請求書を抱えて今度はエドナの現在の生活が成立しなくなる。

皮肉にも、エドナのシステムが破綻しかけた理由は、彼女が次々と未来世界へと運ぶ資材や工具によって、宇宙船がついに完成してしまったことにある。未来世界の側の人間たちは、エドナとの交易関係が切れることを望んでいた。地球から脱出することは生存が目的でありながら、もう一方で、生活を全面的に彼女の商売に依存しているせいで、一方的な言い値で品物を注文して買わなくてはならないという屈辱的な植民地状況からの脱出にほかならない。

なぜなら、未来世界の男女はエドナを、まったく大局が見えない田舎育ちの老女と見下しているためでもある。けれども、植民地の住人たちからこの最後通告を受けた宗主国の独占商人であるエドナは、自分のマーケットを失う危険を感じ、利益を守るために彼女にとって都合のよい未来の連鎖を選択し始める。ディックがこの小説を「囚われのマーケット」と名づけた理由はこれであり、この作品の恐ろしさは、エドナが自分にとって都合の良い未来を選択し始めた瞬間から始まるのだ。

【選択肢の切り捨て】

エドナはいくつもの未来の選択肢を切り捨てていく。宇宙船が爆発して全員が死亡するという展開、あるいは発進時の故障が直されてついに地球を飛び出す結末。どちらもマーケットの喪失という意味でエドナにとって不都合な未来なので排除される。そして最後に選択したのが、脱出速度に達することができず地球に再突入してしまい、打ち上げが失敗して、また宇宙船を組み立て直すという事件の流れである。そのことで未来世界の住人たちはシジフォスの神話のように、無限に反復される脱出と建造の物語に囚われることとなる。

エドナの交易の相手先である未来世界は、軍事技術によって滅んでいながら、そこを脱出する宇宙船を整備して打ち上げるにはあくまでも技術を必要としている。この技術の評価をめぐってコロニーの住人たちには内部対立がある。「正当な秩序の再建」をもくろむ技術者のテルマンは、肉体労働を軽蔑していて、指導者である歴史学の教授や、荷物運びの責任者である下層階級の男に技術や教養という点で優位性を感じている。「彼らに本当に救われる価値があるのだろうか？　テルマンにはとてもそうは思えなかった。キャンプの人間のほとんどが野蛮人になりさがっている」（一四七頁）と内部への反感を隠さない。核戦争後に残った少数の人間が「ノアの一家」のように神から選ばれた者ではないという不安が背景となっている。テルマンがもっているのは全員が人間から「退化すること」への恐怖である。それは同時に強欲に見えるエドナの経済支配への恐怖でもある。

エドナがこのコロニーを作り出したのではない。あくまでもコロンブスのように「発見」したわけだが、そのマーケットに飛びついたのには理由がある。彼女はテルマンとは異なった動機から商売や超能力といった技術を使うことで、自分なりの秩序を確立しようとしているのだ。「夫人と店は、年ごとに少しずつ勢いをなくし、少しずつしなびて無愛想に、頑固になっていった」（一四一頁）とあるように、この新しいマーケットの発見以前には、彼女にはじり貧となってきた自分の商売を建て直す方法がわからなかった。

近代的な技術の産物であるアップライト・トラックを運転できる彼女も、ビュイックなどに乗って渓谷地域に入り込む都会から来た新興勢力には反感をもっている。彼女自身に新しい存在に対する嫌悪があり、現在の世界においてマーケットを広げる才覚はもち合わせていない。あくまでもエドナは自分の昔からのやり方を守ろうとしていて、そのやり方が未来世界でも追及されてきた。

エドナが見つけたマーケットは、父親から譲り受けた商売技術を適用できる対象であった。

正確かつ厳密な、いつもの手順、これは夫人の人生の一部だった。思い出せるかぎり遥かな昔から、夫人はずっと、明確な形で取引に携わってきた。父親に教えられた、商売の世界で生きていく方法――その厳格な方針と原則を学んだ夫人は、いまもそれを実践しているにすぎない。（二六二頁）

エドナを経済的収奪の担い手として育てたのは、父親を模倣し反復しようという、技術を通じてジェンダーを越境したいという欲望にあった。そして父親の教えの実現が、未来世界という植民地を契機にしなくてはならないように書かれている点が、このテクストが植民地主義と女性の関係のひとつのモデルを提出するように見せている。成功した商売人としてエドナの個人主義的な主体が確立するためには、収奪すべき対象が必要だったということになる。

もちろんエドナは、植民地を支配する特殊な訓練を受けた女性ではない。むしろ平凡な女性として描かれているし、何らかの特技があるとすれば、二つの世界を往復できることと、可能世界を現実化できる能力だけである。だが、経済行為以外のやり方を思いつかない彼女は、自分がもっている能力を異なる方向で利用しようとは思わない。たとえば孫のジャッキーの生存のために核戦争を回避する未来、つまり自分のマーケットを犠牲にしてしまう未来を選択しようとは思わない。このテクストが描き出している可能性があるのは、年老いた女性の愚鈍さという形で、技術を使いこなすことができない「魔女」がもつ危険を示していることである。

エドナのように自分の欲望に忠実になるせいで、植民地主義的な収奪を担う人物となる可能性はどこにでもある。エドナが行なっているのは、あくまでも現在と未来の時間差を価値を生む差へと読み替えることだった。彼女は二つの世界を行き来できる主体であり、一方ではやり手の交易商人、他方では田舎の雑貨屋の女主人で、孫の相手をしている。こうした変化の理由を、エドナの性格の二面性とかに帰着させるわけにはいかない。

むしろ主体が置かれている位置によって、役割が変化するように見える。自己を規定している関係性のなかで姿を変え、あるいは変わらざるをえないように動く流動的な主体性がエドナを通じて見えてくる。二十五万ドルにまで貯えられた富には、当初から何かはっきりとした目的があったわけではなく、欲望の結果として蓄積されているだけなのだ。再投資への展望もとくにないまま、収奪するために収奪するという自己目的化した終りなきゲームを続けているにすぎない。だからマーケット、すなわち市場そのものに囚われているのは、未来の人々ではなくて、むしろエドナの方となるのである。

3　『秘密の花園』と二つの病

【インドから帰る少女】

エドナは、現在の世界に帰還することではじめて利益を得ることができた。交易においては、さまざまな技術をもとにして外に出ていくだけではなく、自分が訪れた場所から出発点へと円を描くように帰還しなくてはならない。マーケットの独占という名前の植民地主義には、別な場所にでかけて行き、そこに植民地を建設するだけでは不十分であり、そこで獲得したものを宗主国へと持ち帰ることでようやく莫大な利益を得るのである。この往復運動をエドナのように一人の人間が行なうのは例外的であり、ふつうは分業化されていて、自分がそのシステムの一員であると格別意識することはない。

こうした仕組みのなかで「女性」主体が演じてしまう課題を示したテクストが、フランセス・ホジソン・バーネットが書いた『秘密の花園』(一九一一)である。『ピグマリオン』や『あしながおじさん』の前年にアメリカ合衆国で出版されたこの有名な児童小説に、植民地のインドと宗主国イギリスの複雑な関係が想像的に描かれているのは、粗筋をたどっただけでもわかる。

インドで育ち、コレラで両親をなくしたメアリー・レノックスが、結局引き取られたのはヨークシャーにある親戚のミノワ屋敷である。メアリーは、厳しい家政婦のメドロック夫人に監視されながらそこで暮すうちに、病室に閉じ込められていたコリンと出会い、さらにディコンという地元の少年とともに、死んだコリンの母親が大切にしていたが今は封鎖されている庭を発見する。庭師のベンの助けも借りて、メアリーたちがその庭を花園としてよみがえらせると、コリンの健康が回復し父親との和解が完了する。

こうした『秘密の花園』の設定やとくに主人公メアリーの姿に、バーネット自身の伝記的事実を重ねて読むことは難しいことではない。少女時代のフランセス・ホジソンは、イギリスのマンチェスターで育ったのだが、父親の死去で一家が貧困に陥って、親戚のつてを頼ってアメリカ合衆国へと渡った。生活の自立を目指して彼女が書いた小説が雑誌や新聞に載るようになり、しだいに文筆業で生活ができるようになった。

結婚後、『小公子』（原題『小さなフォントルロイ卿』、一八八六）や『小公女』（一九〇五）が有名になり、大人向けを含め四十冊以上の本を出版した。バーネット自身の貧困から成功への軌跡を知ると、父親を喪失した子どもが直面する貧困や不安の状況から自分の技術や才覚で上昇する、という主題を彼女が選択したのも当然に思えてくる。

けれども、ここで注目したいのは、バーネットが自分の人生を素材にどのように小説を作りあげたかという経緯ではない。宗主国イギリスへの帰還という主題が、彼女の代表的な三つのテクストにおいて執拗に追及されてきた点である。

『小公子』は、アメリカ合衆国という元植民地に行った息子が勝手に現地で結婚して生まれたセドリックという孫と、アメリカ人の母親がイギリス貴族である祖父と和解する話だった。『小公女』は、サラがインドからイギリス本国の寄宿学校に入るが、父親の破産で無一文になり教師にいじめられたりしながら最後には死んだ父親の金持ちの友人に引き取られる話である。サラの生活を支える富はインドの宝石ということになっている。

最後の『秘密の花園』は、バーネット自身の『小公女』を書き直したテクストに見えるが、寄宿学校のかわりにミノワ屋敷が設定され、父親の喪失やインドからの帰還といった主題とは異なる要素が結びついている。明らかにスイスの作家ヨハンナ・シュピリの『アルプスの少女ハイジ』（一八八〇）からとった、都会から離れたアルプスという場所でクララの歩行能力が回復するという趣向が、コリンの健康と歩行の回復に露骨に借用されている（もっとも、その『ハイジ』もヘルマン・アーダム・フォン・カンプの『アルプスの少女アデライーデ』（一八三〇）にヒントを得たと指摘されているのだが）。

結果として、インドとイギリスの関係というレヴェルだけではなく、『小公女』のサラの寄宿学校では見えにくかったヨークシャーというイギリス内部の地方が抱える問題が明らかになっていくのだ。クララのアルプスの代りに、異郷の地ではなくヨークシャーの自然が、しかも庭という人工的な形をとって、コリンの健康を回復させることになる。

こうしてインドとヨークシャーという、ロンドンという中心地から見て二つの周縁的な地域が直接交渉する可能性をこのテクストは示す。しかも、メアリーとディコンの間の交渉は、植民地主義というと、すぐに宗主国を一つの極とし、他方の植民地を一つの極としてとらえがちな傾向への反証のひとつとなるだろう。

『秘密の花園』というテクストが明らかにしているのは、宗主国と植民地の関係が宗主国内部でも折り畳まれた形で存在することである。植民地主義が成立するためには、複数の場所が相互に関連しあうネットワークが形成されている必要がある。ロンドンを経由して、その権力の支配を受けながらではあるが、場所と場所をつなぐ関係がいくつも生まれてくる。バーネットが生まれたマンチェスターもそうした交易都市のひとつだった。

もっとも、インドとヨークシャーが、メアリーとディコンという代理表象を使うことで交渉できたのは、どちらの人間もジェンダーや階級において支配的な位置を占めていないためでもある。ふたりともまだ子どもであり、メアリーはクレオール（植民地生まれ）のしかも女性で、ディコンは下層階級の少年であり、コリンのような支配階級の少年とは立場は異なる。しかも、こうして階級や地域格差といったイギリス内部の多層性を描き出せたテクストも、インド自体の内実を細かく分節化することができずに、およそ植民地的な特徴を何でも投げ込むことができる「インド」という超越的で包括的な記号を相変わらず使っているのだ。これはこの『秘密の花園』というテクストの限界といえる。

とはいえ、メアリーの描き方は単純ではない。彼女の社会移動を可能にしているのは、インドで育ったクレオールとしてのメアリーの人種的な位置の曖昧さである。メアリーは明らかに「白人種」として優遇措置を受けているし、ヨークシャーへと移動する場合にも身元引受け人がいて、インドから流入する移民のような扱いを受けないですんだ。

ところが、メアリーがコリンの病を治す「魔法」の力をもちえるのは、クレオールがもつ境界侵犯的な立場のせいである。しかも家系としては、ヨークシャーという風土に所属していたことでイギリスと「自然」に接ぎ木される。そうした回帰を自然に見せるための仕掛けとしては、ミノワ屋敷そのものが彼女自身のインドでの病いを治療する場所としても機能している点にある。

【インドの病】

メアリーは両親をコレラで亡くして孤児となる。コレラはコッホによって菌が発見されてインドの風土病とされ、蔓延するのは暑い気候のせいだとされる。だから同じ菌であっても、ペストの場合とは異なって寒い気候のなかでは流行しないとされていた。南方と結びつけられたこの伝染病は、インドという植民地においてかかる病だとみなされたのである。ところが、コレラから生き延びたとはいえ、風土と病の関係はメアリーの身体そのものにはっきりとした痕跡を留めている。

メアリーにあらかじめ与えられている特徴の一つが、彼女の病にかかった身体である。メアリーは「やせた小さな顔、やせた小さな体、やせて色の抜けた髪を持ち、気難しい表情をしていた。彼女の髪の毛は黄色で、顔も黄色かった。というのは、彼女はインドで生まれて、次から次へとひっきりなしに病気にかかっていたからだ」（七頁）とされる。栄養が行き届いていないことを示す「やせた」とか、「黄色」という色は病気を示すのだが、同時にメアリーの身体の特徴がことごとくインドでの生活の徴候となる。

発育不良ということが、子孫繁栄を考えるときに大事な物差しとなっていたことは、たとえば、植民地であるニュージーランドに嫁いだ女性を描いた映画である『ピアノ・レッスン』（一九九三）にも出てくる。写真による見合いをしただけの主人公はイギリスからきた当初に発育不良ではないかと疑いをもたれる。つまり宗主国における人種の退化への恐れが、植民地を経由することで露呈するのだ。それが、『秘密の花園』では転移した形で、まずメアリーというクレオールの身体のうえに不安として投影されている。

しかも、ここに表われた病の記号としての「黄色」は不気味な色であり、白人ではないという記号ともみなせる。現に『ロビンソン・クルーソー』のフライデーが黄色い顔をしていること、フランケンシュタインの怪物の顔の色、さらにシャーロット・ギルマンの「黄色い壁紙」のように狂気と結びつくことなどを考えると、これはすくなくとも病や逸脱の色としてみなされる可能性が高い。それに対してインドの住民たちは「浅黒い」と表されている。

ところが、メアリーは、ヨークシャーの自然のなかで健康が回復することによって、彼女がもっていた本来の特徴を取り戻す。つまり、病気と人種的な色合がついている「黄色」という表現がとれてなくなる。結末近くになって家政婦のメドロック夫人は、メアリーの「髪の毛は豊かに、健康な姿になったし、全身が明るい色つやになったわ」（二二一頁）と、その変化を確認する。

メアリーの病気の痕跡が結びつけているのは、当時の病気と人種の関係を物語る言説である。そうした言説は雑誌などを開くとすぐに見つかる。たとえば、『ウエストミンスター評論』一七三号（一九一〇年六月号）に、レイモンド・フェランという医学博士の手になる「病気と経済的条件」という論文が載っている。趣旨としては、貧困と病気（主として当時不治の病とされた結核）との相互関係を論じ、労働条件の改善を主張する内容である。だが、最後の段落になってフェランがぶつかっている枠組が明らかになる。

ヨーロッパとアメリカの双方で、人種の自殺に関して多くのことがいわれてきたが、ごく最近になって天然資源の保存に関して、アメリカがかなりのそして非常にもっともな関心を寄せている。天然資源の保存が決定的に重要な問題であるのは確かだが、人間の健康の維持はいわゆる人種の自殺問題さえよりも、もっとずっと重要な問題である。人種に関する大きな問題とは、出生数の増大ではなく、生まれた人間の健康や生命を維持すること、その人間が虚弱や、病気や、疾病素質とは無縁に生れるように注意を払うことである。

ここには、病気の問題を人種の問題ととらえるパラダイムが示されている。しかも「天然資源」と「人間の健康」がどちらも同じレヴェルで論じられ、さらに「人種の自殺」という「退化」の歯止めをするには、個人の身体を管理しきることだと考えている。病気は「国民国家」が「人種」を守るために戦わなくてはならない敵となる。つまり、メアリーがなぞっている健康の回復は、ほかならない優勢な人種の勢力を守ることにつながるのだ。

では、メアリーが守ろうとしている人種観とはどのようなものであろうか。それを物語るのが、フェランの論文のすぐ前に掲載された「人種偏見」と題されたジョン・コーウェンの論文である。コーウェンはイギリスの植民地内は労働力不足にもかかわらず、アジア系の人種が流入するのを阻止していることが大英帝国全体の力を弱めていると嘆く。その阻止の方法はさまざまで、オーストラリアでは「(英語の)聞き取り試験」により、カナダや南アフリカでは「白人の国」を作るという理念が幅を利かせ、カナダではインド人の結核を根拠に他のアジア系も閉め出すというやり方だった。

コーウェンは、これらの植民地が「幼年期の植民地」ではないと指摘し、もっと大人になれと呼び掛ける。そして「劣等人種」の扱いには文明の進歩につれて段階があるという意見を展開する(もちろんコーエン自身は人種の差異を優劣で論じるという「偏見」には最終的に無自覚である)。「1. 社会が野蛮な段階、劣等人種を殺害する。2. 初期の工業段階、劣等人種を奴隷化する。3. 現代の、もっと慈悲にあふれた段階、劣等人種に対する差別をする。4. キリスト教的段階、劣等人種と友好関係をもち、向上させてやる」と列挙する。

しかも、コーウェンは、労働力をもった個人としてだけではなく、「アジア人」の人種としての生産物(宗教や信念)を締め出すことも損失だとする。その理由は文化の尊重ではなく、放置しておくと植民地が「先住民のマオリ族のトーテムや、ブッシュマンの呪医の呪術、アメリカ・インディアンの悪魔学に戻ってしまうかもしれない」という恐怖ゆえである。つまり植民地の文化レヴェルを維持するために、先住民より文化レヴェルが高く、肌の色で黒人より白人に近いとコーウェンが考えたアジア系に対する偏見を捨てて利用することを幅広く勧めている。ここでいわれているアジア系に、バーネットのテクストにある「浅黒い」インド人が含まれている可能性は高い。ただし、キリスト教以外では救済がないとし、聖書（「イザヤ書」）の枠組による融和を求める。

悪に対して抵抗しないというのは、難しく、厳しいが、何者にも打ち勝つ原理である。それが人種偏見の解決となる。もしもアジア人がこの偉大なお手本――劣等なものに対する優越感を得るためとか、優秀なものとの平等を求めるための戦いを止めるという――を模倣さえすれば、もし彼らが地に魂を投げうつことを学びさえすれば。

こうした自分たちの人種的な分限を知れとか左の頬を差し出せといった結語を述べるときに、コーウェンの利用する宗教的枠組が、歴史的なセポイの反乱のような事件や民族主義的な異義申し立てを阻止する政治的な役目を果している。最初は他の文化の意義を認めていたはずの議論が、いつの間にかすべてをキリスト教に一元化してしまうことになる。

インドは植民地とみなされ、なおかつ間接統治の実験場でもあったので、バーネットが『秘密の花園』でインドを取り上げ、自立していく女性としてメアリーを形象化したことには説得力がある。

しかも、女性の役割を意識する自覚的に行動するメアリーは、押えつけることで事態を解決しようとするメドロック夫人以上の成果をあげた。

このことは、インド総督のコーンウォリスが一七八六年から九三年にかけて行なった「自由放任（レッセ・フェール）」政策は当時は間違っていたが、成長して野蛮な段階を過ぎた現在では良いのだとみなす意見ともつながる。「自由放任」は「理性、正義、真理をつねに備えた唯一の政策」なので、文明化した段階にこそふさわしいとされるのである。主体化されたメアリーは、いわば過剰適応して、宗主国育ちの人間よりも自覚的に文明を守ろうとするのである。

植民地と宗主国の理想的な関係をなぞるのがメアリー・レノックスだった。もともと白人であるメアリーは、肌についた黄色を洗い落せて、ヨークシャーにいる間に健康になることでもとの白さを取り戻す。まるでイングランドの土地の力によって治癒したかのようにみえる。環境がメアリーに良い作用を及ぼしたと了解されたのだ。

ヨークシャーでの生活が「彼女はまったく気がつかないが、環境が彼女に思いやりがあった。環境は彼女が所有している美質を外に押しやり始めた。……彼女の肝臓や消化器に悪影響を与え、彼女を黄色くし疲労感を与える不愉快な考えが入り込む余地はなかった。」（二三八―九頁）こうした環境の力を前面に押し出した言い方で、メアリーの健康の回復は一応の説明がつくことになる。

【イングランドの病】

けれども、同じ病であっても、環境によって回復はしないと考えられるものがある。体内に原因をもつ遺伝病である。『秘密の花園』には「せむしのコリン」という表現で登場する。当時は遺伝病と考えられていた「くる病」を暗示するこの言説は、屋敷の一室にゴシック小説のお姫様よろしく閉じ込められたコリンを、社会内部から生まれた逸脱だと示している。

コリンの「象牙のように白い」身体をベッドに縛りつけているのは、じつは財産横領の可能性を秘めた医者の「誤診」のせいなのだが、コリンの父親そしてコリン本人は、せむし幻想を圧倒的に男性に発病する「血友病」のような自分たちの血の呪いとみなしていて、彼らの一族を呪縛しているのだ。こうしたコリンの表象には、イングランド内部において腐敗する血、弱体化する貴族の血の問題がある。一八九九年に始まったボーア戦争を機に露呈した弱体化する国民の力を回復するために、ロバート・ベイデン＝パウエルが「ボーイスカウト運動」を始めた動機ともつながっている。

この点に関しては、バーネット自身がすでに『小公子』で理想的な解決を示していた。母親であるアメリカ女性の血が入って、熱烈な大統領崇拝者だったセドリックが、フォントルロイ卿としてイギリスの貴族に接ぎ木されるためには、父親の血筋のみを重視することが必要である。そして母親から下層の血筋を吸収したと正当化される。セドリックは母親譲りの巻き毛が可愛らしい少年として描かれている。そうしたアメリカ女性の美質が、イングランドの貴族の血に吸収されたのである。『秘密の花園』で、仮にメアリーとコリンとが結ばれたのならば、弱体化する血の問題が解決するのかもしれない。

もっとも、ベッドに横たわるコリンがもうひとつ抱えているのは、ヒステリーという精神のレヴェルに関わる問題である。元来女性の病だと考えられてきたヒステリー（「子宮」に由来する）が男性のものとする新しい認識が登場している。コリンのヒステリーは「せむし幻想」に由来するのだが、彼のわがままな発作を止められる者はいなかった。誰もが手を焼くコリンのヒステリーを鎮めたのはメアリーだが、彼女のやり方は言語を暴力的に使うことだった。呪文のように「ヒステリー」という言葉を反復することで、コリンのせむし幻想を打ち砕いた。

もしこぶがあるって感じたなら、それって、ヒステリーのこぶよ。ヒステリーがこぶをつくるの。あんたの憎たらしい背中には何の問題もないのよ、ヒステリー以外にはね。ひっくり返って、背中を見せなさいよ。（一五二頁）

このメアリーの言説の暴力の結果として呪いが解けて、コリンは徐々に回復に向かうのである。では、メアリーがこのように言語を扱い「魔法」を操る力を吸収した場所はどこかというと、彼女が育ったインドと考えざるをえない。メドロック夫人たちでは解決できなかったコリンを正当な血統のなかにもどすことを、よそから来たメアリーが解決してしまう。それを支えたのは、境界侵犯的な言語の使い方をメアリーが習熟しているせいだった。

メアリー自身がインドで習い覚えた言語技術があった。インドでは、一般的にピープル（＝植民者）は絶えずネイティヴ（＝被植民者）の言葉を完全に模倣できるが、その逆の試みはいつも不完全だと前提されている。ネイティヴは植民者であるピープルの言語を模倣するが、完全に模倣はできないという前提がある。つまりネイティヴはいつも模倣に失敗する存在なのである。

植民地主義の関係において「ピジン・イングリッシュ」はありえても、「ピジン・サンスクリット」はない。そして、植民者側は相手の語る不完全な言語を理解してやらなくてはならない立場だというのだ。ピープルの側は、ネイティヴが必死に真似ているピジン言語そのものを模倣することもできる。大人が子どもの口調にあわせて「ブーブー」とか「ワンワン」といった幼児語で話せるように、ピープルはつねにバイリンガルと考えられているのである。

メアリーはマーサのヨークシャーなまりを聞いても驚きはしない。インドでの経験があったせいで、方言で話しかけられるのに慣れていた。「インドでは、ネイティヴは、ほんのわずかのピープルだけが理解できるさまざまな方言を話していたので、マーサがわからない言葉を使っても驚かなかった」（五六頁）。その一方でマーサが自分と会う前に、インドの「ネイティヴ」だと、果ては「黒人」だと思っていたと聞いてメアリーは激怒する。

ネイティヴだと思ってたなんて！　怖い物知らずね！　あんたなんてネイティヴについて何も知らないのよ！　連中はピープルじゃないわ。あんたに挨拶しなくちゃならない召使いなのよ。（二八頁）

はたしてヨークシャーの下層階級であるマーサが、メアリーの言葉のなかに出てくる「あんた」の位置を占める機会をもてるのかは疑問だが、ここで示されたメアリーが作りあげた「ピープル＝主人」と「ネイティヴ＝下僕」という対立は最後まで解消されることはない。彼女の性格が淘治されたという評価も、この考え方に支えられている。インド育ちの孤児が、ヨークシャーの貴族の生活にうまく馴染めたのは、ネイティヴの言葉を聞き取るというインドでの予行演習があったせいである。

しかもメアリーの場合は聞き取るだけではなく、さらに一歩進んで、ディコンや使用人に対してヨークシャーなまりを使用さえする。それが相手を喜ばすことだとさえ考えている。「彼女はヨークシャーなまりで質問しようとしたのは、それがディコンの言語だったからで、インドでは、ネイティヴの言葉を知っていたら相手はいつも喜ぶのだった」（九六頁）。これこそがバイリンガルのもつ優越感なのだ。外国人が「おはよう」というだけで、「日本語がお上手ね」と喜んで返答をするときと同じなのである。

メアリーにとってヨークシャーなまりを習得するのは難しくはなかった。メアリーの説明では、フランス語と同じ様に覚えればいいからなのだった。ネイティヴを喜ばせるための能力を誇示するメアリーは、明らかに有能な「メンサイーブ（奥様）」の資格がある。そして、相手のなまりを完全に聞き取り利用できることは、自分を一時的に相手の側に置くことでもあるが、そこから自由に離れることができるからこそ、優位でいられるのだ。

このようなピープルとネイティヴの関係は、植民地だけでなく、国内の階級社会においても発生する。ピープルとネイティヴの区別はお屋敷に住んでいる人とそれ以外という区別ともなる。それを庭師のベンの言葉が裏づける。「あなたがたピープルが知らないこったが、家の外では起きるんでさあ」（二五二頁）。つまり、もともと別の起源の言葉づかいが、ある歴史的な条件で結合し、ピープルとネイティヴという区別が、植民地支配と階級支配の双方で利用されているのだ。

【調停と再生の場としての庭】

こうしたピープルとネイティヴの対立を融和し調停するのは、題名にもなっている庭である。最初は荒れ果てて手つかずのまま、メアリーの目を避けていた庭は、コリンの母親が愛していた対象であり、その死とともに扉が閉ざされていた。この庭には問題設定がいくつも絡み合っている。草花を育てる庭園術の対象としての庭だけでなく、古典からずっと利用されてきた宇宙や政治の秩序を象徴するものとしての庭、コリンの母親の女性性と結びつく、閉ざされた場所、秘部としての庭がある。庭はインドには無かったものの一つとされている。だからこの庭の再生を通じてメアリーは結果としてイングランドのさらには西欧の文明を身につけていくことになる。つまり文学のさまざまな主題の発見の場となってきた庭というトポス（＝場所）が、『秘密の花園』という文学の形を借りて再生することを通じて、豊かな遺産とつながる可能性を発見する場となる。このテクストは、発見する場としての庭という古典的修辞学

『秘密の花園』アメリカ版のカバー。閉ざされた場所＝庭への入り口を覗き込むメアリーが描かれている。

のレトリックをうまく利用しているのである。

しかも、そうした発見の作業を自然に見せるために、ヒースの荒野と閉ざされた庭とは対比的に扱われている。舞台を同じヨークシャーを扱った『嵐が丘』に置きながら、その中央に隠れた形で『ジェイン・エア』の世界が接合されたといえるかもしれない。屋根裏ならぬ秘密の部屋に隠されているのは、狂女ならぬ病の幻想に苦しむ少年という違いはあるのだが。エデンの園とつながる失われた楽園としての庭を媒介として、人間関係や過去の行き違いが調停されて回復するのは、古くからある主題を変奏しているのである。

遠く離れたインドのことすら「挿絵のついた本」で理解していたと思ったコリンは、手近にありながら訪れたことのない未知の庭に出ていくことで、自分が将来継承する領地との一体感をもつ。これは『アルプスの少女ハイジ』を模倣しているが、コリンが歩行能力を回復する場所が、都会と対比された異郷の地としてのアルプスではなく、自分の「私有財産」であるミノワ屋敷である点が巧妙なのだ。コリンの自己回復は、結局は母から譲り受けた将来自分のものとなる庭を媒介にして、さらに父親がもつ外に広がる領地も含めた「本来のもの」を継承しただけとみなされるのである。

メアリーが庭師のベンやディコンの助けを借りて再生した庭は、ヒースの荒野とだけではなく、スイスとイタリアの境にあるコモ湖の景色とも比較されている。ヨークシャーの風土を嫌い、病気だと信じてしまったコリンを逃れた彼の父親アーチボルドは、コモ湖の秋の景色のなかで安眠ができ、体が頑丈になるように感じながら景色と一体となった夢を見る。ところがそのなかでリリアスという名のコリンの母親の声が「秘密の花園」へと誘う。

その声に急いで戻ったアーチボルドがコリンと出会う庭には、今年最後の花が咲き誇っている。「その場所には秋の黄金色、濃い紫、紫、燃えるような赤紫の草木が生い茂っていた。そして両側には遅咲きの百合が束になって立っていた。白や、白と深紅色が混ざった百合だった。」（二五一頁）この晩秋の景色が、コモ湖のピクチャレスクな光景に比べて、明らかに道徳的に優れた物と示される。つまり、ヨークシャーが美学的に優れたものとして把握されることで郷土への回帰が行なわれるのだ。

庭の所有者が死んでいることが、庭へ参入しやすくしている。結果として、家庭の守り手としてのコリンの母親の位置をメアリーが占める。しかもそうした操作を自然に見せるために、テクストはメアリー自身の母親と対比している。インドという熱帯にある土地が性的に放縦であるという神話に基づくように、メアリーの母親は社交好きで派手な性格だと描かれている。子育てにも興味がなく、「小さな子どもなど欲しくなかった」（七頁）とはっきり書かれ、乳母に任せきりだった。しかも、コレラが発生したときも着飾りながら「美形の若い男と一緒にいて、彼らは低い奇妙な声で話しながら立っていた」（八頁）とされる。この会話が性的な関係の暗示なのは間違いないし、メアリーの母親への道徳的非難がコレラによる死亡とつながったと読める。

メアリーが母親と同じ奔放な性格になるのではないか、という予想を封じ込めるために、彼女の性的成熟のようすは描かれない。けれども、成長において必要な事である以上、あくまでも病気からの回復と庭の再生に託されて示される。こうした置き換えがこの作品に児童文学としての清潔感と限界を与えている。しかも、コリンの母親が慈しんだ庭を引き継いだせいで、メアリーは母親的な役割を押しつけられるのだ。

実際メアリーは、コリンを父親アーチボルドとの和解へと導くのである。しかも、肝心な最終場面ではメアリーは登場せず、庭師のベンとメドロック夫人が見守るなかで、男たちが家系の連続性を確認するだけなのだ。ここまで彼女を主人公だと信じてきた読者は不意打ちを食わされる。クレオールであるメアリーの女性性は、ヨークシャーのひ弱な男性を回復させ、男性たちでは解決しない難問を解決するために奉仕しているにすぎない。それが「秘密の花園」という場所を示すタイトルがついた理由だろう。「メアリー・レノックスの冒険」ではないのである。

メアリーは、伝染病という負の面と、ダイヤモンドなどの富という正の面をもつインドの両義性を分離して、うまく都合良いほうだけをイギリス国内に運び込むのに利用されている。直接インドの要素がヨークシャーに入り込むのではなく、一度メアリーが吸収してフィルターをかけてから伝えるのである。しかも負の要素としての伝染病を生き延びたメアリーが、ベンを中心として子どもたちが魔法を作用させる際の「魔女」として、コリンの父親を呼び寄せる力を発揮したことになっている。

メアリーが自分のところにやってきた姿をコリンは「幽霊か夢だと思ったよ」(一三二頁)と述懐する。どうやら、たとえ黄色い顔が白くなったとしてもメアリーがジェンダーの境界を越えてコリンと触れ合うことは不可能なのだ。コリンの健康を回復し、男性性を回復させる力を与え、領地の隅々にまで支配権を浸透させるときにだけ都合よく呼び出される。インド育ちの彼女をうまく制御することで、ヨークシャーの名家の連続性が保持されるのである。

4　世界を体験する女性たち

【男装した旅人】

移動する女性が、場合によってはメアリー・レノックスのように、富や利潤ではなくて、技術の形で産物を持ち帰ることを期待されてしまうと、当然のことながらその移動は自由なものではなくなる。あらゆる場所での体験自体が、そのまま宗主国のシステムを支える可能性すらもつのである。たとえ主体が表面的に「複数化」していたり、「家庭」あるいは「国内」にいるときと、「外部」あるいは「国外」や「植民地」にいるときの自分に差異を感じたり、移動から生じる亀裂や違和感を抱いたとしても、そうした主体に入った亀裂を合理化する力が加わってくる。メアリーが、植民地主義の言説に回収されてしまったのは、健康になることを無条件に「善」とみなす枠組が存在し、彼女の行動をその方向へ囲み込むように作動したからだ。テクストは、彼女のヨークシャーでの体験を、インドでの体験を利用する場へと変えてしまったことによって、メアリーの体験自体を危険なものから脱しようと試みている。

空間の移動で獲得したはずの「体験」を、どのようにとらえ、評価するかが問題の焦点となるだろう。現代批評が示すように、テクストが現実を自然に模倣したものではなく、作り手によって構築された表象であるという見方を了解した後では、紀行文という形で体験を綴ったとしても、もはや体験をそのまま素朴に書き取っているとは考えられないはずだ。たとえ修辞法がまったくないように見える形のものであっても、まぎれもなく体験や過去を自然に見せるための修辞法が働いている。

「いきいきと描写されている」とか「息づかいが手に取るようにわかる」といった紋切り型の誉め言葉が示すように、情報を伝達するための媒介物やテクストに余計な雑音がないかのように加工されることで、透明性が高いように了解される。だが体験記であっても材料が取捨選択され、出来事が起きた順序とは関係なしに配列されるというプロットがある以上、これもフィクションに他ならないのである。

紀行文が体験をどのように取り扱うかを示す一つの例をあげよう。イギリスのヨークシャーに住んでいるサラ・ホブソンが、男装して「ジョン」と名乗り、メフィストフェレスと名づけたモーターバイクにまたがって七〇年代のイランを旅することに成功した。その体験をのちに『変装してペルシアを抜ける』と題した紀行文にまとめている。当時としては型破りだった彼女の旅は、どうやら現地の人間に変装してスパイ工作をし、最後にはバイクの事故で死んだアラビアのロレンスを真似ているようだ。

ところが、ロレンスと同じように変装したといってもサラの場合は男装の旅である。シェイクスピアの『ヴェニスの商人』や『お気に召すまま』といった喜劇の女性主人公も男装して旅に出るが、ドラマの約束事によって周りに正体がばれない。ところが、イランの男たちは、サラの変装した姿に疑いをもち、社会コードを逸脱しているように感じて仲間には入れてくれない。だから、男の姿にもかかわらず、男たちの助けを得にくい状況なので、彼女に近寄り援助してくれるのは女性たちとなる。そして、サラが男装しているせいで、女性たちとの関係は、ジェンダーのレヴェルでも単純なものとはならない。

そうした特異な体験の一つが、ペルセポリスを見るために、近くのシラズにたどり着いたときに起きる。宿の明りが読書をするほど十分ではなかったので、中庭にあるベッドで寝転がっていると、上の部屋の窓が開いて、ヴェールをかぶらず豊満な胸をした女と男が顔をのぞかせてサラの様子をうかがう。サラは彼らに社交的な笑顔を向けた。


三十分後、彼女はトランジスタ・ラジオとビスケットの皿をもって中庭へと来た。

「あんたアメリカ人？」彼女は変則的だけど鼻にかかった英語で尋ねた。

「いいや、イギリス人」

「あんたお金持っている？」

「それほどでも」

「あんた元気？」彼女はベッドの上にビスケットとラジオを置き、そうしながら私の腿に触ってきた。「あんた何歳？」

「二十三歳」

彼女は困惑したようだった。

「元気じゃないんだ」と私は言った。「去勢しているんで」

たちまち彼女は挑発的な位置にあった胸を元の位置に戻すと、家のなかに戻るために向きを変えた。

（モリス、三五二頁）

この体験自体は、イラン女性から暗に売春を持ち込まれたサラが交渉途中で断わる場面である。男装をしていたサラに声をかけてきた女性は、ヴェールをしないで、商品としての顔がもつ表層の価値をみせびらかせて誘惑する。彼女はひもらしい男と一緒にサラを売春の対象と認めたのだ。彼らに向けたサラの社交の挨拶は、あきらかに売春の誘惑への合意とみなされたのである。途中で相手の要求に気がついたことをテクストのうえでまったく感じさせずに、サラはあくまでも性行為をしたくないのではなく、不可能なのだと相手を尊重した断わり方をしている。つまり、相手の女性が売春の対象として不適格なわけではないという断わり方である。これが特異な体験となった理由を、サラはまぎれもなく女性であって、だから彼女が拒絶しただけだと理解したのでは済まないだろう。

そもそもこの交渉の会話が成立したのは、イラン女性が商売用の片言の英語を話したからである。運んできたトランジスタ・ラジオとビスケットは、あくまでも交渉を円滑にするための小道具だった。女性が使う片言の英語でサラに向かって国籍を問い、金銭を持っているかを問いかけたとき、サラはとりあえず演じている「ジョン」のままで返答する。このとき、男装していることは会話の妨げとはなっていない。

ところが「元気か」という肉体の状態への問いかけに、サラはまったく答えない。ジョンとして答えることが難しいせいだろうし、ジョンの背後に隠れているサラにとってはなおさら返答が不可能なのだ。イラン女性は、サラが年齢のわりに男性的な身体をしていない様子を不審に思い、身体の接触によって誘惑と触診を同時に行なう。胸をゴムの帯で締めつけ、髪の毛を短くして、男性に成りきっていた変装が、同性によってまさに身体的に露呈することを避けるために、とうとう最後にサラは「去勢」という身体の特徴をもち出すことで、それ以上の接近や会話を拒絶する。

サラはジョンとして生物学上の男性を偽ってジェンダーを構築しようとするせいで、売春をもくろむ女性が押しつけ同定しようとしている異性愛の男性というカテゴリーを否定することができない。だからサラは男性というカテゴリーを守りながら、性行為が原理的に不可能な状態である去勢した身体を装うことで、交渉そのものを決裂せずに回避することになる。つまり、サラは自分の女性としてのジェンダーを確認しながら演じているジェンダー上の男性を守るせいで、相手の女性に「女性だからできないんだよ」と自分の正体を告げられないという一種の宙吊り状態となっているのだ。

【英語という道具】

興味深いことに、ここでのサラの体験はジェンダーにまつわる箇所だけで終らない。交渉が決裂したイラン女性が置いていったラジオをつけると、イランの地元の放送に混じってＢＢＣの海外放送が流れてくる。正式な英語による「気取った声」が、『嵐が丘』のドラマを放送すると告げる。イランのただなかで、イギリス文学の古典が耳から入ってくる。そうした瞬間を支えるのが、放送技術とそれを送り出すネットワークを維持しているイギリスの文化政策である。無線つまり「ワイヤレス」と呼ばれるラジオが、電波を使って見えない形の想像の共同体を作りあげている。また、イギリスの文化政策は、地上で英語を普及するという形でも行なわれ、シラズには語学教師を擁したブリティッシュ・カウンシルが設置されている。

ＢＢＣの海外放送からサラが聞き取ったとして引用しているのは、アーンショーが、キャサリンとリントンをなじる場面だが、テクストはヨークシャーなまりの台詞をそのまま表記している。このとき、読者は一種の幻惑を感じるだろう。イラン女性の片言の英語が、綴りのレヴェルでは何の問題もないのに変則的とされ、「やつは知ってるさ（he knaws）」といった変則的な綴りが並ぶ台詞はなまってはいても、あくまでも自国の仲間の言葉だと了解されているのだ。

サラはヨークシャーなまりを聞き分けることができた。だが、何よりもイギリス本国から離れたところで、言語を媒介にしてサラは『嵐が丘』の世界とつながってしまい、自分の民族的なアイデンティティを再確認する。イラン女性からアメリカ人かと問われると、イギリス人だと答えたサラが、『嵐が丘』を媒介にしてさらに自己確認をするのである。

しかも、サラは宿屋の中庭にいたそのドラマの唯一の聴取者ではない。ラジオを聴いている彼女のところに男がやって来て、ベッドに並んで腰掛けてヨークシャーなまりで演じられるドラマを一緒に聴く。彼は「神の御加護がありますように」と気取った英語で正式な挨拶をする人物である。ドラマが終ってサラがラジオを消し、「よかった」と感想を述べると、「『そう、とてもよかった』とその男も言った。もっとも、彼は一言も理解できなかったのだけれど」（三五三頁）とテクストには書かれている。

『秘密の花園』のメアリーのように、『嵐が丘』のヨークシャーなまりを、サラは受容できたが、その男には何も影響を及ぼさなかったようだ。ラジオドラマを一緒に聞いた男がひとことも理解できない理由は、英語のリスニング能力なのか、ヨークシャーなまりの台詞なのか、ヨークシャーや『嵐が丘』が想像の外にあったのかはわからない。そもそも、本当に彼が理解していなかったのかも、サラの判断を越えてテクストから読み取れるわけではない。あくまでも個人の感想の範囲なのだ。

ひとつの体験を一義的には解釈できない。中庭で行なわれた売春交渉を拒否したサラの体験にも、たんに男装がばれるのを避けたというジェンダーのレヴェルとは別な解釈が可能となる。彼女の場合と対照的に扱われているのは、医者である夫から教わった英語を使うことができるマラケだった。男装がばれたせいで、サラはマラケと女性として会話をし、「ミス・ジョン」と呼ばれるほどまでになり、女性どうしの連帯を感じさせる親愛な関係を結ぶ。それに対して、同じ宿に泊まっていても、中庭の女性は階級も違うので拒絶されたのかもしれない。

【ペルシア幻想】

はたしてサラは、売春という行為を否定しているのだろうか。愛と憎しみを前景化する『嵐が丘』の場面が直後に引用されているので、恋愛を至上とする考えが確認されているようにも読めてくる。だが、イランつまりペルシア帝国の末裔となる場所が舞台であることで別の関係がそこに働いている。十八世紀の啓蒙時代以来顕著になってきたのは、おぞましさとあこがれの対象として、沙漠や「熱帯地方」の民族やその生活を性的放縦や逸脱と考えることである。キリスト教国が、一夫一婦制を採用して売春を制御しているのに対して、イスラム教国であるトルコやペルシアが一夫多妻制で、後宮をもち、性の自由があるとする偏見を作り出していた（ナスボーム、一七頁）。

サラ自身が男装という逸脱した位置を選び取っているにもかかわらず、そうした民族や宗教への偏見が作動して、イランの女性を売春婦の位置に置いて、自分を文明国や宗主国側の性的に制御された人間とみなして反発したとも思える。この瞬間に、サラは自分でも気づかないオリエンタリズムの偏見に荷担していたのかもしれない。

サラ・ホブソンはこうしたコミュニケーションの失敗に見える否定的な体験から何の利益も持ち帰っていないように見える。だが、自分の体験を書き記すことで、イランのなかで、男装という極端な形をとったサラが、「異性愛の女性」という自分を守り抜き、身体に何物の影響も浸透させなかったという記憶を再現しながら再確認しているのである。サラは男性としてイラン女性を相手にするという選択肢を、おぞましいものとして拒絶すると同時に、誘惑を上手に回避できたことを一風変わった体験として、ジェンダーとセクシュアリティの観点から蓄積する西欧の記録文学のアーカイヴに「症例」をひとつ加えたのである。

ただし、「体験」はこうした多義性、すなわち複数の解釈を許容するせいで、いつもあやうさをもっている。起きていることへの判断や解釈の根拠を形作るとともに根拠を崩す契機を秘めているからだ。つまり「女性としての体験」とか「イギリス人としての体験」とひとつの局面を強調することで、解釈を固定して「女性」や「イギリス人」というカテゴリーが自明であるかのように扱うと、結果として体験自体に含まれる可能性が限定されてしまう。

体験が言語で構成されているうえ、記述された体験は同時に反省を伴うことになる。もちろん倫理的な意味での反省ではなく、体験の構造への論理的な反省である。サラ・ホブソンの場合、彼女の体験を可能にしている前提に目が向かうのである。一種の境界侵犯としてバイクに乗って旅行することには、生産技術の裏づけとともに、バイクを維持しガソリンを補給する経済的な力が必要である。

そうした力を生み出しているのが、イギリスとイランの間の為替や経済格差であったり、当時のパーレビ政権が冷戦構造のなかでとっている第一世界よりの政策だったりするのだ。

しかも、イランの「国際化」のせいで英語が日常レヴェルにまで浸透していて、サラが意思の疎通を不自由しない程度に英語が話せる女性たちも存在する。だからこそ、片言の英語を使って売春をもちかける女性や、医者の妻のマラケのように夫から英語を学んだ女性が登場する。サラの体験を裏打ちしているのは、かつて大英帝国を支えたのとは異なってはいるが、石油などの資源を求めて入り込んでいるアングロ・アメリカにより英語が浸透して、世界の標準言語となっているのは、新しい植民地状況といえる。

サラはペルセポリスでペルシア帝国の遺跡を眺めながら、かつて紀元前に栄えた古代の帝国の記憶と大英帝国の末裔であるサラの主体が交錯する瞬間を記述する。回廊の浮き彫りをみて「エジプト人、アッシリア人、バビロニア人、アビシニア人がいる。加えて、インド人、アルメニア人、フェニキア人がいる」（モリス、三五三頁）と、民族の集結に驚嘆することで、そこに形成されている過去の帝国を想起していく。彼女は現在の旅人としてペルセポリスを歩き回っているうちに、なぜ女性が描かれていないかという疑問を抱くのである。

その答えとして引用されるのは「東洋では明らかに一般的なルールだったのだ」とするパーシー・サイクス卿の『ペルシア史』（一九一五）だった。逸脱を「東洋」というカテゴリーに押し込めてしまう引用によって、サラの疑問は解消されてしまうのだ。彼女は自分の体験をさらに分析して疑問を推し進めたり、他の体験と関連づけようとはしない。

紀行文を書くときにサラが引用した『嵐が丘』や『ペルシア史』は、彼女の体験を権威づけて、読者を英語が作り出す言説のネットワークに巻き込むのである。体験の記述をめぐるテクストの観点は、体験としての歴史を「自伝」としてどう記述するのか、さらには他者の体験をどう記述するのかという問題を突きつけてくる。そして体験とその記述がもつ二重性をあぶり出すのにふさわしい形式は、サラが採用した紀行文ではなく、メタフィクションであろう。これは、過剰な自意識によって、テクストが構築されたものであることを自ら暴露し、さらに機構を説明したり、あるいは操作や介入する手口を見せてしまう形式である（土田知則ほか、一八七頁）。メタフィクションは、私たちにとって自明に思えるものがもっている虚構性を、読者が了解しやすいように意識的にあばいてくれるのだ。

【歴史とメタフィクション】

歴史記述の問題をメタフィクションの形で追及したのが、児童文学の作家として有名で、主流文学へと転身を遂げたペネロピ・ライブリーの『ムーン・タイガー』である。一九八七年のブッカー賞を受賞したこの小説は、語りの構造のうえでも、問題設定のうえでも「書くこと」をめぐる自意識に満ちている。あきらかに「新しい歴史学」のようなマイクロ・ヒストリーに目をむける動向、あるいはフェミニズムが提起する女性の自伝といった流れを意識してライブリーは創作したと考えられる。

三人称の主人公でありながら、一人称の語り手でもあるのは、養老院で死にかけているクローディア・ハンプトンである。彼女は老齢の歴史家、というか「テクニカラーで描かれた歴史」と批評家にいわれる歴史エッセイの書き手である。彼女は娘のライザを生んだが、その父親ジャスパーとは結婚せず、自立した生き方を選択してきた。ユーゴのパルチザンの指導者であったチトーのことやメキシコの征服者コルテスのことなど、今まで他人の体験を書いてきたが、クローディアは自分が最後に描こうとしている歴史に関してはっきりとした意見をもっている。

世界の歴史、そうよ。その歩みのなかでの、私自身の歴史。クローディア・Hの生涯と時代。いやおうなしに、好むと好まざると、私が縛りつけられてきた二十世紀の切れ端についてよ。自分自身のことを自分の文脈でじっくり考えさせてほしいわ。すなわち、あらゆる事と無についてね。クローディアに選ばれたものとしての世界の歴史。つまり、事実とフィクション、神話と証拠、想像と記録。（ライブリー、一頁）

こうした決意のもとに死の床にあるクローディアが語る最後の歴史書がこのテクスト自体ということになる。彼女の幼い頃の思い出から、弟のゴードンや娘との関係、そして四〇年から四四年までのエジプト滞在中に知りあって戦闘中に亡くなってしまったトム・サザンとの関係が語られていく。ただし、語り手の歴史家は、もはやテクストの唯一性を信じない立場をとっている。娘の父親のジャスパーや弟のゴードンについての記憶も並列化している。

私の頭のなかでジャスパーは、断片化している。たくさんのジャスパーが、乱雑に、年代順に

並ばずに存在している。たくさんのゴードンがいるように、たくさんのクローディアがいる。（二〇頁）

しかも、テクストのなかで一人称と三人称が交錯する。この場合、過去の回想される主体と現在の回想している主体といった対比で使われているわけではない。語っているうちに三人称と一人称は自在に位置をかえる。そして歴史や歴史記述に関する考察がさまざまに介入してくる。もはや読者は安定した物語叙述を楽しむことはできずに、メタフィクションのなかに参加させられてしまう。

クローディアが歴史に関心をもつようになったきっかけは、十四歳のときにインドのセポイの反乱を習っているときだった。「歴史を学んで何かいいことあるんですか?」と問いかけたのに対する教師の答えは「なぜなら、イングランドが偉大な国家となった理由をあなたがわかるようにさせるためよ」というものだった。この教師がウィッグ流の急進的な歴史解釈を知らなかった、とクローディアは批判する。教師の考えは、「ルール、ブリタニア」の歌の文句のまま、つまり「ブリタニアよ、支配せよ」と激励し植民地主義を肯定するトーリー流の保守的なものだった。クローディア自身はそうした考えとは距離をとり、自分の体験を重ねあわせ、あるいは体験から学んだことと結びつけながら、学問ではなく歴史読み物として歴史を書いていくのである。

歴史における「私的なもの」と「公的なもの」との関係を重視するクローディアにとって、身体は両方がせめぎあう場所として了解されるのだ。なによりも、過去が刻み込まれたものとして彼女自身は意識している。

私の身体はいくつもの出来事を記録している。検屍をすれば、私が子どもを生んだこと、あばら骨が何本か折れていること、盲腸を取ったことがわかるだろう。身体への他の攻撃は痕跡を残さなかった。はしか、おたふく風邪、マラリア、化膿や感染症、咳や風邪、消化器官の発作といったものは。（一六六頁）

ここで、クローディアは外界からの影響を、身体に痕跡を残すものと、痕跡を残さないものとに分けている。

歴史を考える手掛かりとして、この分類は興味深い。彼女の身体に痕跡を残しているのは、すべて私的な体験として原因を特定化できることばかりである。子どもの父親が誰なのかはわかっているし、あばら骨に残った骨折の跡は映画のロケで俳優と乗った自動車事故でのけがのせいである。それに対して痕跡を残さないとされるのは、大半が他人からもらった流行病である。その場合、原因となった病原菌を所有していたのが誰なのかは特定できないし、性質上責任を追及することもできない。

現われては消えていく身体に襲い掛ってくる病は、体験がもつあやうさを示すのにうってつけである。傷口として残存する過去に対して、治癒したせいで痕跡を残さない過去なのである。ジャスパーは歴史が公的な領域に属するものだとクローディアに言ったが、それに対して彼女が示せるのはこうした身体がもつマイクロ・ヒストリーだった。

だから、クローディアが第二次世界大戦において、ナチスのロンメルの戦車隊と連合軍の戦車隊の戦いという局面を大きな物語として描かず、トムとの関係のなかで描きとろうとしている。クローディアは、瑣末なことに拘泥するように見えるが、戦場でイギリス人女性とアメリカ人男性が出会い恋をするというヘミングウェイの『武器よさらば』（一九二九）の設定を書き換え、戦争を背景としたロマンスとして吸収されないために、公的なものと私的なものが交錯する自分の身体を描き出すことにこだわるのである。

そもそも、『ムーン・タイガー』という題名は、燃え尽きて灰になる蚊取り線香の商標名から採られていて、身近な物の形象を通じて、そこにひとつの歴史を読み取ろうとしている。第二次世界大戦におけるエジプトという空間を描き出している。カイロは作者のペネロピ・ライブリー自身が生まれ育った場所であり、もうひとりの自分として彼女の体験を語り直しているのだ。

同時に、アラン・ムーアヘッドをはじめとした戦記や帝国戦争博物館の収蔵体を利用することで、意識的に再構築する姿勢を保っている。だから、少女のライブリーがいた時期を、クローディアが本国から滞在する大人として通過することになる。自分の知っていた時間や空間を別な角度から、しかも戦争とロマンスの舞台としてとらえ直すことは、物語作者のライブリーにとっては、クローディアが歴史について語るのと同じことである。

テクストのなかで示される一九四〇年代のカイロは、多言語が使用されている場所だった。政治経済上の交差点であり、過去と現在が同居している空間に、クローディアは歴史に対するひとつの見方を感じている。

その風景は、古代と現在が混じりあっていて、カイロのあふれんばかりの生活と符合していた。その都市では、あらゆる人種が出会っていて、あらゆる言語が話されていた。ギリシア人やトルコ人、コプト人やユダヤ人、イギリス人、フランス人、金持ち、貧乏人、搾取する者、抑圧される者みんなが、埃っぽい舗道の上を通り過ぎるのだ。（八八頁）

舗道の上を通り過ぎていく単一の言語に還元されない多くの人々という状況が、クローディアが歴史を見るときの中核となるイメージを作っている。

こうした場所の住人は、当然ながら家系も過去も複雑に入り組むことになる。移動してきた女性であるクローディア自身はヨーロッパ人だと自分を意識しているが、エジプトのなかで育ちながら自分を「エジプト人」とは確定できない人間もいる。たとえば、マダム・シャルロットという下宿先の女主人はフランス人だと名乗っているが、父親はレバノン人で母親は先祖が複雑な女性である。しかも、なんとシャルロットの母語はフランス語であり、その限りにおいては「フランス人」といえるのだが、彼女はアラビア語、ロシア語、英語も使って積極的に商売をしている。これだけ取り出すと多言語の状況が作り出したものが、肯定的にとられるかもしれない。

けれども多くの民族がひとつの場所にいる状況は、言語を使い分けるマダム・シャルロットのように積極的な人物を作り出すだけではない。テクストが対比的に示すのは、クローディアが戦後に訪れたナチスの収容所で会った強制労働者として連れてこられた人たちのなかのひとりである女性である。その収容所自体が、リトアニア人、セルビア系クロアチア人、ウクライナ人、ポーランド人、フランス人といった多民族状況にあった。強制されて作られた空間のなかでは、当然ながら同じ時期を共有していながらエジプトの場合とはまったく異なった歴史のきしみが存在する。

宗教対立があるエジプトにおいてでさえ挙げられていたユダヤ人がここに入っていないのも、民族を絶滅させるという「最終解決」を目指したユダヤ人収容所が別に存在したことを考えればあたりまえだが、逆にこうした不在が物語っている内容は決して軽いものではない。

だが戦争を生き延びた者であっても、その身体にはさまざまな過去の痕跡と痕跡とならずに消え去った過去が通過した記憶が残っている。

私は年老いた女性に話し掛けた。彼女に与えられた国籍はポーランドだったが、フランス語を話した。優雅な上流社会のフランス語だった。彼女はつぶれた灰色のコート、頭にショールを巻き、少し臭気がした。だが、彼女の話し言葉には、上品な家庭のなごり、カットグラスや銀食器のなごり、音楽のレッスンや女家庭教師のなごりがあった。(一三四頁)

彼女のポーランドからの移動がもたらした結果は、「昨日の世界」の喪失ばかりではなく、彼女以外の家族をすべて失わせることだった。そしてクローディアに向かい、見事なフランス語によって自分の体験を物語ることで、ふたりにとっての外国語が皮肉にも体験を伝える道具として機能するのだ。

【移動する女性たち】

現代の女性の移動において、ポーランド人の女性のケースは特異な例というわけではない。彼女を収容所での生存に傷ついた被害者として、あるいは歴史上の象徴的な例としてもちあげる必要はない。彼女が話すみごとな上流階級のフランス語が示すように、その言語技術はかつての富の裏づけがあり、時代や場所が異なれば、抑圧する立場にいたかもしれない。彼女が体験を物語る際の上流階級のフランス語を操る主体と、収容所のなかの老女という主体とが同居するのである。

多言語状況など女性のノマド的なあり方に対して、積極的に評価する学者のひとりはロージ・ブライドッティである。その主張は『ノマド的な複数の主体』（一九九四）という主著の序文で述べられている（ブライドッティ、一―三九頁）。ブライドッティ自身が、イタリアで生まれ、オーストラリアで育ち、パリで教育を受け、オランダのユトレヒト大学で教え、通過した言語をそれぞれ習得してイタリア語、英語、フランス語、オランダ語で論文を書いている研究者である。

こうした彼女ならば国民国家が作りあげた境界線を、自明のものとして受け入れるわけにはいかないことはよくわかる。「掛け橋を燃やさずに境界線を混乱させること」が目標だとする。境界侵犯的な動きに対するブライドッティの考えを形成しているのは、歴史のかわりに地理をもってきて、大きな物語に回収されないありかたを追及しようとしたドゥールズとガタリの考えによる。それをデジタル領域などに広げて『ポストヒューマン』（二〇一三）を著したのも不思議ではない。

ただし、こうしたドゥルーズとガタリによるノマド理解の背景には、沙漠やステップや氷河や海といった風景を「サブライム」として理解してきた伝統と結びついている危険性をカレン・カプランは指摘している（カプラン、九〇頁）。カプランによると、ドゥルーズとガタリが、脱領域化を目指したはずのものが、再領域化となってしまっているというのである。

歴史をもたないように見える沙漠の遊牧民の生き方に参加できるかどうかは、ジェンダーによる区別がある。そういえば、ライブリーの小説で、クローディアは沙漠に入れてもらえない。「沙漠は女のための場所じゃない」（一一八頁）というのが、彼女の上層部の意見だった。そのせいで恋人のトム・サザンと別々になり、彼は沙漠のなかの戦車にいるところを攻撃されて死んだのだ。つまりカプランの指摘通りに、サブライムを感じさせる光景として沙漠と沙漠の民を批評が消費するときに、ジェンダーによる区別が女性の参加を排除してしまう。

沙漠を舞台にした戦争である湾岸戦争で、アメリカ合衆国の女性が前線の兵士として入っていったことで、クローディアが感じたようなジェンダーの壁は越えられたように見える。だが、その場合でも、イラクの沙漠での多国籍軍による勝利を、パウエルという黒人男性の指揮官とブッシュという白人男性の大統領が吸収してしまったことを忘れてはいけない。とするならば、現在とれる態度は、ノマド的なあり方を絶対視することなく、さまざまなレヴェルでノマド的な方法を試みることかもしれない。移動が空間的な形で問題を解決してくれる、とみなして安心するわけにはいかないのだ。

第5章　ピグマリオンの系譜とプリティ・ウーマンの条件

1　イライザ創造

【ヒギンズ教授とフランケンシュタイン博士】

前章までで、分析に必要な問題設定は出揃ったので、この章では具体的なテクストでピグマリオン・コンプレックスが表出する瞬間を分析していく。その際に対象となるテクストのジャンルは、主に映画と文学になるが、両者の境界線ばかりでなく、それぞれのジャンル内で形成されている主流と伴流といった序列や敷居が疑われて侵犯されることになるだろう。

第1章で触れたように、私たちが向かうべきは、バーナード・ショーの演劇の『ピグマリオン』と、ミュージカル映画の『マイ・フェア・レディ』との関係である。その分析の作業を進める前に、手掛かりを示す映画に少し寄り道をしておこう。

その映画とは一九六四年に公開された『パリで一緒に』である。主演は『マイ・フェア・レディ』と同じオードリー・ヘプバーンで、往年の二枚目俳優のウィリアム・ホールデンが相手をしているラブコメディである。フランス映画であるジュリアン・デュヴィヴィエ監督の『アンリエットの巴里祭』

（一九五二）のリメイク作品でもある。ホールデンとヘプバーンは『麗しのサブリナ』（一九五四）でも共演していたが、その際の主役はハンフリー・ボガートで、ホールデンは三角関係の相手だった。

今回のホールデンの役は離婚歴がある中年の映画の脚本家で、ヘプバーンが演じているのは退廃的な生活と映画にあこがれてパリにやってきた若いタイピストである。締め切りが来たのに脚本家が一行も書いていないので、彼らはパリ祭（革命記念日）の前日二日間で脚本を作りあげていく。ふたりの合作といってもよい脚本では、登場人物たちは悲劇的結末を迎えるのである。ところが、現実世界のふたりはパリ祭の夜に、まさに映画のように夜の噴水と照明を背景にキスをする形で結ばれる。筋書きとしてはとくに新しくも珍しくもない。

けれども、これは一種の「メタ映画」となっている。脚本家とタイピストが脚本のアイデアを話すと、そのまま映画のなかに出てくる「映画」として具体的に映像化されて登場する。フェリーニなど多くの監督が挑戦してきたのと同じく、映画を作るという製作行為に絶えず自己言及しながら展開する映画である。そして、普通脚本を書くという行為や脚本そのものは、出来上がった映画のフィルムからは消去されてしまう。だが、ここでは意識的に創作過程を再現することで、映画製作の舞台裏を明かしながら、強引にハリウッド型の恋愛映画として成立させてしまう。

電話で脚本家に脚本を催促しながら自分はニースで遊んでいる、というアメリカ人プロデューサー役に、ノエル・カワードが配置されている。カワードは、俳優もするが『陽気な幽霊』（一九四五）などを書いたイギリスの恋愛喜劇の劇作家である。タートルネックを普及させるといったファッションリーダーでもあった。背景の異なる文化遺産を巧みにハリウッドが吸収した様子を物語る配役は、これまた凝った楽屋落ちともいえる。

『パリで一緒に』のなかで、脚本家が映画の物語創作の秘密を教える場面が重要である。映画関係の仕事に就きたいと望んで脚本家の清書用のタイプを打つ仕事をしているタイピストに教えた秘密は、『フランケンシュタイン』と『マイ・フェア・レディ』が同じ構造をもつことだった。イライザと怪物を結びつける示唆に、ヘプバーンの演じるタイピストの娘は驚いた反応を示す。

その後、彼女が『マイ・フェア・レディ』でイライザを演じたので、現在ではその台詞はアイロニーに響く。しかもミュージカルの舞台でイライザを初めて演じたジュリー・アンドリュースが、別の映画『サウンド・オブ・ミュージック』のマリア役を演じ、ヘプバーンに競り勝ってアカデミー主演女優賞をとった経過を知ったあとでは、ヘプバーンの挫折を暗示する呪われた台詞にも聞こえるのだ。『フランケンシュタイン』と『マイ・フェア・レディ』の構造的な類似性を理解するならば、ホールデンの台詞は異なって聞こえてくる。つまり、彼が演じる映画業界の先輩が創作の秘密を打ち明けただけでなく、映画の脚本作りを通して若い女性に恋愛を教え込む危険性を先取りしている。「一方はハッピーエンドで、もう一方はそうじゃなかった」という結末を予告している。

しかも、彼の主張によれば、ヒギンズとフランケンシュタインのどちらでもなく、アメリカから来た映画志望の娘にパリの魅力と恋愛を教える独身で人生の達人なのである。フランケンシュタインは男性による男性創造の不安を抱え、ヒギンズは女性創造の不安を抱えているが、そんな気配はない。こうした伏線が、ハッピーエンディングの恋愛喜劇を成立させるために必要となっている。

脚本家が台詞のなかで述べているヒギンズとフランケンシュタインという固有名には、どのレヴェルまで重ねているのかはわからない。ちなみに、ヒギンズは大学で教えているのではないアマチュア学者なので「教授」でなくて、プロフェッサーというのは「先生」くらいの意味だ。また、フランケンシュタインも学生であって、博士号を取得したわけではない。だが、それぞれ学者として専門分野の能力は優秀だが、人格に問題ある人物（マッド・サイエンティスト）として扱われてきた。

脚本家という設定だから映画が言及された可能性が高い。さしあたりの候補は、一九三八年の『ピグマリオン』と、ボリス・カーロフが演じた怪物で有名な三一年のジェイムズ・ホエール監督版の『フランケンシュタイン』だろう。しかも、フランケンシュタイン映画はその後も連綿と作られてきたので、記憶に残りやすいはずだ。『マイ・フェア・レディ』は一九五六年に開幕したブロードウェイ・ミュージカルの舞台をいっているかもしれない。

それとも、メアリー・シェリーの小説やショーの戯曲まで遡るのだろうか。それぞれの原作となった作品を読むと、映画やミュージカルと異なり、怪物がフランス語を巧みに操る知性豊かな存在であり、ボルトを埋めるような特異な容貌をしていないとか、イライザが去ったあとヒギンズが自嘲めいた高笑いをして敗北で終ることがわかる。脚本家の台詞が効果的に作用したのは、すでにこの時点で、複数のテクストから構成された「ヒギンズ像」や「フランケンシュタイン像」があり、その対となる「イライザ」や「無名の怪物」にも一定のイメージが付与されていたせいである。『パリで一緒に』を観た当時の観客にも納得できる要素があったのだ。

【発音矯正と音声学】

『マイ・フェア・レディ』は、映画版、ブロードウェイのミュージカルの舞台を経由して、ハリウッドの恋愛喜劇映画として成立している。ミュージカルを売り物にするMGMという映画会社は、ジョージ・キューカーという女優を撮るのがうまい監督をもってきて、巨大なセットを組んで二十世紀初頭のロンドンを再現した（舞台だけでなく一九三八年の映画の冒頭に対抗しているのは間違いない）。ハリウッドの恋愛喜劇映画として、『ピグマリオン』は何かを消去しなくてはならなかった。

劇の『ピグマリオン』がもっていた可能性が、後から来た作品によって、書き換えられたり隠蔽されるのだ。年代としてはのちに位置するミュージカル映画が行なっている操作を明らかにしながら、それを参照点として『ピグマリオン』というテクストを振り返ることにする。

二つのテクストを比較した場合に、決定的な違いが現われるのは、舞踏会での成功からヒギンズたちが帰ってきて祝杯をあげた後からである。もともとイライザは、路上の花売り娘から、上流階級相手の花屋をもちたいというステップアップを望んで全寮制の「会話学校」へと入ったわけだ。大使館での舞踏会は卒業試験だったわけである。学校という社会装置が社会へ人材を送り出す制度であるなら、卒業はつきものだし、社会という実践の場へと進出する必要があるはずだ。本来なら学校にとどまるわけにはいかない。

しかも、イライザが受けたような技術訓練として、「音声学」と称した発音の矯正自体は映画や演劇において珍しいことではない。演説をする必要のある政治家や企業の経営者、それにトーキー映画に切り替わった後の俳優や、オペラ歌手まで必要である。そもそも『マイ・フェア・レディ』が属しているミュージカル映画というジャンルが成立したのも、映画が俳優の音声をもつようになったせいである。台詞が映し出されるカットが消えた結果、手紙や看板といった例外を除いて、映画から文字のクロースアップが排除されたことで、スピード感が増した。

トーキー第一号とされるアル・ジョルスン主演の『ジャズ・シンガー』（一九二七）が、黒人に扮装したユダヤ人による歌や踊りを売り物にしたミュージカル映画であったのも当然だった。その結果、それまで美貌や演技だけを売り物にしていた俳優たちが、発音やアクセントに難があると矯正されたのだ。この映画史上の大きな転換の様子を自己言及的なミュージカル映画に仕立てたのが、MGMによる『雨に唄えば』（一九五二）であった。

デビー・レイノルズが演じるヒロインにとり、配役をめぐってでも恋のうえでもライバルとなるスター女優は発音に難がある。そこでヒロインはスター女優の吹き替えを担当することになった。先取りしたスター女優の映像と音楽に合せて、ヒロインの声がかぶせられるのだ。アニメーションなどの吹き替えの要領である。試写会で、その技術的なからくりが露呈し、ヒロインが恋と配役を手に入れるきっかけとなる。ヒロインとスター俳優である恋人が技術に荷担することを逆手にとって、相手を暴くことになる。

歌の吹き替えというミュージカル映画のやり方は、ほかならない『マイ・フェア・レディ』でも起きている。イライザが歌う曲目のいくつかはヘプバーン自身の声によるが、「踊り明かそう」といった歌い上げる曲は、吹き替え専門の歌手マーニ・ニクスンの声になっている。だから、『王様と私』（一九五六）のデボラ・カーも、『ウエストサイド物語』（一九六一）のナタリー・ウッドも、ここでのヘプバーンと同じ声で歌っているのである。

つまり、発音ではなく、声の高さや歌の技術というレヴェルで、ヘプバーンはイライザよりも激しく矯正され、さらに訂正されてしまった。しかも丁寧なことに、一度は全曲を録音させてもらいながら、その声は寸断されてしまった。なにしろ「ヘンリーヒギンズくたばれ」という曲では、ヘプバーンとニクスンの二人の声が縫合されたのだ。曲のなかで、低音を使う部分はヘプバーンだが、高い音になると歌い手がニクスンに交代してしまう。

サイレント映画においては、文字を差し替えるだけで全世界に流布したのに、映画が声を獲得した途端に、同じ言語を共有するものだけを対象にしたメディアとなってしまう。トーキー映画は音声を媒介にして、狭苦しい原語主義というナショナリズムと結びついた。外国のスターが招かれて、吹き替えをしてもらった場合を除けば、英語をしゃべれない人間は、ハリウッドで俳優の仕事は獲得できないだろう。

現代のハリウッドの映画俳優で自分の声を確立していった例はオーストリア出身のアーノルド・シュワルツェネッガーだろう。ボディビルで鍛えた筋肉美だけでは、往年のヴァレンチノのような人気を獲得することはできなかったのだ。『ターミネーター』（一九八四）の未来から送られてきた感情のない殺人機械、あるいは『レッドブル』（一九八八）の無表情なロシア人といった役は、シュワルツェネッガーの鋭い容貌とともに、アクセントが強く残る英語自体が「よそからアメリカ合衆国にやってきた他者」を演じることに利用されている。

発音が矯正されてドイツ語のアクセントが消えていくにつれて、当初のアクション中心の戦闘マシーン以外の役が、回ってくるようになってきた。自らの姿を重ね書きすることで訂正した『ターミネーター2』（一九九一）では、殺人機械が人間を助け心を通わせるように見える瞬間を演じるようにまでなり、同時に『ツインズ』（一九八八）のような台詞主体のコメディにも主演している。シュワルツェネッガーは「正しい」英語の修得によって、幅広く演じられるスターとなったのだ。そしてカリフォルニア州知事にまで上り詰めたのである。

イライザの場合は、すでに獲得した職業を失う危険を避けるためではなく、新しいチャンスと可能性を求めて、授業料と自分の体を言語教育や訓練へと投機したのである。忘れてはいけないのは、イライザは、自分の貯金からヒギンズに授業料を払う契約をし、花売りという現金収入の道を断ってまでヒギンズの個人授業を受けていることだ。決してヒギンズの慈悲にすがっているわけではない。そうした言語獲得の姿は、現代の日本の労働者が貯金を元手に欧米やアジアへ語学留学を選択するのと似ている。現在の職業や地位を確保するための資格ではなく、新しい自分の関係を模索し獲得するために、異る言語を修得するわけである。

だが、その結果イライザは元いた場所に戻れなくなってしまう。この事情を示す台詞は映画では削除されていたが『ピグマリオン』にはっきりと示されている。「あなたは、こう言っていたわよね。子どもが外国に連れていかれたら、数週間でそこの言葉を覚え、自分自身の言葉は忘れてしまうって。そうよ、わたしは、あなたの国にいる子どもなんだわ。自分の言葉を忘れちゃったのよ、あなたの言葉しか話せないの」（第五幕）とイライザは訴える。変身をしてしまったイライザは、もはや帰る場所を失ったのである。

【ハッピーエンドへの仕掛け】

イライザが「標準英語」を学ぶために入り込んだ「家」が、結局は学校ですらなく、言語学の実験室以上ではなかった。そのせいで、家でくつろぐ状態の象徴となる自分のスリッパを探しに来たヒギンズに、イライザは怒りをぶつける。ピュグマリオンとガラテイアの立場の違いから、両者が激しく対立した後、イライザは家出をし、結局ヒギンズ夫人の家へと逃げ込む。大筋において『ピグマリオン』も『マイ・フェア・レディ』も変わらない。

映画のテクストは、この場面で対決を強調しているが、ハッピーエンドに向けた重要な伏線を挿入していた。舞踏会での成功は、あくまでもアスコット競馬場での失敗から学んだ結果とされる。不眠不休の特訓の果てに、イライザはいくつかの挨拶の言葉と「スペインでは雨はおもに広野に降る」という印象的な言葉を覚えただけで、性急なデビューをさせられる。

ヒギンズはアスコット競馬場にある母親のボックス席をデビューの場と指定し、自分の趣味にあわせて仕立てた服装までさせる。だが、イライザは競馬の最中に大声で「下品な」声援をして周囲の失笑を買い失敗してしまう。興奮のあまり発露してしまった声や言葉が見かけの装いを裏切る。

イライザが着ている服は、ヘプバーンの身体に合せてセシル・ビートンがデザインしたものだ。『ヴォーグ』のデザイナーで写真家でもあるビートンが作ったのは、白と黒の色だけでできた派手でいわば下品な服装である。周囲の視線が「世間体（リスペクタビリティ）」を基準にしているときに、そこから外れる言動をすることは、排除することで自己確認と団結を保つ論理の標的となる。アスコット競馬の初日が、あくまでも社交の場であり、支配階級の相互確認の場だとすると、社会コードを破り、アスコット・タイもせずにジャケット姿で登場するヒギンズと同じように、イライザは最初から外れてしまうことになる。

舞踏会でまたデビューの試みが反復される。画面は巧妙につながれ、ピカリングの台詞がつなぎとなって、時間の飛躍を覆い隠す。競馬場での失敗に失望して、成功を期待する観客の要求にこたえるように場面は連続して配置されている。もはや特訓の様子が見せられることはないのだ。競馬場で着た装飾が多い服装に対して、大使館の舞踏会という設定もあって、イライザ＝ヘプバーンの服装はあっさりとしていて、体の線を強調したハイネックの衣装である。アップにした髪のせいで、イライザ＝ヘプバーンはますます長身に見える。今度は見かけが地味だが、それだけ中身を強調するファッションである。そして、それに応じるように今度はヒギンズも正装してイライザをエスコートする。

舞踏会で成功したあと、イライザがいらついた直接の理由は、スリッパの管理ではない。ヒギンズとピカリングの男どうしが自分たちだけで成功を祝って、イライザの労をまったくねぎらわない事にある。イライザ自身も同じ試練を戦ったジェンダーや階級を越えた仲間だと思っていたのが、結局は賭の対象であり、多くの努力に耐えてきた生徒以上の気持があきらかに無視されたことに気がつく。そして、追い討ちをかけるように、誰か金持ちと結婚したらと勧めるヒギンズに「前は花は売ったけど、体は売らなかったわ」とイライザは抗議する。ところが、その真意はヒギンズに理解されず、結局彼に貰った指輪を捨てて彼女は外に出ていく。この行動は彼女の運命の分岐点のはずだった。

だが、映画はこのあとから独自の操作を始める。外にはフレディがストーカーのように待っている。

愛を告白するフレディに、イライザは証拠を見せろとせまり、さらに思い余ってテムズ川に飛び込んで自殺したいとまで言う。これは映画のテクストが作り出している、イライザが動き回る境界線の限界である。結局タクシーを呼びとめてもらって、イライザはコヴェント・ガーデンの青果市場を訪れる。きれいな外出着を着て、矯正した発音を駆使する彼女の姿を、「イ」の音が抜けたライザという愛称をもつかつての仲間だと識別できる住民はいない。家を出て行き場を失ったイライザが下層階級に対してもっていたノスタルジーが見事に切断される場面となる。

さらにもう一つの切断として、イライザの動きを封じるために、父親のアルフレッドが登場する。内縁の妻と中産階級にふさわしい結婚式をする前夜の宴会をしているのだが、父親は困っている娘を救済するのではなく拒絶して、自分の力で生きていけと言う。これは『ピグマリオン』ではもっと後のヒギンズ夫人の家を舞台にした第五幕で登場するのだが、場面を前倒しにしている。しかも、劇では父親はイライザを結婚式に招き和解しようとするし、ヒギンズを残してみな教会へでかけて行く話になっている。

ところが、『マイ・フェア・レディ』の方には父による娘の拒絶が明確である。つまり、父親が正に今作り出そうとしている「新しい家」にイライザの居場所はない。だがイライザは、少なくともだれか男性によって、「娘」「妻」「母親」「未亡人」といった関係を証明してもらわないと生きてはいけない。なぜなら、ひとりで生活している女性は、売春婦や愛人といった「不適切な」状態にあるとみなされるからだ。

さらにヒギンズへの回帰を正当化するために、イライザへ接近する異性を明確に排除する必要がある。映画はフレディをあくまでも狂言回しとして使い、愛の告白に対する彼女からの拒絶後は一転して、イライザの親衛隊にさせる。彼女の手を支えるという儀礼的な行為を越えた身体的接触すら極力避けながら、映画が行なっているのは、イライザに青果市場で過去と切断させ、結婚式前夜の大騒ぎをする父親と対面させることだ。こうして、『ピグマリオン』がもっていた悲劇への傾斜を妨害し、恋愛喜劇として救済するためにいろいろな要素が意識的に構成される。

だから、映画ではイライザは逃げ場を失い、とるべき道はヒギンズの家に帰るほかなくなる。小道具だったスリッパをもう一度最後に引用して、「家庭にいる妻」が夫のために整えるべきものとして機能させる。映画の最後で、照れ隠しのように帽子で顔を隠したヒギンズの背後にイライザが立つことで終るが、このあと彼女がスリッパを履かせて隷属すると暗示されて終るのである。これ自体がショーの脚本による一九三八年の映画での変更を踏まえているとはいえ、ハッピーエンドへの要求は強いものだった。

ジョージ・キューカー監督による映画版は、ミュージカルの舞台版すらこえて、映画の技法を駆使してテクストを一つの結末へ追い込んでいく。クレーンを利用した縦横無尽なカメラワークを使い、群衆の動きをさばきながら、結婚という予想される結末に向けてすべてを組織している。その場合に有効に機能しながら、介入と改ざんしたテクストの裂け目をつないで見えなくする美学的装置がある。ミュージカルというジャンルだからこそ可能な歌と踊りの連鎖である。そして、家のなかばかりでなくコヴェント・ガーデンやアスコット競馬場までもいかにも作り物といった感じを残しながら、すべてをスタジオのセットで撮影することで映像も音声も完全に制御されている。

結果として、台詞と所作では不可能な場面の結合を作り出していく。まず、フレディが窓辺でセレナードとして歌う「君住む町」があり、イライザがフレディに真意を尋ねる「見せてよ」を歌う。そして極めつけは、独身最後の夜を祝う父親が、パブに集う男性たちや店で働く女性たちの群衆と一緒に歌う「結婚式の鐘が」という、地獄行きのカウントダウンをしながら逆説的に結婚をたたえる歌と踊りが続く。最後にアルフレッド・ドゥーリトルは仲間の男たちに横倒しで肩に担がれ、シルクハットを腹に載せて花を添えられるという葬式の格好のまま教会へ運ばれていく。

こうした一連の場面は、映画で表象されることがないヒギンズによるイライザへの求愛から結婚式までを、想像的な形で実践している。担い手をかえて行為を分散して置き換えながら現わしているとも見える。少なくとも、観客がこのテクストで見ることがない求愛儀式や結婚式への盛り上がりを、代りにここで体験しているともいえる。これはすでに言及した『パリで一緒に』で、脚本家が自分の脚本のなかで恋愛の場面をそっくり代弁させせているように、置き換えが起きているとみなせるはずだ。

映画のこの箇所に対応するのは、『ピグマリオン』では第四幕の後半に当たる部分だが、バーナード・ショーによる処理はまったく異なっている。イライザが外に出ていくと「君は最高だ」と言ってフレディがイライザを抱き締めてキスをする。ト書きはふたりの状態を冷ややかに記述する。「彼はまったく自制心がなくなり、彼女にキスを浴びせかける。彼女は、慰めに飢えているので、それに応える」。いささか唐突なかたちだが、映画とは異なり具体的な身体接触をともなったフレディとイライザの抱擁が舞台上に出現することになる。これは、いわば映画とは逆に両者のロマンスがはっきりと姿を現わす瞬間であろう。

ところが、前景化された二人の抱き合う姿は祝福を受けない。すぐに夜間の巡回をしていた警官が介入してくる。つまり、路上でのキスと抱擁が取り締まりの対象となるのである。これは、夜間に浮浪者や、不法な売春婦がいないかをチェックするのが目的である。フレディは、「婚約したばかりなんだよ」と、その警官を立ち会い人に仕立ててしまう。しかも丁寧なことに、これは別な警官によって繰り返される。

客を誘うためにタクシーが停まるが、フレディは金を持っていないので、イライザがピカリングから貰った金を出すことになる。つまり、イライザの家出を救うのは「他人のお金」という皮肉な結果になるのだ。そしてここでの関係が、フレディを養うために、音声学を教えるという彼女の決意を生み出すことになる。つまり、彼女は今度は自分の「ガラテイア」を発見したともいえる。

【独身者の砦】

『ピグマリオン』には、挫折した小説家であるショーの手になる、幕を降りてからの「その後」という部分があり、登場人物の運命が書かれている。この部分を故意に省いて通読するならば、イライザとヒギンズを結びつけることが不可能に感じられる理由は、最後の部分の台詞にだけあるわけではない。「それじゃ、二度とお会いすることはないでしょう、教授。さようなら」と言うとき、「したくない（will not）」ではなく「ないでしょう（shall not）」を使って客観的な未来として冷ややかに述べる台詞は、声を制御して意志を押し隠したというよりは、かなり明確な別れを告げている。それから本当に最後の台詞である「私がいなくてあなたがどうするのか、私には想像もできないけど」は、明らかに決別を示している。ヒギンズとの連帯は不可能といってもいい。

イライザに拒絶される寸前に、ヒギンズが目指したのは「バチェラー」すなわち独身主義者の男性によるホモソーシャルな関係である。フレディとの結婚を選ぶイライザに代案として示したのが、「友情」という名前をもつ友愛関係にほかならなかった。「君と僕とピカリングは、たんなる二人の男とひとりの馬鹿女のかわりに、三人の親しい独身主義者になれるよ」とそのヴィジョンを示す。しかも、ホモソーシャルな関係は、異性愛と矛盾するわけではなく、むしろ別の現われ方をしているのだ。

ヒギンズはそこから抜け出して、フレディやアルフレッド・ドゥーリトルのように結婚に向かうつもりはない。それは、ホモソーシャル体制が異性愛体制でありながら、ミソジニー（女性嫌悪）とホモフォビア（男性同性愛嫌悪）に彩られ、「男性」というジェンダーを強固に守るものだからだ（大橋、一二一―一二頁）。だから、イライザが「独身主義者の男性」になってくれたのなら、喜んで仲間として受け入れるというのだが、こんなひとりよがりの願いがかなうはずもない。

さらに、ヒギンズがイライザとの結婚に向かえない理由は、彼の「フェティシズム」にある。この劇の第五幕で、ヒギンズが「君の声や姿に慣れてしまったんだよ。どっちも気に入ってるんだ、結構」と、イライザの身体の一部に対して執着を示すのに、「どちらも、持ってるでしょう。あなたのグラムフォンや、写真帳のなかに。私がいなくてさみしく感じたら、機械を動かせばいいんだわ。機械なら傷つくような感情をもってないもの」と応じる。ヒギンズが機械を通して人間の行動を断片化して偏愛するフェティシズムへの嗜好をもつことをイライザは暴露する。グラムフォンすなわち録音機とカメラが、ここでは相手を所有できる形に矮小化し、独身者を慰めるための機械として働いているのだ。

ヒギンズが、ピカリングたちとホモソーシャルな関係を築くためには、機械や書物に囲まれた空間が必要であり、この外へと出ていき新しい家庭を作ることなどできないのだ。ヒギンズとピカリングをつなぐ「音声学」だけでは、イライザとの連帯が失敗したとしても、イライザがフレディを抱えて音声学教授となることで、対等な立場でヒギンズたちとつながる可能性がありえたのかもしれない。だが、そうすると、イライザの先には、技術を売るという、アマチュア学者のヒギンズが嫌う「商業主義」が待っているのである。ロンドン市内に家を構えて不労所得で生計を立てているヒギンズには、結局物質としての花であれ、抽象的な技術や知識であれ、売ることによってだけ生活が成り立つイライザのことは理解できないのだ。

2 ミランダの系譜

【女性創造の矛盾】

ヒギンズがイライザの発音や動作を訂正するために写真や録音機といった技術を利用することは、相手を断片化して「所有」する衝動を隠しながらも、「教育的矯正」というカテゴリーに組み込まれることでその行為が正当化される。監視をするためのカメラ・アイの精度は、使用される技術の進展が限界を広げていくのと、知りたい領域を広げ深めたいという欲望が相乗して高まっていく。カメラ・

アイが入り込む範囲がしだいに拡大し、顕微鏡的に細かい部分にまで潜り込み、肉眼では把握できない短い時間での出来事も把握されていくのである。

結果として、心臓の収縮音から図書の貸出カードの記録まであらゆる物理的な痕跡が「徴候（サイン）」として読み取られ、ファイルのなかに集積されていく。二十世紀末のデジタル化によってそれは広範囲の対象となった。その読解作業は監視を意図しなくても、患者の心臓を守るという名目から、市民の思想を守るという名目まで、正当な理由が立てられることで、監視へと変貌する。二十世紀初頭の中産階級において「検閲ではなくて制限」という考え方が確立したことを、ジャネット・ステイジャーはアメリカの映画の分析を通じて明らかにした（ステイジャー、四―五頁）。

しかも互いの記録が組み合わされ、記録が連結されることで監視のネットワークが出来上がってくる。人間の行動を微分化することを通じて、さまざまな行為や運動を存在の状態として記述できることになり、それまで以上に多量の情報がアーカイヴ（収蔵体）のなかに蓄えられ、「プロファイリング」されるのだ。ビッグデータとプログラムにより自動的に行なわれる作業なので、そこに古典的な監視人の姿を見つけ出すことは不可能である。ネット広告でわかるように、あらゆる記録機械が、そのまま監視機械となる。

こうした制御と監視の技術の「進化」のなかで、ピュグマリオンの扱いは変わっていった。最初、ピュグマリオン神話は、自らの理想とする創造物に生命を与え配偶者とするために行なう芸術変容のモデルだった。もちろんそこでは非生命が生命となり、人形が人間となるのである。こうした変化は不可逆的でもないし、原因と結果を結びつける因果性を保証する第三項として美の女神が登場して権威を示している。ところが、変容の媒体であるアフロディテを放逐してしまい、芸術という名の個人の技術にすべての変化の原因を一元化することで、別の段階へと入っていくのである。

生命を作り出すのではなく、すでに創造が完了した自分と同じカテゴリー内のものを淘冶し加工する、という教育へ重点を置く「ピグマリオン・コンプレックス」へと変貌を遂げた。他者を認識することと他者の行動を一定の範囲に制御することは、理想的な他者をつくり出すために必要な作業だ、として結びつきが正当化される。しかも、対象であるイライザのような他者の側が自分で望んだ行為だとみなされるのだ。

その点からすると、『ピグマリオン』で起きていることは、技術を動員して男性側から行なった教育だったが、彼らの当初の目的を達成した瞬間に裏切っていく様子が描かれ、男性側からすると失敗を物語るテクストだった。ヒギンズによるイライザの教育は、主として階級上昇のためにイライザが望み作り出そうとした自己形成と、階級にあわせたジェンダーの構築が目的だったはずだ。

ところが、ヒギンズが緻密に教育を行なうほどに、独身主義者が理想の女性を作り出すという難問が生じてくる。彼が属している異性愛体制が女性に対して抱いているのは、女性を嫌悪しながらも必要とする、という二律背反的な態度で、結婚願望をもつイライザのなかに簡単には制御できない領域を作り出してしまう。いわば流れのなかに、あるきっかけで小さな渦ができると乱流が生じるようなものである。

だからこそ、劇の最後でヒギンズが、完璧な女性を作りあげたと自慢して仲間になろうと求める瞬間に、ジェンダーの差異が彼の試みを拒絶してしまったのだ。イライザ自身に入り込み、彼女がもつ思考枠を揺るがす要素を、排除したり遠ざけておくことがヒギンズにはできない。イライザはヒギンズばかりでなく、ピカリングやフレディやピアス夫人やヒギンズの母親からさえ、さまざまなことを習得できるのだ。

そうした危険性が予測できるなら、邪魔な要素を排除するために、相手を狭い空間に閉じ込めて教育するという考えが出てくる。原理的には、たとえば『あしながおじさん』に登場した、ジュディが暮らす女子大生の寮が目指しているのも同じである。彼女のテクストからは教師の存在が奇妙なまでに消去されているので、女子学生どうしが自立して暮らす話にも読め、寮自体が一種のユートピアのように思えてくる。そこで暮らしている人間は、閉じ込められているという感覚はもちにくい。

ただし、ジュディの住んでいる寮は、イライザが住んだウィンポール街のヒギンズの住居兼実験室と同じく、外部の社会へと開かれているし、さまざまな形を通して組み込まれてもいる。外出も制限されていないし、手紙による外部との接触があるばかりでなく、男子学生とのダンスパーティまで待ち構えている。そうした隙間へとあしながおじさんは入り込むことができるのだ。

【テンペストのミランダ】

寮や実験室のようないわば開かれた密室に対して、完全な密室に閉じ込めることで若い女性に対する教育に成功したテクストは、十七世紀のシェイクスピアによる『テンペスト（あらし）』だろう。このシェイクスピア最晩年の傑作として有名な作品を参照すると、肉親のあいだでの教育という問題設定が浮び上がってくる。

『テンペスト』のヒロインであるミランダは、イライザのような階級上昇の欲望も、ジョディのように小説を書くことでジェンダーの境界線を越えようとする課題ももっていない。そもそも物心ついた頃から彼女は父親とだけで育ってきたのだ。最後まで登場人物たちのジェンダーは安定していて曖昧さを生じないように見える。人種やジェンダーの境界線を曖昧にするような行為は露骨に制御され、しかもそれに逆らう要素は少なくとも劇の表面には存在しない。

『テンペスト』において、ヒギンズの位置を占めるのはプロスペロである。彼はミランダの父親でなおかつ島の王である。彼は王位を追われたミラノ公国の元領主で、ひとり娘であるミランダと、おそらく大西洋と地中海が想像的に交錯した場所にある島で暮らしている。プロスペロは魔術で引き起こした嵐によって、自分の仇敵たちとミランダの結婚相手となるナポリの王子ファーディナンドを、その島へと呼び寄せる。若者ふたりを結婚させてしまうことで、復讐を宙吊りにしてしまい最後に全員が和解することになる。プロスペロは自分の名誉を回復し、次の世代による新しい家庭の形成を国家の安定と結びつけてしまう。

この物語が、『ピグマリオン』と異なる点は、プロスペロが教育の対象としているミランダは、イライザのような他人ではなく実の娘であることだ。彼の倫理からするとミランダが絶対に結婚対象とならない点は重要である。ピグマリオン神話はキプロス王の正当性を裏づけるために、人間と彫刻の間から純粋な子孫を作り出すという起源神話でもあった。つまり『テンペスト』の物語がもしプロスペロによる新たな王国創造の物語となることを目指すならば、そのためには、プロスペロの血の正統性を汚すことなく、他者の血を混ぜずに自己増殖を行なう必要がある。

ミランダとの子孫繁栄が選択肢として存在するのだが、彼がミラノから持ち続けている近親姦への忌避のせいで、ミランダの身体がプロスペロにとっての生殖に関するガラテイアとなることはない。あくまでも彼が娘を教育したのは、ファーディナンドに手渡すためだった。プロスペロは自ら島の王としてユートピアとしての空間を作るわけではないので、ミラノへと帰郷する必要がある。創世記のソドムが滅んだあとのロトと娘たちのような関係とはならないのだ。もしも家系の存続を第一とするならば、彼には他の選択肢はないのである。

ミランダは舞台上で物理的な身体をさらす唯一の女性キャラクターとなる。彼女が比較対象として模倣すべき女性はまったく登場せず、ただ台詞内に姿を現わすだけだ。そのうえで、ミランダは、家系の連続性を保証するためにプロスペロが行なう家庭再編、すなわち結婚に利用され、同時に「おまえの教師だ」と自ら名乗る父親から異性愛を教えられるのである。

そもそもミランダは鏡を利用しながら、ほぼ自己生成に近い形でジェンダーを構築していた。そうした自分の事情を肉体労働に使役されたファーディナンドに同情しながらすっかり語る。「私は自分と同じ女性を知りません、女性の顔を一つも思い出せません、鏡のなかの私のを別にすればですよ。男と呼べる人も、良き友であるあなたと親愛なお父さんを除けば今まで見たことがないんです」(三幕一場四八―五二行)。「鏡《ミラー》」で見ながら自分を作る「ミランダ」は皮肉めいている、それはプロスペロとは異なる面影に母を探すせいである。

ところが、この台詞には彼女が排除している過去がある。ミランダが異性愛の対象として成熟したことを示したのは、皮肉なことに、すぐ手近にいたキャリバンであった。キャリバンはこの島の原住民、というより、正確には彼もまた漂流して流れ着いた者の子孫であり、あくまでも土地への優先権をもつ先住民である。その彼がミランダへの強姦未遂をした。そうした過去をなじるプロスペロに「あんたがおれを邪魔したんだっけ、そうじゃなけりゃこの島をキャリバンたちで満ちあふれさせたのになあ」（一幕二場三四九―五二行）と返答する。

ミランダが過去の出来事をファーディナンドに告げないのは、キャリバンを「男性＝人間」と見ていないせいでもある。だがこの事件を通して、ミランダが結婚承諾年齢にあることが露呈し、彼女自身、自分の身体を管理する必要性をいやでも自覚させられたわけだ。そして、父娘とで汚れないように注意深く守ってきたミランダの身体は、ファーディナンドと出会うことで、プロスペロの思惑通りの結婚に向かうために差し出されるのである。

ミランダの教育課程にはさまざまな監視が設けられていた。ミランダを根底から束縛している規範は、侍女たちに囲まれていたミラノでの幼児体験ではなく、島に来てからの十二年間で父から教わった言語という形で内在化している。その点でミランダの立場はイライザと重なるのだ。植民地主義や言語帝国主義を分析する批評家は、人種や民族性の観点からプロスペロによるキャリバンへの教えを前景化するせいで、家庭内の言語習得に注意を払わない（グリーンブラット、一一五―六頁）。だが、娘が「父」から教わる言語が存在することで、彼女はプロスペロから教わった言語に従順である。そして、キャリバンを叱る汚らしい言葉も習得している。先程引用したキャリバンの台詞のあと「汚らしい奴隷め、良さのかけらもありはしないし、悪さならみんな揃っている」（三五〇―三行）というののしりで始まるミランダによる十二行の台詞がある。

この箇所の台詞の内容がひどいせいで、ミランダを無垢な女性として一貫した性格づけをするならば矛盾してしまう。そこで、二十世紀前半までの校訂本の男性編者たちは、第一フォリオという初出に記載されたミランダという指示を無視してまで、プロスペロの台詞とみなして訂正してきた。汚い言葉を吐くのは、父親なら許せるが、無垢な乙女にふさわしくないと判断したからだ。そうした操作が必要となった理由は、ミランダの台詞を受けてキャリバンがこう毒づくからである。「あんたがおれに言葉を教えてくれた、そのおかげで毒づき方がわかったんだ。おれにあんたの言葉を教えてくれたせいで、血まみれ病で死ぬがいい」（三六二―四行）。

ここで「あんた」と訳した語は台詞の受け渡しから考えるとミランダを直接指していると考えてもいいし、あくまでも複数形でプロスペロとミランダを含む「あんたがた」と考えることもできる。しかもキャリバンに向けられた罵りの言葉こそ、彼に転移された内容となるわけである。だから、編者たちは前の台詞を発した行為者をプロスペロと訂正することで、ミランダを理想的なガラテイアや無垢の女性にしようと望んだのだ。

けれども、ミランダによるキャリバン批難の台詞が、ミランダとプロスペロのどちらの発話とも解釈できること自体、発話内の主体「私」を誰でもとり得ることが伺える。どんなにミランダが「乙女らしい」気持ちをもっていたとしても、「私」という主語の位置をミランダがとることで、彼女がプロスペロのキャリバン支配に荷担したり、代行してしまうのだ。

これは、キャリバンを、自分を陵辱する危険をもつ相手とみなしても、結婚相手の男性とみなさないミランダ（やプロスペロ）の考えとも合致するし、プロスペロの教育が内面にまで浸透している証拠ともなる。いずれにせよ、ミランダ本人がプロスペロによる支配の仕組みに荷担している証拠を排除することで、彼女を貞淑な処女というカテゴリーに押し込めようと後世の批評家や校訂家は試みてきたのだ。もちろん多くの人がそれを読んだり、それに基づいて上演したことによって、ミランダへの見方は固定されることになる。

さらにプロスペロは自分の身体を不可視の状態にして、遍在する視線となって、ファーディナンドとミランダの密会を見張ることになる。またミランダの身体は、強制的に眠らされることで、プロスペロとエアリエルによる男性どうしの政治的会話から隔離されるのだ。女を政治には関与させないという方針である。ミランダの身体に、プロスペロは「魔術」という技術により眠らせるという形で介入する。もちろん政治行為の主体から排除されているように見えるミランダが、発話内の主体の位置をとることでそのなかに参加してしまう可能性はあるので、まったく免れて外にいるわけではない。

ミランダに対する教育が効果をあげた理由は、なによりも、この劇の舞台が「島」にあり、海によって他国から隔てられた監禁場所であった点にある。ところが、密室空間で変容するのは、対象となっているミランダばかりではなく、彼女に技術を行使しているプロスペロも含まれる。彼の支配の根拠は、一幕二場でミランダ相手に延々と語る弟による王位簒奪とそこから逃げ、島にたどり着いて住むようになった昔話にある。

別の箇所で、プロスペロと異なるヴァージョンがキャリバンの口を通して語られ、それを観客が聞くことになるが、そもそも彼らふたりが語るこの島の「歴史」自体が、あちこちから漂流して来た者たちが集積して作り上げた生産物なのである。キャリバンの母親である魔女のシコラックスが全権を握っていた時代の島と、現在のプロスペロが支配する島との連続性により、それぞれの共同体から排除されて外部からやって来たものが所有権を主張するという共通点が歴史を作っている。

この空間でプロスペロが力をもっている理由は「プロスペロの本」に書かれた魔術にある。そもそも追放される前のミラノ時代には、プロスペロの魔術研究の成果は、ミラノの政治行為を監視して弟による陰謀を未然に防ぐ力をもたなかった。ところが、この島ではすぐに有効な統治技術へと変容してしまう。しかも、この魔術をミラノに帰るときには自らすべてを捨ててしまうと宣言する。仕事が完了したために、という前提があるが、プロスペロがこの島で行使した技術が不要になるのは、別な統治技術を身につけたからであり、追放生活が「リハーサル」の期間となったせいなのだ。

プロスペロは、魔術を利用しなくてもミラノを統治できるのだ。よく指摘されるように、プロスペロが魔術やエアリエルといった監視装置を使いながらも、島で起こっているすべてを支配し切っているとは見えない。これを老齢のせいだとするのは短絡的だろう。キャリバンと道化たちによるクーデターも、プロスペロが事前にすべてを知っていたというよりも、起きた事態にあわせて即興的に支配を遂行するという臨機応変さをプロスペロが持ち合せているせいである。プロスペロが身につけた能力は、異郷の地で利潤を獲得するために冒険商人たちが相手に合わせて行なう取引のわざと重なってくる。

確かにプロスペロの魔術は船を難破させて乗組員を島に上陸させるために嵐を起こし、時間を止め、自分の姿を見えなくすることに使われる。これらはすべて演劇の見世物という約束事に回収されてしまうトリックであり、厄介な事態を解決しているのは、むしろプロスペロの即興性にあふれた台詞と所作なのである。交渉としての和解の点で考えるならば、船に乗っていた相手を王子、王族、乗組員と分散させて孤立感を高めておいて、同時に有利にことを進めるために、魔術＝技術が利用されたのである。

ヒギンズの「教育」は知りあった娘の階級上昇へと主眼を置かれ、プロスペロの主眼は同じ階級の相手にふさわしいように娘を育てることにあった。共通しているのは、年上の男性が圧倒的な知識を背景に、若い女性を教育するという構図である。だが、その場合イライザはもちろんミランダでさえも、男たちには制御できない部分を生じさせてしまう。これは、彼らの予測を越えているが、同時に、ジェンダーのカテゴリーのなかに押し込める男たちの連帯を呼び込むことで、解決できるように思える。その際には、ヒギンズやプロスペロが、フレディやファーディナンドと隠れた「男どうし」の連帯感をもつのである。

【キャリバンと戦うミランダ】

女性の側からの働きでジェンダーの関係が揺らいでしまう場合には、ジェンダー役割を固定した形でピグマリオン・コンプレックスを考えることはできない。ピグマリオン・コンプレックスの変奏が表出しているテクストとして次に取り上げたいのは、ジョン・ファウルズが一九六三年に発表した『コレクター』である。これは『テンペスト』のヒロインであるミランダと同じ名前をもった若い女性を襲う監禁事件を描いた小説である。評判をとり、ウィリアム・ワイラー監督が、テレンス・スタンプを主演にして一九六五年に映画化している。

それまでのワイラーは、地位と身分が異なる男女の出会いを描く恋愛映画を作ってきた。たとえば、『ローマの休日』（一九五三）は某国の王女とアメリカの新聞記者がローマで会う話だったし、『大いなる西部』（一九五八）はアメリカ西部を舞台に牧場主の娘と東部から来た男が恋愛する話だった。しかも、男性が駆使する技術がそうしたロマンスを支えるのだ。王女の日常の場面を狙うライターに仕込んだ秘密撮影用のカメラが、前者のロマンスを支える技術だとすると、後者では、かつて船長だった男のコンパスや、こっそりと練習をして鞍をつけない裸馬を乗りこなせる技と、銃による決闘という技術がロマンスを支えている。

ワイラーが、ファウルズの『コレクター』というテクストに対して関心を抱いたのが異なる背景をもった男女の出会いだったとしても、恋愛喜劇の口実となる事故や事件といった偶然の要素とは異なる。誘拐と監禁という設定が、フィルムに異なった緊張感を与えてしまっている。

映画の脚本が取り出したように、表面だけの筋を追うならば、若い男性による女性の監禁とそこでの精神的な支配の失敗と死の物語である。両親を早くに亡くしたフレデリック・クレッグという名前の男が、手に入れたお金でロンドンから車で一時間の場所に家を買う。彼には蝶の収集という趣味があり、ふと見かけた若い美術学生のミランダへの妄執からストーカーとなり、彼女を誘拐して地下室に閉じ込める。自分の気持ちをわかってもらおうとするのだが、最後には肺炎で死なせてしまうまでの物語である。

登場人物の名からもわかるように、『テンペスト』を先行テクストとして、あからさまにそこに寄生している。フレデリックの「F」の頭文字も、ファーディナンドの「F」を踏まえているのだ。ただし、プロスペロの島は、ロンドン郊外にあるワインをしまう地下室となり、父親としてのプロスペロなど登場しない。しかも映画が性質上単線的に事件を描出していくのと異なって、原作の小説は形式のうえでは一つの物語を二つの視点に分けて、反復して語る。それが二つのジェンダーの視点を導入しているように見える。

全体の構成は四部形式になっていて、第一部がフレデリック側からのミランダの死の直前までの回想である。第二部が同じ出来事を死んだミランダが書き残しており、回想や妄想も含んだ日記。第三部がまたフレデリックの側から記述に交代し、ミランダの死の様子が語られる。第四部では、彼がミランダに似た新しい獲物つまり若い娘を発見したという反復を告げる不気味な終り方をする。

ファウルズが採用したふたつの一人称が並ぶという形式は、一つの物語を双方からながめ、照らし合わせているように見える。もちろん、死体同様に自分では訂正できないミランダの日記を、フレデリックの告白が取り囲み、彼女の声を削除し、盗用し、葬り去っていると読むこともできる。

テクストにつきあっていくと『コレクター』のなかで設定されているふたりの関係は、ピュグマリオン―ガラテイアの定式からはみだしている。フレデリックは、性的行為を実体験できないプロスペロの位置も、恋人となる可能性をもったヒギンズの位置もとりえる。だが、彼はミランダを閉じ込めているにもかかわらず、彼女のほうが主導権を握っているように見える瞬間があるのだ。

能動的な男性と受動的な女性、あるいは加害者としての男性と被害者としての女性といった二項対立的な理解だけでは、読解できない部分が出てきてしまう。解放することを除いては、ミランダの命令に絶対に従おうとするフレデリックに、ミランダは「あなたはキャリバンと呼ばれるべきよ」と言い、彼女の日記のなかでキャリバンとまで書いてしまう。『コレクター』では、芸術という名の技術や多くの知識は、中産階級に育ったミランダの側がもっている。両者による和解が不可能なのは、まずなによりも前提となっている二人の階級と知識に差があるせいである。そして容貌においても、フレデリックは醜さをもつことになっている。『テンペスト』の美形のファーディナンドではないのだ。だが、フレデリックはミランダを理解しようとして彼女の行動を模倣する。

もうひとつ僕が始めたことは、上流向けの高級新聞を読むことだった。同じ理由でナショナル・ギャラリーやテイト・ギャラリーに行った。全然楽しめなかった。まるで、自然史博物館の昆虫学室にある外国種が入ったキャビネットみたいで、美しいとはわかるけど馴染みがないんだ、イギリス種みたいに馴染みがないってことだよ。（一七頁）

フレデリックの発想の根底が浮び上がってくる箇所だが、彼にとって美術館に並ぶ絵画は美しいが、自分とは関係ないものとされる。慣れ親しんだものだけを重視し価値を見出す「ドメスティック（家庭的／国内的）」という基準がすべてを決定する。このフレデリックの態度が、ミランダを地下室に閉じ込めるときに、彼がもっている幻想の根拠を示している。蝶においても、美術品においても、異質なものを除外するのである。

一方でミランダはフレデリックにいろいろと教え込もうとするが、失敗したせいで、彼女は結局、彼との間に線を引くことになる。アラン・シリトーの『土曜の夜と日曜の朝』(一九五八)を読了して、フレデリックを、そこに描かれたアーサー・シートンという労働者と重ねあわせる。そして和解不能と結論づけるのだ。

キャリバンと私自身の間の戦いよ。彼は新種の人間たちで、私は少数の選ばれたものだわ。／私は自分の武器で戦わなくちゃ。彼のじゃなくて、利己心、粗暴さ、恥辱、憤りではなくて。(二一三頁)

ここでミランダが「新種の人間」と呼んでいるのは、金を持っているけれど教養をもたないで、他人に無理解な人間のことである。ところが、脱出を願うミランダが、暴力を使わざるをえない局面が生じ、自己矛盾に悩み、監禁状態も厳しくなる。結局、フレデリックからうつされた風邪によって肺炎を起こして死んでしまうのだ。

ところが、ミランダ自身が理想としているのが、相互理解を前提とした従属関係であることが、監禁の問題をわかりにくくする。ミランダの知り合いの男性を愛しているのかと尋ねるフレデリックに「だって、私はあらゆる点で従属したいと思えない男とは結婚できないもの。精神も、心も、体も彼のものでなくちゃね。ちょうど、彼が私に従属するように」(八一頁)と宣言する。フレデリックが理解できなかったのは、ミランダはそうした対象となる身体的な相手ではなくて、最終的に自分と同じ論理をもつ相手を求めているのである。

だから、どんなに対象となる相手にふさわしい行為を演じたとしても、ミランダと論理を共有できないフレデリックは、たとえ『テンペスト』の王子であるファーディナンドのように外観が魅力的だったとしても、彼女の相手とはなりえない。論理である以上、単純なジェンダーの差異や優劣では解消できないのである。ミランダがフレデリックに伝えられなかった論理は日記のなかに刻まれている。読んだあとでフレデリックがその意味を理解できたのかは疑わしいのである。しかも、すべてを写真で記録するフレデリックと、絵を描き文字を書くミランダとでは、扱う技術にも大きな違いがある。

この『コレクター』の関係をさらにひねっているのが、スティーヴン・キングの『ミザリー』（一九八七）かもしれない。ここでは、ピュグマリオンにあたる芸術家は、男のロマンス小説の作家へと変貌している。そして彼は主流文学で名声を上げるために、人気のあったヒロインを殺して、小説のシリーズを終りにしてしまう。それを知って失望していた女性愛読者が、たまたま自動車事故でけがをした小説家を監禁して、続きとなる自分好みのロマンス小説を書かせるという設定である。ここでは作者と読者の関係が、教えるものと教わるものといった一方的な関係をやめてしまう。そして、ミランダが言っていた「新種の人間」こそが、消費者として力を発揮するのである。

【三人目のミランダ】

さらに、ここに接合すべき三人目のミランダは、映画『プラダを着た悪魔』（二〇〇六）に登場する。ファッション雑誌を舞台に喜劇的に描いたものだ。原題は正確には、「悪魔はプラダを着る」だが、実在するアメリカの『ヴォーグ』の編集長アナ・ウィンターをモデルとしたローレン・ワイズバーガーが二〇〇三年に発表した実録風小説が元になっていた。ここでのミランダは『ランウェイ』の鬼編集長であり、ファッションに何の関心もない新人をアシスタントとして鍛える。映画ではメリル・ストリープがミランダを演じて、アン・ハサウェイが新人編集者アンドレア（アンディ）を演じた。

ミランダはそれまでとは違う学生新聞あがりの経歴をもつアンドレアに期待したのだが、裏切られた思いでいる。そこで、ミランダの期待に二十四時間応じるように努力するなかで、アンドレアはしだいに仕事にもファッションにも熱が入っていくのだ。アンディの変身をしぶしぶ助けるファッションの指南役で、ミランダの片腕となっているナイジェルという男性デザイナーが登場する。大きな宝石のついた指輪をしているなど、クイアな雰囲気を湛えているが、高校のときにスポーツの部活をするふりをして、こっそりと縫い物をしていたと告白する。そして、体型の維持も考えず、ファッションに無頓着だったアンディにしだいにミランダも許容できるようになるまで教えるのである。

とりあえずアンディがファッション誌の編集アシスタントにふさわしい服装がこなせるように変身できたのは、ミランダやナイジェルといった教える立場から寄せられた期待があってだった。開花する才能の度合いが異なるのを、教育心理学では「ピグマリオン効果」と呼ぶ。小学生への教師の期待と、ＩＱの上昇の相関関係を調査したローゼンタールたちの『教室のなかのピグマリオン』（一九六八）において提唱されたものだった。この「ピグマリオン効果」の妥当性に関しては、現在では異論も多いのだが、マネジメントにおける手法として、アメリカ海軍からファストフードのチェーンやディズニーに至るまで多くの組織や企業が採用している。

期待を寄せることで新人や部下に理想的な働きを促す教育的な意図がそこにあるのだ。教育産業における「ピグマリオン効果」と定式されたことで、ピュグマリオン神話の別の解釈が生じた。教師と生徒、あるいは師匠と弟子、先輩と後輩といった関係における模倣の重視である。小学校の教師には女性の場合も多いし、単純なピュグマリオンとガラテイアのようなジェンダー的な位置づけはそこにはなくなった。

「ピグマリオン効果」は、男性の芸術家や科学者などが、理想の女性を作り上げる図式と重なるが、必ずしも同じではない。ピュグマリオンが自分にとっての理想のガラテイアを作り出すだけではなくて、ガラテイアが教師となり、今度は部下を育てるピュグマリオンとなりえるのだ。同性であっても「ピグマリオン効果」が働く、厳格な上司とその期待とは異なる動機や意欲をもつ部下との軋轢の結末は、悲劇かあるいは喜劇になるしかない。その点を、『プラダを着た悪魔』は見事に描いていた。

アンディはミランダの意に沿う仕事ができるようになるのだが、その結果として、恋人や友人は携帯電話で呼び出されて振り回される彼女から離れていってしまう。しかも、大学時代にジャーナリストを目指していた自分の夢を忘れてしまったことに気づくのである。そしてナイジェルのほうも自分のコレクションを発表できる様になるパトロンを紹介してくれるはずだったが、その役目はミランダの裏切りで別人に渡ってしまうのだ。

アンディはミランダのお供として、パリのファッションショーに出かける。だが、それはヘプバーン映画の『パリの恋人』や『パリで一緒に』のような幸福な結末は待っていない。自己保身のためにナイジェルのような恩人を踏みつけにするミランダのようになれない（ならない）と決めたアンディは、呼び出し音の鳴る携帯電話を噴水のなかに投げ込んで決別する。これは形を変えたガラテイアによるピュグマリオンへの拒絶でもある。

アンディは『ランウェイ』編集部を辞めたあとで、新聞社で働くことに決まったのだが、その推薦状を寄せたのはミランダだった。最後には、ミランダとアンドレが路上で右と左に別れていくのである。それはまるでフランスのノワール映画などで犯罪や戦いといったひと仕事を終えた男たちが、互いの友情を確認して別れる場面のようだった。そこで対等の立場になったのである。つまり、別の意味でピグマリオン効果は発揮されたのだ。

ミランダの原義は「ミラクル」である。しかも、『テンペスト』のミランダは大公の娘であり、『コレクター』のミランダは上流階級に属する美術学生、『プラダを着た悪魔』のミランダのモデルも、イギリス出身でイギリス英語を話すアナ・ウィンターだった。だが、キャリバンや、フレデリックや、アンディ（わざと男女ともに使える名前が選ばれている）にとって、ミランダはあくまでも遠い存在でしかなかった。こうしたミランダのような上流や支配者の形ではなく、働く女性たちに近い「フェミニスト・ヒーロー」という積極的な姿が登場する。

3　『羊たちの沈黙』

【フェミニスト・ヒーロー】

一九九一年のアカデミー主演女優賞を受け取ったジョディ・フォスターは、自分の演じた役柄に触れ、「フェミニスト・ヒーロー」という、一見すると語義矛盾を起こし、男性と女性というジェンダー区分を揺るがす印象を与える言葉を授賞式の挨拶のなかで口にした。彼女に賞をもたらした『羊たちの沈黙』（一九九一）は、アカデミー会員がまともに対応できた最初のサイコミステリー映画であり、結果として彼女以外にも多くの受賞者が輩出した。

ジョディ・フォスターは、通常のジェンダー区分にしたがって主演「女優」に区分されたのだが、彼女の発言がいらだちの表明や声高な宣言ととられることはなかった。何を「政治的」と考えるかというハリウッドの言説の許容範囲が変化したことを示している。授賞式に参加する映画人が身につける、エイズに苦しむゲイの仲間への連帯の意思表示である赤いリボンとともに、ジェンダーとセクシュアリティについての言説が、アングロ・アメリカのメディアでは、以前よりも提出しやすくなった証拠といえるかもしれない。

ジョディ・フォスターが演じた、ＦＢＩの捜査官候補生クラリス・スターリングの形象は、境界侵犯を行なう女性が主人公となる新しいジャンルの映画に支えられている。つまり、八〇年代以降に増えてきた、アクションを行なう女性が主人公となり、たんに男性の添え物として扱われ異性愛の対象に回収されてしまうことを拒絶したり抵抗して、「アクション・ヒロイン」として登場する映画群である（タスカー、一三二―五二頁）。

もちろんアクションを行なう女性はそれまでにも映画のなかにたくさん登場した。たとえばジェイムズ・ボンドの映画に出てきた「ボンド・ガール」も銃や武闘術を駆使する。だが女性の可能性を前景化しておきながら、結局ボンドから見て、彼の命を助ける「マドンナ」か裏切って危機に陥れる

「ヴァンプ」かという古典的な区分に回収されていくことになる。それに対して、アクション・ヒロインあるいはフェミニスト・ヒーローは、従来考えられてきたヒーローとヒロインといったジェンダーによる役割分担に亀裂をもたらすものとして登場してきた。

こうした新しい女性像が前面に出始めたのは、SFホラー映画としても有名な『エイリアン』(一九七九)であり、シガニー・ウィーバーが演じた宇宙船の航宙士のリプリーとされる。かろうじて彼女が救命艇に逃げ込んで、助かったと思った瞬間に同じ空間のなかにエイリアンがいることに気がつく。宇宙服に着替えるときにあらわになるリプリーの身体が、男性性と女性性が奇妙に交錯する場として表象されている。だが、リプリーは乗降口からエイリアンを排除するという間接的な戦い方をしただけである。むしろ逃げ回っているというほうが正確だろう。

続編である『エイリアン2』(一九八六)で闘争は過激になり、リプリー像はよりアクション・ヒロインへと近づいていく。監督に抜擢されたジェイムズ・キャメロンは『ターミネーター』(一九八四)で、アーノルド・シュワルツェネッガーを冷酷な殺人機械として描いて評判をとった。だから、ここでのリプリーは惑星にひとり生き残った少女を守りながらマザー・エイリアンと正面から戦うことになる。そのときに、スタローンやシュワルツェネッガーのように重火器を連射する場面がある。だが、どちらの映画も遠い未来と地球と離れた空間という設定でこそ可能な夢物語のように描かれている。

『羊たちの沈黙』前後に登場した映画では、ヒロインの活躍の場はもっと同時代の日常の世界へと移っている。それは『エイリアン』から直接学んだ結果でもあるだろう。第一作目の『エイリアン』を撮ったリドリー・スコット監督による女性版ロードムービー『テルマ&ルイーズ』(一九九一)は、アクションに満ちた脚本を女性が書いてアカデミー賞を受賞したことでも知られている。アーカンソー州の町に住むヒロインたちの週末旅行がレイプ騒動で相手の男を射殺することから、警察に追われてしまい、オクラホマシティで強盗を働き、最後はアリゾナの峡谷に車ごと落ちていく。男性ふたり組によるバディ物を、レイプを軸にした女性の連帯へと大胆に書き換えたものであった。

また二作目を担当したキャメロン監督は、自分の出世作の書き換えである『ターミネーター2』（一九九一）で、リンダ・ハミルトン演じるサラ・コナーを一作目のターミネーターに怯えて逃げる女性から変更させる。彼女は精神病院のなかでも来たるべき戦いに備えて身体を鍛えていて、息子に助け出されるとロサンジェルスからメキシコ国境近くへと逃げる。その地で、未来から送られて来た殺人機械であるT－1000との戦いを準備し、さらにスカイネットという宇宙兵器の開発を阻止するために科学者を射殺するために武装してでかける。こうした行動的なヒロインたちは、もはや未来の宇宙空間にいる想像的な存在ではない。あくまでも現代のアメリカを舞台に行動していることを考えると、捜査のために動き回るFBI捜査官候補生クラリスはもはや孤立した存在ではない。

【昇進とジェンダー】

『羊たちの沈黙』という映画がどのようにフェミニスト・ヒーローを構築しているかを見る前に、原作である一九八八年に出版されたトマス・ハリスの小説が、クラリスという女性捜査官候補生をどのように描いているのかを確認しておきたい。

ハリスによる小説は、FBIの行動科学課のジャック・クロフォードと、患者を九人殺した経歴をもつ元精神病医のハニバル・レクター博士の争いを背後に置いた『レッド・ドラゴン』（一九八一）の続編で、二つの作品は連作となっている。クロフォードとレクターの両者とも、他人の痕跡を読み取り、犯罪を犯す人格や行動を再構成するプロファイリングの技術の熟練者である。ただし、クロフォードが対決し検挙すべき犯人は、レクター本人ではない。なぜならレクターはすでに検挙されて収容されているからだ（もっとも、途中で脱走してしまうのだが）。

かつては警察に協力した優秀な精神科医だったレクターは、ユダヤ人収容所のナチスの高官のように、美に対する感受性をもちながら殺戮を行なう知識人として描かれている。美食家でついには人間の内臓まで食べてしまい「ハニバル＝カニバル（食人種）」と恐れられ、その一方でカナダの異才グレン・グールドの演奏するバッハの「ゴルドベルク変奏曲」を気に入っている犯罪者である。映画では著作権の関係などで、ニューヨークバレエ団でこの曲による新作バレエの伴奏をしていたピアニストのジェリー・ジマーマンの演奏が採用された。

それに対してプロの捜査官を自認するクロフォードは、重病の妻と暮らしているという私生活を職務から消去して、途中で妻を亡くしても感情には流されずに捜査の指揮に当たっている。テクストは妻の死の直後のクロフォードをこう描き出す。「何も持っていないてのひらを前にむけて脇に垂らし、窓際に立って空虚な東方を見ていた。夜明けを待っているのではない――窓が東にしか向いていないのだ」（三八七頁）。語り手がこうしてコメントを加えることができるのは文字テクストだからであり、映像化は不能なのである。

行動科学課の責任者としてクロフォードが行なっている、犯人像を確定するプロファイリング作業のうえで、精神科医としてずば抜けた分析能力を有し犯罪者と数多く接触した経験をもつレクターが、一体どこまで真相を知っているのかを、意見を聴取しながら確認する必要がでてくる。いわばセカンドオピニオンを求めている。

同時に、レクターは他人から読解されるのを意識している分析者でもあるので、クロフォードはクラリスを一種の「無知なエージェント」として送り込む。ところが、連続殺人犯のバッファロー・ビルの素姓をすでに知っているレクターは、クラリスに正解を教えようとはしないが、大きなヒントを与えるのだ。

間違った推理をする可能性をもったワトスン役のクラリスに対して、レクターは、探偵役のホームズでありながら、その敵のモリアティも兼ねながら彼女を翻弄して操っていく。より正確にいえば、あらかじめ正解を知っていながら無知を装って、生徒が答えにたどりつくのを待つ教師の態度をとっている。クラリスに対するレクターのこの態度は、教師と生徒が同じ知識や技術を媒介にしながらも、教師が優位な立場から教育をほどこすピグマリオン効果を与えている。

レクターの担当医であるチルトン博士のような能力の低い精神科医やクラリスのように質問に出かけてきた捜査官は、簡単にレクターに精神分析されてしまい、心のなかを捜査される。そのあげくには他人の苦痛の気持を味わうというレクターの快楽のために行動を操作されてしまう。他人を分析して捜査するのを仕事とする捜査官が抱える自分自身の苦悩は、結局のところ誰にも話せないし、適切に分析されないまま放置されてしまうのだ。

この息苦しい閉塞感をさらに増大させるのは、警察と犯人の間に「追いかける者」と「追いかけられる者」といった明確な線引ができず、じつは両者が相互依存し、相同性をもつせいである。「彼［＝犯人］の事を絶えず考え、彼が行ったところを見ていると、彼に対するある種の感触を得る」「信じ難いかもしれないが、彼を絶えず嫌悪するようなことすらなくなる」（一一五頁）とクロフォードはクラリスに告白する。自分が相手とそっくりになれて、相同性をもつからこそ、相手の行動がわかるという不安は、犯罪を暴くという職務や行動原理に疑いを抱かせてしまう。敵と同一だからこそ、敵を発見できるというわけだ。

こうした圧迫感は、前作の『レッド・ドラゴン』にも存在していた。その犯人は、ウィリアム・ブレイクの絵に同一化することで周期的に犯行を重ねていた。実際には、8ミリ映画の現像所に勤めていて、客の家族が撮影した家の内部の様子を知り尽くして、それを手がかりに入り込んで一家を惨殺する話だった。家庭内に導入されたメディア技術が、個人情報を知らないうちに開示して、新しい犯罪を作り出す原因となったわけである。担当した若い男性の捜査官が彼を追い掛けるうちに、レクターと関与し、そのせいで彼の妻との関係が壊れていく話でもあった。

警察小説にありがちなプロとして仕事に打ち込む男性とそれに無理解な女性、という古典的な図式が背後に控えていて、上司のクロフォードもその図式にとらわれている。そして、登場するヒロインは、犯人と同じ職場に勤める盲目の女性であり、顔に傷のあることで劣等感をもっている彼の心にはじめて触れることができた人間となり、ふたりは恋人どうしとなった。だが、彼女はあくまでも受動的な存在であり、恋人が殺人犯と気がついた後も、結局別な男性に救出されるのを待つ、という伝統的な女性像に納まっていた。

しかしながら、『羊たちの沈黙』のヒロインであるクラリスは、そうした受動的な立場にはいない。女性を次々と殺して皮膚を剥いでいくバッファロー・ビルを追い詰める探偵役を積極的に演じていくことではみ出してしまう。しかも推理とそれを裏づける行動の結果として、彼女は単独で犯人に立ち向かうことになり、彼を撃ち殺すことで事件は解決する。

クラリスはアカデミーを卒業して特別捜査官となる資格を手に入れることができた。女性をめぐって前作とこうした差異が生じたのは、作者トマス・ハリスが台頭してきたフェミニスト探偵小説を意識したといえるかもしれない。ただし、フェミニスト探偵小説とは明確な違いがある。クラリスは連邦警察の一員であり、銃を携帯して使用するのは、自分の身を守るためではなく、市民の生命を守ることにつながっていた。職業も「フェミニスト個人主義」にふさわしい私立探偵ではなく、関与する事件を選ぶこともできず、縄張りと責任の問題が絶えずちらつく組織のなかで生きていく、公共の器であるＦＢＩのひとりの職員候補生なのである。

クラリスは数あるなかでも「男性的な」警察組織に身を置くせいで、いやおうなしにジェンダーの壁にぶつかる。仕事のうえで男性たちが初対面でも簡単に「友情」を築いてしまうホモソーシャルな連帯にいらだちを感じる。たとえば、上司であるクロフォードが州警察の人間に会うと、「彼があっという間に男性同士の結びつきを確立するのをみて、スターリングは興味を覚えた。何かわかったらただちに連絡する、任せておいてくれ。それは有難い、恩に着るよ。事によると、たんに男性同士の結びつきだけではないかもしれない、と彼女は考えた。彼女にもその連帯感が伝わってきた」（一三二―三頁）。自分が排除されたことへの反発とともに、仕事仲間としての連帯感に、ジェンダーを越えて参加する可能性をクラリスは錯覚してしまう。

ところが、クラリスは男性化するわけではなく、自分が女性として見られることを絶えず意識し計算している。レクターに初めて面会したときにも、わざと香水を控え、それでいていちばんよいバッグを持って来た。もちろん香水の残り香すら嗅ぎ当てるレクターは戦術をすっかり分析してしまい、彼女のバックグランドを確定する。クラリスはレクターが推理するのを制御できはしなかった。

クラリスは相手によっては、自分の身体的な魅力を利用する。クラリスに魅力を感じて誘惑しようとするチルトン博士の孤独な生活について知識を手に入れると、彼女は効果的に拒絶する。「わずかに首を傾けて彼を直視し、自分のきれいな顔をじっくり見させて、自分が知った事実を押し付け、相手の胸に突き刺した」(二〇〇頁)。

クラリスは、同じジェンダーとして被害者の女性たちに感情移入するのだが、関係はそれほど単純ではない。最後に殺害された被害者であるウェスト・バージニアの女性の遺体を前にすると、法医学の訓練を受けた学生として分析能力を発揮できる。ところが、上院議員のルース・マーティンと娘のキャサリンの母娘とは、夫＝父親を亡くしたという共通点があるにもかかわらず、自分の母親がモーテルで働いていたクラリスとは属する階級との差を感じさせられるのだ。

もちろん、クラリスは、人間の皮膚で衣服を作るという犯人の欲望の対象として平等に扱われた女性たちを、分析や捜査の技術のもとで被害者として平等に扱おうと努める。だが、分析とプロファイリングの技術を所有するクラリスは、まさにその技術のせいで他の女性の家庭や部屋と侵入し、秘密を暴く危険な存在として、同じジェンダーからも排除される。そのため、クロフォードから、今後の昇進のために上院議員の力を利用するように言われても、クラリスはためらいを感じるのだ。『羊たちの沈黙』に、前作と異なった緊張感が漂うのは、こうしたジェンダー間やジェンダー内の対立が描かれているせいである。さらに「父の想い出に捧ぐ」と献辞をもつこのテクストにはあからさまに父的な要素が満ちている。ヒロインのクラリスを囲む父的な人物は、上司であり教師でもあるクロフォード、それにレクター、何よりも思い出にだけ住んでいる死んだ父親と三人もいる。現在の彼女の身分は、合格しなければＦＢＩアカデミーから追い出される可能性のある候補生という不安定な状態なのである。

しかもバッファロー・ビル事件を担当するためにクロフォードから与えられたのは、期限つきの限定された「エージェント」という身分でしかない。ＦＢＩの身分証を持ちながら、現場の判断で退去させられ、指揮系統からはずされることにもなった。この宙ぶらりの状態から決別するために、彼女は、職務中に射殺された警察官の父親と同一化しつつ、自分なりに特別捜査官となることで過去の記憶と対決して打ち克つ以外にない。レクターはクラリスに悪夢の正体を告白させることで、結果的にはカトリックの告解と同じように彼女を治療してやることになる。

クラリスは教えられた技術や情報に従って、ヒントを探し出して捜査を自力で続けていく。こうしたクラリスの姿に、クロフォードがうれし涙を流す場面がある。彼はクラリスを癒す精神科医としてのレクターとは異なる位置にいる。クロフォードはクラリスが同一化する対象であり、同時に彼女を援助する父性であり、「彼のためなら平気で人を殺せる」とまでクラリスは思い込むことになる。この擬似的な父と娘を繋いでいるのは、同じ職種で活躍しているという理由だけではなく、スコットランド系アイルランド人という民族的な血筋が共通しているせいでもあるのだ。

そして、「スコットランドから追放され、飢えのためにアイルランドを逃げ出した先祖の多くは、危険な仕事に従事する傾向があった」（三九九頁）とクラリスの家系が説明される。つまり念珠をもつカトリックの信者であるクラリスに、クロフォードを経由して父的なものが流入することが、神の家であるはずの教会が、雷などで崩壊する涜神的な記事の収集を趣味とするレクターの虚無的な考えへの誘惑に対抗できるのである。

【蛾と変身】

このテクストでは、『コレクター』における蝶と同様に、蛾がひとつの鍵となるメタファーとして採用されている。しかも、蛾が犯人の側の変化を示すものではなく、クラリスの戦っている課題を示すものへと読み替えられるように設定されている。犯人であるジェイム・ガムが、温室で育てている背中にどくろの模様のついたドクロメンガタスズメは、実現はできない彼の願望の比喩になっている。レクターは被害者の喉に押し込まれたサナギに関して、とりあえず犯人を「ビリイ」と仮定して、クラリスにその意味を説明する。

サナギのもつ重要な意味は、変化だ。毛虫からチョウやガになる。ビリイは、自分も変化したいと思っている。彼は本物の若い女で若い女の服を作っている。だから大柄な被害者が必要なのだ——自分の体に合う服でなければならない。被害者の数から考えて、彼はそれを一連の脱

皮と考えているかもしれない。（二三二頁）

まさに昆虫によるこの変化から「メタモルフォーゼ（変態）」という概念が紡ぎだされたわけだが、犯人は自己変身をすることはできない。彼が願望しているのは、自分の変身そのものではなく、縫製職人である技術を使って、自分の外側に第二の皮膚として失われた母親を縫い上げて再構成するという「変装」なのである。

テクストは、犯人のジェイム・ガムという名前が、出生登録する職員の手違いによってジェイムズの「ズ」が欠落したもの、として彼の状態を記号上で示す。失われた「ズ」を埋めるためにジェイムは性的転換希望者だと自分で思い込みたがっている。しかもＦＢＩの係員が彼の名前を照合するときに「ネイム」のＮをＪに変えただけと説明する。つまり、彼の名前自体が「名前」という単語の変形でしかない。そして、彼は自分の母親への固着を読み替えて、別の女性たちの皮膚を集めてくることで欠落を埋めようとするが、当然ながらそれでジェンダーを越えることはでき

映画でも重要な鍵を握る「蛾」をあしたらった象徴的な『羊たちの沈黙』のポスター

なかった。

犯人による変身が失敗したのに対して、クラリスの変身は彼女がもつ父への固着を克服することによって成立する。レクターは捜査に協力する見返りとしてクラリスの悪夢を告白させた。彼があぶり出したのは、クラリスが身を寄せた母の従姉妹の夫が殺そうとしたハンナという馬と、彼が殺していた一ダースの子羊たちである。

題名はこの殺される子羊たちに由来するのだが、殺されることに悲鳴を上げる子羊たちは、クラリスそのものといってもいいし、彼女が守るものを示しているとも読める。どれか一つを象徴していると考えるのは解釈が狭すぎるだろう。そして、クラリスは、子羊たちを守るものとしての自分という形で、父のもつ力を共有できるのであり、彼女が悲鳴を忘れているかぎりその力は正しく働いているということになる。

宗教的なアレゴリーに満ちて全体が緊密に構築された小説に対して、映画はまったく違った形でテクストを構築している。細部をかなり切りつめて筋も変更しているが、ここにはフェティシズム的な視線があふれている。とくに冒頭でムービング・カメラがひとり走っているクラリスを追いかける場面では、粒子の荒い画面のなかで、ときにはカメラが前に回り込んで、クラリスの身体を映し出す。クラリスの灰色のスウェットが汗で濡れている様子がくっきり映し出されるし、あきらかに女性を追いかける男性の視点をなぞっている。

そして、アカデミーの建物内でエレベーターに乗ると体格の良い男たちに囲まれて見下ろされてしまう。犯人が暗視装置を使って獲物となるキャサリンを見つめ、さらに乗り込んだクラリスを暗闇のなかで追いかける。そのとき、カメラは犯人の視線と一体化している。こうしてクラリスを演じているジョディ・フォスターの身体は、映像のなかでさまざまな角度から眺められることになる。

【ジョディ・フォスターの身体】

映像である以上仕方ないのだが、ジョディ・フォスターという現実の人間を表象の材料として使うことには長所も短所もある。イボンヌ・タスカーによると、映画では映像「テクスト」外の要素が重要な働きをすると述べ、その一例として、ブリギッテ・ニールセンが主演した『レッド・ソニア』（一九八五）を取り上げて、彼女に対して異性愛と同性愛双方の噂があったせいで、映画に対するカルト的な人気が出たと説明している（タスカー、三〇頁）。

そうした見解を考慮するなら、「フェミニスト・ヒーロー」としてクラリスを演じているジョディ・フォスターは、ハリウッドに長く身を置いたスターであり、映像テクスト外の要素を背負っている。いちばん頻繁に目に触れる彼女の表象は、日焼けどめ化粧品のコパトーンに描かれてた、小犬にボトムをずりさげられて日焼け前の白いお尻を剥き出しにしたお下げの少女のイラストのモデルとしてであろう。

さらに子役時代を通じて、白血病で死ぬ少女や偏屈な老人の心を開く孫娘といったハリウッドが与える決まり切った役柄をこなしてきた。その一方で、ハリウッドのコードの変化に伴って、少女を「逸脱する」役割を演じてきた。『タクシー・ドライバー』（一九七六）では、十四歳の少女の娼婦の役で注目を集め、『ダウンタウン物語』（一九七六）では、一二〇年代のギャングの愛人をメイ・ウェストばりに演じたのである。

大学卒業後に女優として再デビューした後に、一九八八年の『告発の行方』ではレイプされて裁判となった娘の役で評判となった。これでアカデミー主演女優賞を獲得した。この映画で性犯罪の被害者を演じた彼女が、『羊たちの沈黙』で性犯罪を捜査するFBIの捜査官候補生として活躍することに、観客はある種の期待を抱くことになる。

ジョディ・フォスターは映画の役柄に合せて、髪の色や髪型を変えるが、今回彼女は髪の毛を栗色にして首の辺りでカットしている。明らかに一つの典型を演じるために、ときどき強調される青い瞳、アクセントの残る発音、多少やぼったいスーツを着込んでバッグを片手にキャリア・ウーマンのように動き回る。これはすべて田舎の孤児院出身で、階級上昇とジェンダーの壁に挑戦しようとしている女性の姿である。クラリスは『あしながおじさん』のジュディの系譜にも属すのだ。

しかもクラリスが捜査する場所は、アメリカ合衆国の田舎といってもいい、ウェスト・ヴァージニアやテネシーの町や川沿いの風景なのだ。映画のそうしたミドル・タウンでの生活こそが、犯罪者、被害者、捜査員を育ててきた空間であることが浮び上がる。これは大都会の孤独といった主題とは異なったアメリカの姿を描いている。

クラリスがフェミニスト・ヒーローであるのを明確にするためか、彼女と昆虫学者ピルチャーとの恋愛の行方は削除されてしまう。小説の最後は、ピルチャーが祖母から譲り受けたチェサピーク湾ぞいの家で週末を過ごし、二人が一緒にベッドで寝ているところで終わる。ところが、映画では主題がクラリスの成長物語に読み替えられてしまったためか、ピルチャーとの関係が映像化されることはない。クラリスが候補生から卒業して特別捜査官を拝命した記念パーティの会場で顔を合わせるだけだ。

彼女がピルチャーと結ばれることは、レクターやクロフォードとの三角関係で曖昧に分散されていた彼女の性的欲望が別の男性に向かい収束することで、そうなると一つの物語が終りを告げてしまう。小説版の終り方が忌避された理由は、レクターとクラリスの物語として続編を作るためにハリウッドの映画産業が仕掛けた布石なのかもしれない。ただし、実際には続編の『ハンニバル』（一九九九）が映画化されたときに、ジュリアン・ムーアが演じたのだ。同じ設定の作品に続けて出ないというジョディ・フォスターのポリシーもあったのだが、同性愛のパートナーがいて、さらには二〇一四年には同性愛結婚することになるフォスターには、レクターへの愛という物語でのクラリス役を続けることは難しかったのだろう。映画『羊たちの沈黙』の最後は小説とは異なった処理がされている。逃げおおせたレクターは、パーティ会場にいるクラリスに電話を掛けてくる。「子羊たちは沈黙しているかい？」と尋ねるレクターの声に座り込んでしまう。クラリスは、彼の声に眠っていたものを起こされ操作される不安におののく。小説ではこれから投函される自筆の手紙を書いている場面があるが、映画だから可能な声による直接的な働きかけは、まったく異なった効果を与える。映画は電話のやり取りによって場面を接合しながら、レクターにカットを切り替えてしまう。

映画の最後でクレジットが流れる背後に映る、固定キャメラによる回し放しの映像は小説とまったく異なった情景を映し出す。逃れるためにバハマに来たチルトン博士を、変装したレクターがどうやら殺すために後をつけていくのである。路上にあふれる群衆のなかにふたりとも消えていく静かな場面である。匿名の状態に飲み込まれる形で解決を先送りする結末のつけ方だった。こうした示し方で、物語の内では解消されない不安を観客にこびりつかせるのだ。

心理学と法医学を学んだクラリスがもつ技術が、男たちの世界に入っていくために必要なものであるのは確かだ。だが、同時にジェンダーを越えた連帯を勝ち取ろうと努力するほどに、クラリス自身に、被害者の女性を対象化する男性犯罪者の視点が入りこむせいで、苦悩することにもなる。といって、クロフォードになれない以上、同一化の目標を政治の世界で成功した上院議員であるルース・マーティンにするかどうかは、また別の問題となる。トマス・ハリスの小説とそれに基づく映画では、クラリスが特別捜査官として社会に参加した後の選択肢は曖昧なままである。これは『羊たちの沈黙』というテクストの限界だが、そもそも単一のテクストですべての答えを出すことなどできない。そして、この問題を考えるためには、社会での職業女性としての境界侵犯を描いてきた「フェミニスト探偵小説」に目を向ける必要がある。

4 フェミニスト探偵の登場

【女性探偵登場】

いわゆる女性探偵の登場自体はかなり古い。キャスリーン・G・クラインは『女性探偵ジェンダー&ジャンル』のなかで、一八六四年をひとつの起源の数字としてあげている（クライン、一五頁）。それに対して、大津波悦子と柿沼瑛子のミステリー批評家と翻訳者によるコンビの手になる、女性探偵への入門書である『女性探偵たちの履歴書』は別のアプローチをしている。その本のなかでは、一九〇一年、つまりまさに二十世紀の初めに連載が始まった『隅の老人』をとりあげ、作者のバロネス・オルツィ（つまりオルツィ男爵夫人）とそこに登場する婦人記者ポリー・バートンを出発点としながら、女性作家、女性主人公、女性読者の三者を巡る変化を表象する「女性探偵」という装置の姿を簡明に描き出している。

二十世紀初頭の役割モデルとして、作者と登場人物の「生き方」が女性読者をとらえた段階から、夫婦というパートナーによる探偵稼業の登場、戦後に出現した家庭への不安と戦う女性探偵、さらに八〇年代に登場する離婚や生活の必要性から社会と向き合う私立探偵たち、そしてもはや現在は私立探偵でない人種も職業も多様な女性が探偵として活躍するようになったとする（一二一―二九頁）。この概略は社会における女性に対する意識の変化をもとに組み立てた説明として納得がいく。

ただし大津波たちは、「フェミニスト探偵小説」という観点を押し出さず、男性作家が書いた女性探偵や女性作家による男性探偵をとりあげても、その差異をあまり検討せず、ジェンダーを経由して、むしろ生物学的な性による説明へと近づいている。「フェミニスト探偵小説」というジャンルは、そもそも背理を抱え込んでいる。女性中心の探偵小説や、女性読者に人気がある小説は、かならずしもフェミニズムにとって必要だというわけではない。たんに女性探偵が出てきただけでは、あるいは男性探偵の一人称を乗っ取って主人公となって、アクションや暴力行為を機械的に反復するだけでは、女性探偵物であっても「フェミニスト探偵小説」ではないことになる。

大津波たちも無視できない作品が、サラ・パレツキーが一九八二年に書き始めて二〇二〇年まで続いているV・I・ウォーショースキーという私立探偵が活躍するシリーズである。彼女はシカゴ在住のポーランド系移民の子孫という設定である。テクストの舞台は、男性探偵たちが好んで徘徊する西海岸でもニューヨークでもなく、絶えず湖の風景やループと呼ばれる高架線が出現する。シカゴを舞台にすることで独特なロケーションを形作っている。

ヴィク（V・Iの通称）をポーランド系と設定した理由は、作者のサラ・パレッツキー自身が所属する民族的少数派のコミュニティが背景にあるからだろうが、シカゴには他にもさまざまな民族的少数派が存在している。「デイメンは市内を縦貫する道路で、車でそこを走るのはシカゴという町の個性のまっただなかを突っ切ることである。北へ進むに従い、リトアニア人と黒人、黒人とスペイン系、スペイン系とポーランド人というふうに、人種区分のはっきりなされた異民族社会を通り抜けるのである」（『レディ・ハートブレイク』、一五三頁）。ここに描かれているのは、空間的に仕切られた民族的コミュニティを横断していくヴィクの姿である。同時にこの空間配置から、彼女が扱う事件の特徴を作り出す背景が浮び上がってくる。

ヴィクの人物設定だけを見ると、『羊たちの沈黙』のクラリスと共通したところがある。どちらもカトリック信仰の影の下にあり、WASP（白人・アングロ・サクソン・プロテスタント）という基準から外れている。父親は警察関係の職にあったがすでに死亡していて、娘が父親の職業を継ぐという形をとっている。現在は独身であり、心理学や法律の専門教育を受けた経験をもつ。だが、当然ながら違う点も多い。年齢の相違による価値観や体力の違いもあるが、ヴィクは離婚経験者で、しかも個人営業の私立探偵すなわち「プライベート・アイ」だが、クラリスは警察機構に身を置く。

ヴィクは銀行の残高を気にしながらも金融関係の探偵という仕事以外の私的な事件を選択しながら探偵を行なうが、上司のいるクラリスに仕事を選択する余地はない。クラリスを助けてくれるのはもっぱら男性だけだが、ヴィクには、利用するという形を含め女性の医者や記者が助けてくれる。こうした両者の扱いの違いは作者のジェンダーで説明できる面もあるが、ジャンルがもつもっと根源的な相違が影響している。フェニスト探偵小説に影響を受けながらも、トマス・ハリスは「警察小説」という別のジャンルの小説を書いていたのだ。

ウォーショースキー・シリーズのなかで、「フェミニスト探偵小説」が抱える課題を典型的に示すのが、第四作となった一九八七年の『レディ・ハートブレイク』（原題『苦い薬』）である。ここで前面に描かれるのは、産科医の殺人事件であるが、合衆国内の生殖と出産に関する言説の衝突がその背後にある。主人公のヴィクは、知り合いのメキシコ系の妊娠中の若い人妻コンスエロの夫の職探しにつきそう。ところが、途中で彼女が産気づき、緊急入院した病院でコンスエロと子どもは死亡する。そのとき出産を支援に来てくれた知り合いの医者が、後日殺される。彼の恋人に頼まれてヴィクは真相探しに乗り出すことになる。依頼人が訪れることで話が始まるという探偵小説の定石とはずれながら、巻き込まれる形で本格的に探偵を始める。事情を探っていくとじつは医療ミスを巡るトラブルが殺人の舞台を作っていて、ヴィクは記者や警官の仲間と協力して、病院の理事とギャングの結びつきを暴くことになり、最後には原因を作った医者が自殺することで幕を閉じる。

ミステリーという観点からすると、この作品に新味はない。ストーリーの展開や伏線に目を見張るような新しい要素はなく、犯人もすぐに見当がついてしまう。だが、フェミニスト探偵小説としての課題となってくるのは、ここで暴かれる女性というジェンダーと医療の関わりである。女性として社会的に認知されても、人種や民族のせいで診療が差別されたり、患者の収入や保険加入の有無が、医療を受ける資格を決めたりする。そして市民のなかに妊娠中絶の是非をめぐる意見の対立が存在してデモや騒動にまで発展し、医療ミスを取り扱う責任体制の欠陥のせいで、再発の防止策がとれなかったりした。

こうした背景が登場人物たちの行動規範を侵食し、母体の安全の問題よりも経済性が優先される制度が見てとれる。「アメリカ人はもともと貧乏に理解を示す国民ではないが、レーガンが大統領に選ばれて以来、それは幼児猥せつに劣らぬ悪質な犯罪となった」（二九頁）とヴィクは民主党よりの見解を述べて怒るが、こうしたさまざまな矛盾は結局個人の身体を通じて表われてくる。

個々の身体は、いつでも階級や人種といったほかの要素と連結する。今回は、コンスエロという、高校でトップの成績をとりながら家からの脱出を望んで、つまらない男の子どもを宿した若いメキシコ系女性という形で表現されている。彼女の民族的な見かけから、運ばれた病院では、ヴィクがイリノイ州の法律を持ち出して抗議するまで、診療が拒否されていた。

彼女と赤ん坊の死により、ヴィクは自分も「出産する性」としての女性に属するという事実を突きつけられる。コンスエロが死産した八ヵ月に満たない赤ん坊の名前は、ヴィクとユダヤ人である主治医のシャーロット・ハーシェルからとられ、ヴィクトリア・シャーロットと名づけられた。「ばかげだこととわかってはいたが、わたしの名前がつけられたばかりに、この死せる嬰児と無理やり同盟を結ばされたような気がして落ち着けなかった」（三四頁）と不安をもらす。しかも名親として擬似的に結ばれた母―娘の関係はヴィクを束縛し、嬰児の姿が夢のなかで、何度となく蘇ってくることになる。彼女が行動する中心の動機はここにある。母と娘とが男性によって連結されていることへの反発である。

ヴィクが自分の意見を吐くときには、単純なジェンダー区分に基づくわけではない。同性に対しても嫌悪を隠さない。このテクストで、ヴィクの批判の矛先が向く対象は、男性の医師の名前を盾にして人種嫌悪を剥き出しにする病院の看護婦や、死んだコンスエロの母親であるミセス・アルヴァラードである。とくにコンスエロの母親はたえず死んだ父親の名前を引き合いにだして、娘をその規範に縛りつけようとした。その結果として、コンスエロが家を出るために頼ったのも男性であり、死んだ嬰児の父親であるコンスエロのふがいない夫によっても見捨てられてしまった。

もちろん、死んだ父親と娘との関係はヴィクにとっても他人ごとではない。彼女の父親に対する二律背反的な態度は名前のなかに眠った形で表象されている。そもそも、V・Iと自分でも省略し、友人からはヴィクとだけで呼ばれているウォーショースキーの名前をはっきり明示すると、ヴィクトリア・イフゲーニアである。

イフゲーニアはギリシア悲劇に登場する父親アガメムノンによって生贄にされかけた娘の名前である。ヴィクは自分のあり方を不吉に示す名前を略称し隠蔽することで、かろうじて自分を保っているわけである。職業をもつことによる外で働くジェンダーとしての父親への同一化と、父親の名をもった声を通じて姿を表わす父権制への反発が、コンスエロの母親への嫌悪となり、このテクストをフェミニスト探偵小説として成立させている。さらにその母親の形象を通じて姿を表わすカトリックの「家」に対する信念への疑念が示されてもいる。

【掃除嫌いと探偵事務所】

このシリーズが「フェミニスト探偵小説」とされるひとつの証拠は、有名なヴィクの掃除嫌いにある。そうした自分の気持ちをはっきりと口にするヴィクが、主婦などの読者に支持された。

大橋洋一は、父権制の問題が表出する徴候的な箇所として掃除の分担を誰がするのかが問題になると提起する。そして掃除問題に関心をもたない人間は、たとえ女性でも、「ウォーショースキー物の探偵の女性が自分の住居をちらかしたままにすることを許せないと語った女子学生のように父権制のマインドコントロールから逃れていない」と断定する（大橋、一三一頁）。だが、家庭でも仕事でもパートナーをもっていないヴィクにとって、分担を争うべき相手はいない。だから、彼女の住居をどのように汚れた状態にしても困るのはあくまでも彼女自身でしかない。

そもそも、掃除をせずに汚れたままの事務所兼住居は、小説や映画やコミックスにしばしば登場する、独身の男性ハードボイルド探偵を示すクリシェとなった感がある。汚れた灰皿やコーヒーカップ、整理されない書類や手紙の束は、見慣れた情景といってもいい。そうかと思えば、ハリウッド映画などに登場する探偵のきれいな事務所の場合は、女性秘書や掃除の女性が片づけている。女性が手を出さず掃除をしないで放っておけば、汚れたままでいるのが男性であるという父権制が作りあげた公式化が背後にある。もちろんこの公式は神話であり、男性に都合がいいだけではなく、女性が自分のジェンダーを自己確認するための材料を提供するせいですたれていないのだ。

ところが、掃除が嫌いなヴィク自身であっても、備品を中古品で固めた自分の事務所まで住まいと同じ状態にしてはいない。むしろ事務所はましだ、と言っている。しかもヴィクは会う相手に合せて着ていく服装に気をつけ、「内なる領域」と「外なる領域」という物理的な形で、「私的なもの」と「公的なもの」をきちんと区別している。

他人が関与する場所は掃除し片づけようとし、自分だけの領域は放置するのである。この区別を考慮するなら、掃除をしないことが父権制への抵抗として有効なのかは疑問だろう。何よりも仕事の場という外の視線を意識する領域を確保している点で、ヴィクは男性探偵たちと似た態度をとっている。

男性探偵とヴィクの類似性を比較するなら、大橋自身が別な箇所（九六頁）で、受容理論を説明するために冒頭部分を引用していた原寮による『そして夜は甦る』（一九八八）の主人公はどうだろう。そこに登場する私こと沢崎は、「三通の郵便は、それぞれ女子大生と女権主義者と女装趣味の男にでも送付すべきダイレクト・メイルで、いつものようにクズかごへ直行させた」（一四頁）と語る典型的なマッチョ志向の探偵である。

主人公の沢崎はあちこちで女性的なものに嫌悪の言葉を吐きながらも、出会う女性はたとえ声だけの応答サーヴィスの女性だろうが、魅力的な者ばかりと男性に都合が良いファンタジーが描かれている。しかも沢崎は私生活を語らないし、その行動や言動で明らかに「清潔」というイメージを与えようとしている。仕事の書類は机のなかにきちんとしまっているが、手紙を捨てたクズかごを沢崎が最終的にどうしたのかが言及されることはない。

こう考えてくると、女子学生が反発したのは、ヴィクが自分の住居を散らかしたままでいる事実にではなく、散らかしたままの状態を隠さない彼女の態度に対してであろう。もしも、その女子学生が父権制に「マインドコントロール」されているとすれば、ヴィクが掃除したところで、じつは女子学生の嫌悪は消えはしない。むしろ、だらしない部分が外にあらわになるのを隠さない点をとがめているのだ。

だが、このようにしてフェミニスト探偵小説としての課題とぶつかるヴィクにも当然ながら限界があり、父権制に支配された女性にも魅力的に映る部分がある。サリー・R・マントは、犯罪小説とフェミニズムの関係という広範囲な問題を扱った本のなかで、ヴィクの限界を彼女がたえず着替える服装に見出す。

服装の重要性をほのめかすことが、ジェンダーを意識化する読者の存在を不可能にする。なぜなら、異性愛の男性読者や、レズビアンの読者にとっては、彼女は魅惑的な見世物（服装はたいていシルクで、ほとんどつねに高価なものである）として機能し、異性愛の女性読者には、ヴィクの服装のスタイルが権力委譲というブルジョワの幻想をメトニミー的にほのめかすせいで、彼女の機能そのものがさらにあこがれの対象となる。権力委譲の幻想として、ウォーショースキーの服装のスタイルは、「ドレスアップ」が仕事を可能にするという自信を女性読者にとりもどさせるのだ。（マント、四七頁）

マントはヴィクが男性の独身主義者の生活様式を模倣しているだけだと指摘し、スー・グラフトンが描くキンジー・ミルホーンの方が服装も構わず自分で料理をするだけましだとみなしている。家庭から脱出し、独立して生活することが、最大の課題だったとしても、ヴィクの個人主義的な態度は、消費社会が提供するサーヴィスを前提として可能なものである。

テイクアウトの食べ物やレストランを利用し、服装からすべてをショッピングで済ませるなかで暮している。その場合、掃除をしないという抵抗だけでは消費社会のなかに張りめぐらされた父権制を変えることはできそうにない。むしろ、消費社会は掃除のサーヴィスを商業ベースで開発して、家政婦や掃除代行業からロボット掃除機までを提供するだけだ。そのときには、掃除をしないことが父権制の延命につながるかもしれない。

ヴィクのやりかたをかろうじて成立させているのが、「集団的なもの」への帰属意識の欠如である。彼女はどこにも属さないように距離をとることで平衡を保っている。夫と離婚して、家庭はもたず、パートナーもなく、診療所も手伝うだけ、仕事も本業以外は趣味の事件へと首を突っ込む。こうしたヴィクの位置は、さまざまな制約から自由に見えるにはいちばん良い位置となる。そこには、消費社会のなかで生きていく女性の一つの選択肢に見える。だが、結果として、アマチュア学者を気取っていたヒギンズやピカリングのような独身主義者の行動様式に近づくせいで、ヴィクが探偵を行なう対象はコンスエロのような身近な人物に限られてくるのだ。しかも、コンスエロが抱えるメキシコからの移民とか、スラムにおけるギャングの問題は、どうやら彼女の視野からは外れてしまうのである。

【レズビアン探偵小説】

フェミニスト個人主義がもつそうした限界に目を向けさせたのが、「フェミニスト探偵小説」と同じ根から出ているようで、異なる領域を扱う「レズビアン探偵小説」である。大津波たちの本では、「フェミニストたれ」という章題でそうした作品がまとめられ、「レズビアン探偵小説」にこそフェミニズムの問題が集約化されているように扱われていた。もちろん、ジェンダー役割の曖昧さに異義申し立てをするこうした小説群は、形式的には男性探偵小説からかなり逸脱していながらも、その関係は複雑になる。もちろん異性愛の男性読者にポルノグラフィとして読まれてしまう可能性もある。

とはいえ、レズビアン探偵小説がフェミニスト探偵小説と鋭く対立するのは、「集団的なもの」を想定しないと話が成立しない点にある。マントが考えるように、社会の周縁性からレズビアンを個人主義とするのは矛盾がある。レズビアンの両親からレズビアンが生まれるという事がない以上、はじめからパートナーの問題や家族や親子関係の擬制の問題がつきまとう。もし、父権制と分離してレズビアンの経験や存在を守ろうとしても、その主張がときにはジェンダーに回収されたり、逆にフェミニズムの主流派とぶつかることになる。このため、レズビアンはジェンダーに対する曖昧な態度を生み出すことになるだろう。

ジェンダーに対して揺れ動いた態度をとった例として、サンドラ・スコペトーネを取り上げてみよう。彼女は先鋭的なレズビアン探偵小説の書き手とはみなされていない。スコペトーネは、レズビアンであることをカミングアウトするのに、紆余曲折があったせいで、九〇年代になって「大手の出版社に売れた最初のレズビアン探偵もの」とされるローレン・ローラノを主人公にした連作を書き始める。第一作目の一九九一年の『狂気の愛』（原題『あなたのものはすべて私のもの』）は、レイプをめぐる真相を探るものだが、ローレンはセラピストのパートナーとの私生活を隠しはしない。

ところが、一方ですでに作家歴も長かったスコペトーネは、八〇年代にジャック・アーリーという男性名義でミステリーを何冊か出版した。とくに一九八四年に発表した第一作目の『芸術的な死体』（原題『創造的なタイプの殺人者』）で、「男性作家」としてシェイマス賞最優秀新人賞を受けたことは皮肉ともいえる。スコペトーネ自身には、異性愛的な課題を重視しないせいで、伝統的なハードボイルド作者に自分を同一化するのも可能で、商業的な成功を獲得したともみなせる。ジャンルの要請に従ったにすぎないのであり、読者や批評家はそうした彼女の行為に欺かれたといえるかもしれない。

アーリー＝スコペトーネは別に例外的な存在ではない。そもそもポピュラー小説では、ジャンルと作者や読者のジェンダーのつながりが強力に存在してきた。「スペースオペラ」「ハードボイルド探偵小説」「冒険ファンタジー」といったジャンル小説は、従来男性の作家が男性の読者にむけて製作するものと考えられてきた。現在では女性の作家が数多く参加しているが、女性が書く場合に男性名で出版を試みる場合があった。たとえば、ＳＦの領域では、Ｃ・Ｌ・ムーアのように名前を省略して性別を曖昧にしたり、アンドレ・ノートンやジェイムズ・ティプトリー・ジュニアのようにまったく別の名前を作った例がある。最後のティプトリーなどは、わざわざジュニアと名乗ることで、男性としての権威を二重に強調してさえいる。

逆に「ロマンス小説」や「少女小説」では、女性作家の名前でないと信用されない。ホラー小説を書いているＤ・Ｒ・クーンツは女性名ディーナ・ドワイアーでロマンス小説を書いたあと、今度はロマンス小説の文法をホラーへと持ち込み、ジャンルの混交を行なって女性読者を引き込むことに成功した。こうしたことが起きるのも、ジャンルとジェンダーにつながりがあるという前提が存在しているからだ。とはいえ、反対のジェンダーの名前で書いたことが、ジェンダーの差異の仕組み自体を全面的に揺るがす作業となっているのかは疑問だろう。

男女の別なく、「反対」側のジェンダーを破綻なく演じ切ることは、ジェンダーを越境しているように見えて、そのじつ、枠組自体には何も影響を及ぼさない可能性が大きい。重要なのは、書き手としての作家のジェンダーではなく、むしろテクストが、ジェンダーによってどこまで決定されているのかを明らかにすることである。そして、安易に発話内主体と発話行為の主体を一致させようとする動きにどのように抵抗するかである。二十世紀末の日本のミステリー界における4F現象（女性作者、女性主人公、女性翻訳家、女性読者）において、すべての「女性」というカテゴリーが同じであるのかは疑問となる。

スコペトーネがアーリー名義で書いた代表作である『芸術的な死体』では、主人公は異性愛の男性の探偵であるし、ふたりの子どもを抱えている彼は、マンションの隣に越してきた「美人の」シングル・マザーと結ばれる。事件の解決と家族の再結成への期待を重ねるこうした幸福な結末は、十分に異性愛的で父権制的なものと考えられるだろう。

この安定したテクストにもいくつか亀裂が走っている。事件の依頼人がゲイであり、しかも事件の中心にはゲイが遺伝するとみなすホモフォビアが隠れていたのである。探偵が事件の真相を暴くことが、ゲイへの偏見の訂正へとつながる。もちろんゲイやレズビアンの探偵が登場すること自体が、現代風俗の描写でしかない可能性もあるが、アーリー＝スコペトーネが異性愛の探偵を描きながらも言及せざるをえなかった理由は異なるのである。

もっとも、レズビアン＝マイノリティを点景的な人物として登場させるだけでは満足できなかったので、スコペトーネは正面から描くためにローレン・ロラーノを創造した。ただし、こうしたマイノリティを表象するスコペトーネの行為にも、マントが指摘するように、「すべてのレズビアンは善人である」とみなす危険はつきまとう（一二一頁）。そうした単純化の弊害は、どのような表現にも起きうるのである。

マイノリティに所属することが特権化される条件ならば、そういう立場に「生まれ」たり「育てられ」なかった者はその集団から排除されてしまう。そうした不足や落差を補うのが、自己の立場を変化させ、集団に参加するための技術となる。イライザの場合の音声学や、クラリスやヴィクの専門知識や捜査技術は、ジェンダーや階級の段差を埋めてくれるように思える。だが、技術を獲得することで、集団から抜きん出る優位性をもたらすので、差異のなかったところに新たな差異を生み出す危険がある。ただし、その不十分性を理解しつつも、あえて引き受けている点に、ヒロインたちの可能性があるのだ。

5　プリティ・ウーマンとは

映画『プリティ・ウーマン』（一九九〇）の最後の場面で、娼婦ヴィヴィアンが住んでいる四階建の安ホテルの最上階の部屋に、求愛のためエドワードが外の避難梯子をよじ登って近づいていく。さながら塔に閉じこめられた姫君を救出する王子の姿だが、高級ホテルの最上階のペントハウスに住む若きエグゼクティブである現代の王子は高所恐怖症で、最後にはヴィヴィアンに助けてもらわなくてはならない。

どうやら、お伽話に出てくる高い塔は、ここでは都会の日常的な空間となってしまっていて、その一室にヴィヴィアンを閉じこめているのは悪い魔法使いなどではなく、消費社会のシステムそのものである。エドワードがヴィヴィアンを、彼女がいる安ホテルの最上階から自分のペントハウスへと移動させるには、映画の最初の場面のように娼婦を買うという行為では不可能である。

エドワードは、すべてを交換価値とみなす消費社会の論理から逸脱したように見える行為を示すことによってはじめて、ヴィヴィアンの身体ばかりでなく心までも奪うことができる。だから今度は自分の方からヴィヴィアンのもとを訪ね、しかも高所恐怖症と戦って梯子を上がることで、やっと金銭以外で愛情を示したとみなされ、ヴィヴィアンに受け入れられる。

上昇についてかたちを変えたこの反復の仕掛けにこそ、『プリティ・ウーマン』が、当時の女性の観客たちに純粋な愛の物語として受け入れられた秘密がある。もはや、一方的なジェンダーの優劣関係だけで物語を成立させることはできないし、たとえあったとしても優劣関係を空間的に示して、一方に吸収されるだけでは現代的な説得力をもたないであろう。

エドワードのペントハウスの外でも、ヴィヴィアンには自分の生活があり、それは観客の場合と同じなのだ。だから、映画のなかでヴィヴィアンの部屋での生活が描写されることは、『マイ・フェア・レディ』のイライザが、ヒギンズの家以外で自分の部屋での生活を一度も見せないのとは対照的で、観客に説得力をもっている。

それとともに、ヴィヴィアンが友人のキットなどとは違って、自分なりに上昇志向をもった女性であることで、彼女に幸運が訪れた理由が観客にもわかるように思える。これこそが、この本でずっと見てきたように、『あしながおじさん』のジュディから、『羊たちの沈黙』のジョディ・フォスター演じるクラリスまでの女性たちがたえず試みてきた挑戦であり、多くの文化表象のなかで反復されてきた考えでもある。そして男性という契機を拒絶せずむしろ利用することで、プリティ・ウーマンとなっていく変身の物語である。

もちろん、いつでもどこでも通用するプリティ・ウーマンとなる条件が存在するわけではない。ピグマリオン・コンプレックスとは、まさにそうした条件がさまざまな社会的・歴史的関係のなかで変化してきた様子を見るためのひとつの指標であった。ギリシアの昔に発した神話は、解体と変質をくりかえしながら、コンプレックスとして私たちの文化のなかに装置として入りこんでいる。したがって、私たちは、たとえピュグマリオンとかガラテイアという名称そのものを見かけなくても、そうした固有名がつくりだしてきた問題圏に支配されているのである。そうした事情を自分たちの手で認識するには、自分たちをとりかこむ力に意図的に異なった読み方をしてみる必要があるだろう。

プリティ・ウーマンとなるために、モードの最新流行を追いかけるように、次々と自分が参加する「少数者」を探しだすことでは、全面的な解決はしない。たとえ少数者になることを求めて、衣装を交換したり身体の加工を行なっても、モードとして組みこまれるとただちに多くの者によって追いつかれてしまい、究極の解決方法とならない事情はすでに見てきたとおりである。差異はすぐに模倣されて、差異ではなくなってしまう。そして、少数者を転倒させて高貴なる者へと読み替える図式は、汚辱にまみれた者にこそ栄光があるという倒錯したエリート主義的な考えと同じになる危険性をもっている。だから、少数者であることを強調したとしても、それはあくまでも状況に応じて利用する価値をもっているにすぎないのだ。

少数者であることを確認したり、意識的に少数者となることを通じて、一度いろいろな行為と自分という存在をつなぐ回路が形成されてしまうと、その回路自体が他の選択の可能性まで排除してしまう。『コレクター』のミランダのように「私は少数者だ」という勝ち誇った語り方で、発話内の主体である「私」と発話行為の主体である「自分」とを一致させようとする試みが登場してくる。他者との対話に懐疑的な彼女には、『あしながおじさん』のジュディや『羊たちの沈黙』のクラリスのような上昇志向の女性たちが生活のなかで周囲とぶつかりあう苦しい姿はどのようなものか想像もつかないだろう。

また、自分と同じ集団に属さない他者に対し、自分と同じ発話内主体を使うことを禁止する動きもある。こうした排除の動きさえも決して一方的なものではないし、この本のなかで見てきたようにさまざまな局面で生じているのだ。しかも対象を分析する方法自体を固定化することが、それぞれの対象に対する理解や介入の仕方、ひいては対象に関与する主体まで、画一的な紋切り型に押しこめてしまう。

そう考えると、ピュグマリオン神話そのものを、理想的な女性を創造する男性中心の神話としている事情を指摘し告発することは、理解の第一歩とはなるが、問題の解決とはならない。抑圧した存在はかたちを変えて回帰してくる。だから存在を告発したり、発話内で使用禁止をすることで、問題が終わったとみなす安易な解決を避けなくてはならない。

そのために、むしろ同じ根から生まれてきたピグマリオン・コンプレックスを盗用し、もう一度意識的にピュグマリオン神話のなかに差し挟んでやりながら、たえず神話に圧力をかけて強度を失わせるしかない。もしその方法によって、今までになかったジェンダーの関係が見いだせるなら、ピュグマリオン神話の系譜を分析することがその解体となる。

ピグマリオン・コンプレックスという場を設定して、二十世紀の文化表象のなかでジェンダーを中心として構築される権力関係を読みとるという作業が、部分的には行なえたと思う。あくまでも、英米文化の文化現象をいくつかの問題設定にそって分析をしたにすぎないが、コンプレックス自体が自らを変容することで生き延びている状態にあるとわかってもらえたのではないだろうか。そして、現代の日本に住んでいる人間にもピグマリオン・コンプレックスが無縁ではないと理解できるはずである。

あくまでもピュグマリオンよりもガラテイアが分析の対象であった。だが、『パリで一緒に』のなかで、脚本家は『フランケンシュタイン』と『ピグマリオン』の構造的類似を指摘していた。だとすると、ピグマリオン・コンプレックスにぴったりと張りついて、不気味に漂っている名前をもたない怪物、その名前はガラテイアの男性形であるガラテイオかもしれない、と私は思う。

ラファエロ《ガラテイアの勝利》。海の妖精ガラティアが、イルカに先導された貝の車に乗って凱旋する場面を描いた壁画。ここからピュグマリオンのガラテイアがつけられた。

参考文献

【英語文献】

Abel, Elizabeth (ed), *Writing and Sexual Difference* (Harvester, 1982).

Adams, Alice E., *Reproducing the Womb: Images of Childbirth in Science, Feminist Theory, and Literature* (Cornell UP, 1994).

Barnard, Malcolm, *Fashion as Communication* (Routledge, 1996).

Bartkowski, Frances, *Travelers, Immigrants, Inmates: Essays in Estrangement* (Minnesota UP, 1995).

Benstock, Shari, et al eds., *On Fashion* (Rutgers University Press, 1994).

Bogard, William, *The simulation of surveillance: Hypercmtrol in telematic societies* (Cambridge UP, 1996).

Bongie, Chris, *Exotic Memories: Literature, Colonialism, and the Fin de Siecle* (Stanford UP, 1991).

Bordo, Susan, *Unberable Weight* (California UP, 1993).

Braidotti, Rosi, *Nomadic Subjects: Embodiment and Sexual Difference in Contemporary Feminist Theory* (Columbia UP, 1994).

Bullough, Vern L. & Bonnie Bullough, *Cross Dressing, Sex, and Gender* (University of Pennsylvania Press, 1993).

Burnett, Frances Hodgeson, *The Secret Garden* (Penguin, 1990).

Cartwright, Lisa, *Screening the Body: Tracing Medicine s Visual Culture* (Minnesota UP, 1995).

Clover, Carol J., *Men, Women, and Chainsaws :Gender in the Modern Horror Film* (British Film Institue, 1992).

Cook, Elizabeth Heckendorn, *Epistolary Bodies: Gender and Genre in the Eighteenth-Century Republic of Letters* (Stanford

UP, 1996)
Craik, Jennifer, *The Face of Fashion: Cultural Studies in Fashion* (Routledge, 1994).
Creed, Barbara, *The Monstrous-Feminine: Film, Feminism, Psychoanalysis* (Routledge, 1993).
Curry, Ramona, *Too Much of a Good Thing: Mae West as Cultural Icon* (University of Minnesota Press, 1996).
David. Deirodre. *Rule Britania: Women, Empire, and Victorian Writing* (Cornell UP, 1995).
Donaldson, laura, E., *Decolonizing Feminisms: Race, Gender and Empire-Buliding* (Routledge, 1992).
Doyle, Laura, *Bordering on the Body. The Racial Matrix of Modern Fiction and Culture* (Oxford UP, 1994).
Drucker, Johanna, *Theorizing Modernism : Visual Art and the Critical Tradition* (Columbia UP, 1994).
Earls, Irene, *Baroque Art: A Topical Dictionary* (Greenwood Press, 1996).
Eliot, George, *Silas Marner* (Penguin, 1990).
Feenberg, Andrew, *Alternative Modernity: The Technical Turn in Philosophy and Social Theory* (University of California Press, 1995).
Felski, Lita, *The Gender of Modernity* (Harvard UP, 1995).
Fowles, John, *The Collector* (Dell, 1980).
Friedberg, Anne, *Window Shopping: Cinema and the Postmodern* (University of California Press, 1993).
Gaines, Jane and Charlotte Herzog, eds., *Fabrications: Costume and the Female Body* (Roulgedge, 1990).
Gainor, J. Ellen, *Shaw's Daughters: Dramatic and Narrative Constructions of Gender* (The University of Michigan Press, 1991).
Galsworthy, John, *In Chancery* (Penguin, 1962).
Gatens, Moira, *Imaginary Bodies: Ethics, Power and Corporeality* (Routledge, 1996).
Graves, Robert, *The Greek Myths* vol.1 (Penguin, 1955).

Greenblatt, Stephen, *Learning to Curse: Essays in Early Modern Culture* (Routledge, 1990).

Greenhalgh, Paul, *Ephemeral Vistas: The Expositions Universelles, Great Exhibitions and World's Fairs, 1851-1939* (Manchester UP, 1988).

Guber, Susan, '"The Blank Page" and the Issues of Female Creativity', in *Abel* (1982).

Gunning, Tom, "Phantom Images and Modern Manifestations: Spirit Photography, Magic Theater, Trick Films, and Photography's Uncanny", in *Petro* (1995).

Halle, David, *Inside Culture: Art and Class in the American Home* (Chicago UP, 1993).

Haraway, Donna J., *Simians, Cyborgs, and Women* (Routledge, 1991).

Hausman, Bernice L., *Changing Sex: Transsexualism, Technology, and the Idea of Gender* (Duke UP, 1995).

Jacobus, Mary, *First Things: The Maternal Imaginary in Literature, Art, Psychoanalysis* (Routledge, 1995).

Jay, Karla, "No Bumps, No Excrescences : Amerilia Earhart's Failed Flight into Fashions", in *Benstock* (1994).

Kaplan, Caren, *Questions of Travel: Postmodern Discourse of Displacement* (Duke UP, 1996).

Kauffman, Linda S., *Discourses of Desire: Gender, Genre, and Epistolary Fictions* (Cornell UP, 1986).

---, *Special Delivery: Epistolary Modes in Modern Fiction* (The University of Chicago Press, 1992).

Klein, Kathleen Gregory, *The Woman Detective: Gender & Genre* (University of Illinois Press, 1995)

Kuhn, Annette, ed., *Alien Zone: Cultural Theory and Contemporary Science Fiction Cinema* (Verso, 1990).

Landry, Donna and Gerald Maclean, eds., *The Spivak Reader* (Routledge, 1996).

Lawrence, Karen R., *Penelope Voyages: Women and Travel in the British Literary Tradition* (Cornell UP, 1994).

Lively, Penelope, *Moon Tiger* (Penguin, 1988).

---, *Oleander, Jacaranda* (Penguin, 1994).

MacKenzie, John M., *Orientalism: History, theory and the arts* (Manchester UP, 1995).

Marchalonis, Shirley, *College Girls: A Century in Fiction* (Rutgers UP, 1995).

Mavor, Carol, *Pleasures Taken: Performances of Sexuality and Loss in Victorian Photographs* (Duke UP, 1995).

Meyer, Susan, *Imperialism at Home: Race and Victorian Women's Fiction* (Cornell UP, 1996).

Miller, J. Hillis, *Fiction and Repetition: Seven English Novels* (Harvard UP, 1982).

Mitchell, Sally, *The New Girl: Girl's Culture in England, 1880-1915* (Columbia UP, 1995).

Morris, Mary, ed., *Maiden Voyages: Writings of Women Travellers* (Vintage Books, 1993).

Munt, Sally Rowena, *Murder by the Book: Feminism and the Crime Novel* (Routledge, 1994),

Nead, Lynda, *The Female Nude: Art, Obscenity and Sexuality* (Routledge, 1992).

Nussbaum, Felicity A., *Torrid Zones: Maternity, Sexuality, and Empire in Eighteenth—Century English Narrative* (The Johns Hopkins UP, 1995).

Ong, Walter J., "The Writer's Audience Is Always a Fiction" *PMLA* 90 (1975) : 9-21.

Pacteau, Francette, *The Symptom of Beauty* (Reaktion Books, 1994).

Petro, Patrice, ed., *Fugitive Images: From Photography to Video* (Indiana UP, 1995).

Pykett, Lynn, The "Improper" *Feminine* (Routledge, 1992).

Rand, Erica, *Barbie s Queer Accessaries* (Duke UP, 1995).

Robertson, Pamela, *Guilty Pleasures: Feminist Camp from Mae West to Madonna* (Duke UP, 1996).

Rubinistein, Ruth P., *Dress Codes: Meanings and Messages in American Culture* (Westview Press, 1995).

Sackville-West, *Vita, Heritage* (Futura, 1984).

Said, Edward E., *Culture and Imperialism* (Knopf, 1993).

Scanlon, Jennifer, *Inarticulate Longings: The Ladies Home Journal, Gender, and the Promises of Consumer Culture* (Routledge, 1995).

Shakespeare, William, *The Tempest* (Oxford, 1994).

Shaw, Bernard, *Pygmalion* (Penguin, 1996).

Showalter, Elaine, "Feminist Criticism in the Wilderness", in *Abel* (1982).

Stabile, Carol, A. *Feminism and the Technological Fix.* (Manchester UP, 1994).

Staiger, Janet, *Bad Women: Regulating Sexuality in Early American Cinema* (Minnesota UP, 1995).

Steinbeck, John, *The Portable Steinbeck* (Penguin, 1976).

Tasker, Yvonne, *Spectacular Bodies: Gender, Genre and the Action Cinema* (Routledge, 1993).

Terry, Jennifer et al (eds.), *Deviant Bodies* (Indiana UP, 1995).

Telotte, J. P., *Replications: A Robotic History of the Science Fiction Film* (University of Illinois Press, 1995).

Thurschwell, PamelaLiterature, *Technology, and Magical Thinking, 1880-1920* (Cambridge UP, 2001).

Tindall, William York, *Forces in Modern British Literature* (Vintage Books, 1962).

Urla, Jacqueline and Alan C. Swedlund, "The Anthropometry of Barbie: Unsettling Ideals of the Feminine Body in Popular Culture", in *Terry* (1995).

Webster, Jean, *Daddy—Long—Legs* (Penguin, 1989).

Weldon, Fay, *The Life and Loves of a She-Devil* (Ballantine, 1983).

Wells, H. G. *The Invisible Man / The War of the Worlds* (Washington Square Press, 1962).

Wilson, Leigh *Modernism and Magic: Experiments with Spiritualism, Theosophy and the Occult* (Edinburgh UP, 2013)

【邦訳文献】

ジャック・アーリー『芸術的な死体』大久保寛訳（扶桑社、一九九〇年）。

P・G・ウッドハウス「スープの中のストリキニーネ」、井上一夫訳、丸谷才一編『探偵たちよ　スパイたちよ』

所収（文藝春秋、一九九一年）。

バーバラ・エーレンライク他『魔女・産婆・看護婦——女性医療家の歴史』長瀬久子訳（法政大学出版局、一九九六年）。

ウィリアム・カッツ『フェイスメーカー』小菅正夫訳（新潮社、一九九一年）。

ミシェル・カルージュ『独身者の機械——未来のイヴ、さえも……』高山宏他訳（ありな書房、一九九一年）。

ニコラス・クセノス『稀少性と欲望の近代——豊かさのパラドックス』北村和夫・北村三子訳（新曜社、一九九五年）。

マイケル・グロス『トップモデル——きれいな女の汚い商売』吉澤康子訳（文藝春秋、一九九六年）。

ピーター・ストリブラス、アロン・ホワイト『境界侵犯——その詩学と政治学』本橋哲也訳（ありな書房、一九九五年）。

P・K・ディック「囚われのマーケット」山田和子訳、『模造記憶』所収、浅倉久志他訳（新潮社、一九八九年）。

エロル・トレビンスキ『愛を奪った女ベリル・マーカム』田中融二訳（新潮社、一九九六年）。

リチャード・ニーリー『仮面の情事』二宮馨訳（新潮社、一九九一年）。

トマス・ハリス『羊たちの沈黙』菊池光訳（新潮社、一九八九年）。

サラ・パレツキー『レディ・ハートブレイク』山本やよい訳（早川書房、一九八八年）。

J・L・ピーコック『人類学とは何か』今福龍太訳（岩波書店、一九九三年）。

ランドール・ブリンク『アメリア・イヤハート——最後の飛行』平田敬訳（新潮社、一九九五年）。

ジャン・ボードリヤール『象徴交換と死』今村仁司・塚原史訳（筑摩書房、一九八二年）。

レイチェル・ボウルビー『ちょっと見るだけ』高山宏訳（ありな書房、一九八四年）。

ジャン・マーシュ『ウィリアム・モリスの妻と娘』中山修一他訳（晶文社、一九九三年）。

ジャック・ロンドン『どん底の人びと』行方昭夫訳（岩波書店、一九九五年）。

E・ルモワーヌ＝ルッチオーニ『衣服の精神分析』鷲田清一他訳（産業図書、一九九三年）。

【邦語文献】

荒俣宏『決戦下のユートピア』（文藝春秋、一九九六年）。

今村仁司『理性と権力――生産主義的理性批判の試み』（勁草書房、一九九〇年）。

彌永信美『幻想の東洋――オリエンタリズムの系譜』（青土社、一九九六年）。

大塚英志『物語治療論――少女はなぜ「カツ丼」を抱いて走るのか』（講談社、一九九一年）。

大津波悦子・柿沼瑛子『女性探偵たちの履歴書』（同文書院インターナショナル、一九九三年）。

大橋洋一「ご主人を拝借――ファグ・ハグとクィア理論」、『ユリイカ』、一九九六年一一月号。

荻野美穂『生殖の政治学――フェミニズムとバース・コントロール』（山川出版社、一九九四年）。

鹿島茂『デパートを発明した夫婦』（講談社、一九九一年）。

高橋暎一『モード・イン・ハリウッド――デザイナーと女優たち』（フィルムアート社、一九九二年）。

高山宏『世紀末異貌』（三省堂、一九九〇年）。

高山宏『テクスト世紀末』（ポーラ文化研究所、一九九二年）。

巽孝之「ガイノイド宣言」、リチャード・コールダー『アルーア』所収（トレヴィル、一九九三年）。

巽孝之『現代ＳＦのレトリック』（岩波書店、一九九二年）。

谷川渥『鏡と皮膚――芸術のミュトロギア』（ポーラ文化研究所、一九九四年）。

谷川渥『新編・表象の迷宮――マニエリスムからモダニズムへ』（ありな書房、一九九五年）。

土田知則他『現代文学理論――テクスト・読み・世界』（新曜社、一九九六年）。

富山太佳夫『シャーロック・ホームズの世紀末』（青土社、一九九三年）。

富山太佳夫『空から女が降ってくる――スポーツ文化の誕生』（岩波書店、一九九三年）。

能澤慧子『二十世紀モード――肉体の解放と表出』（講談社、一九九四年）。

沼野恭子「機械への憧憬」、『ハイパーボイス』所収（ジャストシステム、一九九六年）。

原尞『そして夜は甦る』（早川書房、一九九五年）

平木國夫『黎明期のイカロス群像』（グリーンアロー出版社、一九九六年）。

三浦雅士『身体の零度――何が近代を成立させたか』（講談社、一九九四年）。

山下晋司編『観光人類学』（新曜社、一九九六年）。

山田登世子『華やぐ男たちのために――性とモードの世紀末』（ポーラ文化研究所、一九九〇年）。

湯原かの子『ゴーギャン――芸術・楽園・イヴ』（講談社、一九九五年）。

米本昌平『遺伝管理社会――ナチスと近未来』（弘文堂、一九八九年）。

鷲田清一『モードの迷宮』（中央公論社、一九八九年）。

和田正平『裸体人類学――裸族からみた西欧文化』（中央公論社、一九九五年）。

あとがき

本書は、一九九七年にありな書房から発売された『ピグマリオン・コンプレックス——プリティ・ウーマンの系譜』の改訂新版である。執筆の背景などを説明した序文を今回新しく加えた。また、旧版では削除した第5章の第4節（「フェミニスト探偵登場」）を壊れかけたフロッピーディスクから丸ごと救い出して加えた。他にも情報を多少アップデートして加筆し、誤記や誤謬を訂正してはいるが、基本的な枠組みに変更はない。

長編評論の第一作だったので不慣れなことも多かったが、発表後に、幸いなことに社会学者の吉見俊哉氏から新聞紙上に好意的な書評を寄せてもらえた。ただし、当時周囲から厳しい批判あるいは真逆な肯定的な評価を受けたのは、映画と小説を対等に論じていることや、正典（聖典）とも呼べる純文学と、二流とみなされていた児童文学や大衆小説を併存させている点だった。こうした手法そのものは、文化研究が浸透した現在ではごく当たり前となり幅広く定着している。

文学の概念の拡張や変貌もあり、英米文学科の授業や卒論で映画が題材となることはもはや珍しくはない。当節の学生は文章を読む英語力が劣っていて、文字を読むよりも映像を観るほうが楽だ、などとみなす消極的な理由からなのではない。映像表現の分析の手法が、文学研究の分野でも受容され、学生たちの映像への感受性も能力も旧世代よりも秀でているせいである。なかでも児童文学や大衆小説は人気の題材だが、それも主流文学に比べて、文章や表現が簡単だからなのではない。社会的文化的背景や影響を分析する議論の蓄積が進んだことも一因だろう。

本書は複数の起源をもっている。何よりも活発だった大学や専門を横断した研究会で影響を受けたことも多い。会津で大学院生や若手研究者たちが合同で行なった合宿では『ピーターパン』について話をしたことがあり、そこからヒントもたくさんもらった。また『秘密の花園』に関しては福岡で開催された研究会で行なった発表が基になっている。

また、成蹊大学で一九九六年に担当した英米文学講義ⅠBで『ピグマリオン』を扱った授業は、学生たちとの対話のなかで思いがけない論点が見いだされたものである。これではどちらが教師かわからない、まさに相互に模倣しあい影響しあうなかで新しいものが生まれるという「思考の産婆術」の実践になったと思う。そうした参加者に感謝したい。

また、これは「文学研究から文化研究へ」というカルチュラル・スタディーズの流れに大きな影響を受けていることは間違いない。今では「カルスタ」などと手軽な呼び方をされて、時代遅れのアプローチにみなされるが、ポピュラー小説や映画やマンガといった大衆文化とされてきたものを対等に扱う姿勢が、閉塞感をもっていた文学研究に風穴を開けると感じられたのだ。実際、もはやどの文学部でもこうした対象を授業ばかりかレポートや卒論に取り上げるのは当たり前になっている。

旧版のあとがきでも述べたが、テレビで目にした『マイ・フェア・レディ』もそうだし、大学院の頃から通学や通勤途中で目にする新宿の小田急デパートのショーウインドーも多大なインスピレーションを与えてくれた。季節や流行の変化を毎週目にしていたことは、何らかの影響を及ぼしていると思う。そして、近所の古本屋で見つけた一冊百円の『あしながおじさん』を何気なく購入して、一読し驚いて、児童文学の可能性を考えるようになったのも、本書の始まりのひとつだった。『秘密の花園』などを植民地との関係で扱うことができると思えたのだ。

これは「変身」という子ども時代に観た特撮作品から一貫して抱いてきた関心を具体化した最初の評論となった。『変身物語』のピュグマリオン神話に想を得て、花売り娘の変身譚である『マイ・フェア・レディ』や、「さなぎ」と「変身」が重要な『羊たちの沈黙』などの映画に材を求めてみたのだ。のちに特撮怪獣映画を扱った『モスラの精神史』と『大魔神の精神史』で、幼虫からサナギとなり成虫へと変容する怪獣とか、動き出す石の魔神像という対象を分析したのも、本書の延長だったのである。あのゴジラすらも、心優しい生物が核実験の放射能によって変身させられた話だった。読み返してみて、本書が自分なりにジャンルを横断して「変身」や「変容」を追求する出発点となったことを再確認したのである。

現在入手困難になっている状況を見かねた小鳥遊書房の高梨治氏が、アップデートをした形での出版を提案してくれた。その申し出を受けて、今回の改訂新版が完成した。二十年以上前のものなので、論の展開の仕方や文体に今の自分との違いを感じる箇所も多々あった。そこで必要に応じて不要な部分を削除し、事実関係などの修正やアップデートとなる加筆を行なった。併せて読みやすさを考えて、長い段落を分割し、小見出しを加え、多くの文の生硬な表現を書き直して面目を一新したつもりである。

ただし、冒頭で述べたように、内容や論の展開つまり参考文献も議論の枠組みも、基本的には旧版のままである。また、「看護婦」などの表現等で、現在では置き換えるべきものもあるが、あえてそのままの形で残しておいたことをお断りしておく。なお文中の敬称はすべて省略した。

旧版でお世話になったありな書房の松村豊氏をはじめ多くの方々に感謝するとともに、改訂新版を企画出版してくれた高梨氏にあらためてお礼を述べておきたい。

小野俊太郎

二〇二〇年四月

索引

※人名（架空の人物も含める）と映画作品を五十音順に示した。
小説・絵画などの作品は作家ごとにまとめてある。

【人名（作品名）】

【ア行】

【カ行】

【サ行】

【映画作品】

【ア行】

【カ行】

【サ行】

【タ行】

【著者】

小野俊太郎

（おの　しゅんたろう）

文芸・文化評論家
1959年、札幌生まれ。
東京都立大学卒、成城大学大学院博士課程中途退学。
成蹊大学などでも教鞭を執る。
著書に、『ガメラの精神史』（小鳥遊書房）、『スター・ウォーズの精神史』
『ゴジラの精神史』（ともに彩流社）、『モスラの精神史』（講談社現代新書）や
『大魔神の精神史』（角川 one テーマ 21 新書）のほかに、
『〈男らしさ〉の神話』（講談社選書メチエ）、『社会が惚れた男たち』（河出書房新社）、
『日経小説で読む戦後日本』（ちくま新書）、
『『ギャツビー』がグレートな理由』『新ゴジラ論』『フランケンシュタインの精神史』
『ドラキュラの精神史』（ともに彩流社）、
『フランケンシュタイン・コンプレックス』（青草書房）
『快読　ホームズの『四つの署名』』『「クマのプーさん」の世界』（ともに小鳥遊書房）
など多数。

[改訂新版《かいていしんぱん》]

ピグマリオン・コンプレックス

プリティ・ウーマンの系譜《けいふ》

2020年5月25日　第1刷発行

【著者】

小野俊太郎

発行者：高梨 治

発行所：株式会社**小鳥遊《たかなし》書房**

〒102-0071　東京都千代田区富士見1-7-6-5F

電話 03-6265-4910（代表）／FAX 03-6265-4902

http://www.tkns-shobou.co.jp

装幀　渡辺将史

印刷　モリモト印刷株式会社

製本　株式会社村上製本所

ISBN978-4-909812-36-0　C0098